DENTAL MANAGEMENT OFFICER

치과경영관리사

전강우 전현주 지음

법무이론

치과경영관리사

법무이론

첫째판 1쇄 인쇄　2021년 01월 12일
첫째판 1쇄 발행　2021년 01월 22일
첫째판 2쇄 발행　2022년 02월 10일

지 은 이　전강우 전현주
발 행 인　장주연
출 판 기 획　한수인
책 임 편 집　이경은
편집디자인　신지원
표지디자인　신지원
발 행 처　군자출판사
등록 제 4-139호(1991. 6. 24)
본사 (10881) **파주출판단지** 경기도 파주시 회동길 338(서패동 474-1)
Tel. (031) 943-1888　Fax. (031) 955-9545
홈페이지 | www.koonja.co.kr

* 파본은 교환하여 드립니다.
* 검인은 저자와의 합의 하에 생략합니다.

ISBN 979-11-5955-638-8
979-11-5955-636-4 (세트)

정가 25,000원

약력

변호사 전 강 우

- 現 법무법인 푸른 형사 의료소송담당 변호사

- 現 신용보증재단(부산) 구상금 관련 전담소송수행
  한국자산관리 공사, 부산시의료원, HCDC 북항아이브릿지 등 각종 공기업 전담 소송수행

- 現 ㈜ 프라임 에듀넷 헌법 행정법 강사(과목: 변호사시험)
- ㈜ 스터디채널 공인노무사 종합반 강사

- 前 ㈜ 한겨레 공무원학원 행정법 행정학 강사
- 前 경찰실무수습과정 수료(경찰대학교)
- 前 재건축, 재개발 및 건축법관련 행정법출간
- 律 행정법·律 헌법·律 민사소송법 (출)좋은책 출간

변호사 전 현 주

- 케이제이홀딩스 법무팀 팀장역임
- 에이스티 부동산 컨설팅 차장
- 부산지방법원 실무수습완료
- 검찰실무수습
- 부산지방동부지청 실무수습
- 법무법인 유화 소속변호사
- 법무법인 우람 소속변호사
- 한겨레고시학원 경찰,검찰팀 팀장
- 프라임법학원 변호사 형법, 형사소송법 팀장역임
- 부산시 상수도인사분과위원
- 부산남부교육청 폭력대책심의위원회위원
- 부산시 민원조정위원회 위원
- 부산시 공무원포상위원회 위원
- 공군군사법원 국선전담변호사
- 부산 동부 경찰서 수사민원상담위원
- 변리사, 세무사자격증 보유
- 법무법인 푸른 소속변호사
- 법무법인 대륜 수석변호사 재직 중

저서
- 민사재판실무-판사임용시험관련(글샘)
- 형사재판실무-검사임용시험관련(글샘)
- 변호사시험기록 메모법민사기록(글샘)
- 변호사시험기록 메모법형사기록(글샘)
- 율 민사소송법(좋은책)
- 율 행정법(좋은책, 공저)
- 변시비젼 민법(좋은책)
- 민사소송법 변호사시험, 법무사, 법원행시 기출(아우라출판사)
- 민법 변호사시험, 법무사, 법원행시 기출(아우라출판사)
- 형법 변호사시험, 법무사, 법원행시 기출(아우라출판사)
- 형사소송법 변호사시험, 법무사, 법원행시 기출(아우라출판사)

머리말

치과경영관리사(dental management)는 치과 병 · 의원의 경영합리화를 위하여 경영진단이라는 조사방법에 의거, 객관적인 입장에서 엄밀히 조사 · 분석하여 경영 질환의 원인을 발견하고 그에 대한 합리적인 대책을 제공할 수 있는 전문 자격사를 말합니다.

의료경영이라는 특수한 환경에서 치과 병 · 의원의 경영 안정성 여부를 진단하고, 위험관리(risk management)를 통해 각종 손해를 예방하며, 커뮤니케이션 · 상담을 통해 환자를 유치 · 관리하여 클라이언트가 원하는 수준으로 매출이 관리될 수 있도록 양질의 교육과 컨설팅을 활용해 지속 가능한 성장 경영 모델을 구축하는 것입니다.

치과의료산업시장은 의료법, 근로기준법, 민법, 민사집행법, 상가임대차보호법, 주택임대차보호법, 채무자 회생 및 파산에 관한 법률, 기타 행정 등이 적용되는 상황들이 지속적으로 발생하고 있으며 이러한 부분에 대한 대처 능력의 부재로 인한 위험관리(RM) 실패는 엄청난 손실을 안겨줄 수 있습니다.

이렇게 입법, 사법, 행정 전반에 모든 영향을 받고 있는 이 시장에서 치과경영관리사의 리걸 마인드(legal mind)는 꼭 필요한 기술이며, 사전적 주의의무와 사후적 예방능력을 토대로 경영 전반에서 발생할 수 있는 사건 사고 처분을 예방하고 관리할 수 있을 거라 생각합니다. 이에 저자는 치과경영관리사 양성을 목적으로 위험관리의 꽃이라 불리우는 법무이론을 수강생에게 교육하여 자격 취득 시 치과경영관리 전문가로 발돋움할 수 있게 하고자 본 교재를 집필하게 되었습니다.

저는 법무법인에서 민사 형사 특히 의료분쟁관련 업무를 담당하는 전강우 변호사입니다. 실제로 부산의료원, 부산대학병원 등 각종 의료 소송 등을 진행하면서 기본적인 법무이론지식을 치과경영관리사의 필수 역량으로 갖춘다면 소송 전에 합의나 소액 민사 해결 또는 노동분쟁을 간소하게 해결하여, 소송비용이나 소송으로 인한 정신적 물질적 피해를 사전에 막을 수 있는 중대한 역할을 할 수 있다고 생각해 왔습니다.

법무이론의 강의서를 직접 집필하고 이에 강의를 준비하면서 치과경영사가 습득해야 할 필수적인 법규정과 판례 및 실제 사례를 해결하는 등의 절차 등을 중심으로 구성하였습니다.

수험생분들은 법무이론을 공부하실 때 법학은 무조건 암기하는 것이라는 편견을 버리고 치과경영을 관리하면서 필요한 필수 법무이론 등을 익히고, 실제 의료분쟁 및 근로기준법 등을 판례를 통해 이해하고 학습하도록 구성하였습니다. 현직 로펌 변호사로 법학을 좀 더 쉽고 이해하기 편하도록 강의할 것을 약속드립니다.

출판에 도움을 주신 ㈜ 메듀플 대표님 그리고 바쁜 와중에도 함께 집필 수정 작업을 함께 해준 공동저자 전현주 변호사님께 감사드립니다. 마지막으로 부모님과 아내, 두 보석 혜정이 혜원이 지금처럼 건강하고 행복하게 지내기를 바랍니다.

2022년 1월

편저자 전 강 우

머리말

지속적인 인력난을 겪고 있는 치과의료산업은 진료와 경영 전반에서 발생할 수 있는 위험관리가 제대로 이루어지지 못하고 있는 게 현실입니다.

인간의 신체와 생명을 다루는 의료산업은 무엇보다 안전하게 운영될 수 있어야 하며, 이렇게 전문 인력 양성이 필요한 이 시점에서 치과경영관리사 자격은 대한치과의사협회와 대한치과위생사협회가 필요로 하는 인력수급에 있어 단비 같은 존재로써 자리를 잡았다고 생각됩니다

저자는 치과의료기관에서의 사무, 행정, 재무 및 경영관리와 기본적 법무이론을 교육하여 자격증 취득을 효율적으로 지도하기 위해 고심해왔습니다.

저자 역시 현직 법무법인 푸른에 변호사로 재직 중에 있으며 각종 의료자문 및 의료소송 등을 진행하면서 나타나게 되는 각종 사건 등을 접하면서 특히 치과 경영 관련에 특성화된 교육 등 필요한 실용적인 조문과 관련판례 등을 이 책에 실어 보다 접근가능하면서도 전반적인 체계 등을 익힐 수 있도록 편저를 하였습니다.

특히 민사에 관한 특별법인 의료법, 근로기준법, 임대차보호법 등의 경우 시대흐름에 반영된 조문의 내용을 학습하는 것이 보다 중요함을 다시 한번 더 강조하며 모쪼록 본 교재를 통해 실무에 활용하시길 바랍니다.

본 교재 및 강의에 전적인 도움이 주신 ㈜ 메듀플 대표님, 그리고 집필과 강의 등을 함께 고심해 주신 전강우 변호사님. 세상에서 제일 사랑하는 부모님, 곽동욱에게 언제나 감사의 표시를 드립니다.

2022년 1월

공동저자 변호사 전 현 주

자격소개 및 시험일정

자격소개

◉ 치과경영관리사

치과 병·의원의 경영합리화를 위하여 경영진단이라는 조사방법에 의거, 객관적인 입장에서 엄밀히 조사/분석하여 경영 질환의 원인을 발견하고 그에 대한 합리적인 대책을 제공할 수 있는 전문 자격사를 말합니다.

치과경영관리사 = 조사 분석 + 원인 발견 + 대책 마련 + 임직원 교육

◉ 치과경영관리사 수행직무

치과경영관리사는 의료경영이라는 특수한 환경에서 치과 병/의원의 경영 안정성 여부를 진단하고, 위험관리(risk management)를 통해 각종 손해를 예방하여, 커뮤니케이션/상담을 통해 환자를 유치/관리하여 클라이언트가 원하는 수준으로 매출이 관리될 수 있도록 양질의 교육과 컨설팅을 활용해 지속 가능한 성장 경영 모델을 구축합니다.

자격시험정보

◉ 평가 과목

과목	내용
경영이론	객관식 40문항 / 주관식 5문항 / 시험시간 45분
법무이론	객관식 40문항 / 주관식 5문항 / 시험시간 45분
세무회계이론	객관식 40문항 / 주관식 5문항 / 시험시간 45분
커뮤니케이션이론	객관식 40문항 / 주관식 5문항 / 시험시간 45분

◉ 평가영역

과목	평가영역
경영이론	경영의 기본 프로세스, 조직 및 인적자원관리, 마케팅 관리, 원무관리, 전략, 재무관리에 관한 기본적인 개념 및 실무 응용능력
법무이론	치과경영관리사가 갖추어야 할 법적 지식과 법률관련 실무 처리 업무가 가능한지 여부
세무회계이론	치과 병·의원의 종합소득세의 계산과 부가가치세 및 원천징수의 개요
커뮤니케이션이론	내·외부 고객과의 효율적인 커뮤니케이션을 위한 기본 이론의 이해와 실무 적용 가능 여부

◉ 시험일정

<table>
<tr><th colspan="2">구분</th><th>일정</th></tr>
<tr><td colspan="2">시험일정</td><td>연 3회 시행(4월, 8월, 12월)
치과경영관리사 홈페이지(www.dentalexam.org)에서 시험일정 확인</td></tr>
<tr><td colspan="2">원서접수</td><td>치과경영관리사 홈페이지(www.dentalexam.org) 접속 → 원서접수</td></tr>
<tr><td colspan="2">합격기준</td><td>100점 만점 기준에 40점 이상이며, 평균 점수가 60점 이상</td></tr>
<tr><td colspan="2">합격자 발표</td><td>치과경영관리사 홈페이지(www.dentalexam.org) 접속 → 성적확인</td></tr>
<tr><td rowspan="3">응시 자격</td><td>연령 및 학력</td><td>제한 없음</td></tr>
<tr><td colspan="2">결격사유에 해당하지 않는 자</td></tr>
<tr><td colspan="2">- 부정행위자 처분 후 3년이 지나지 않은 자
- 미성년자, 피한정후견인 또는 피성년후견인
- 파산선고를 받고 복권되지 아니한 자
- 금고 이상의 실형의 선고를 받고 그 집행이 종료(종료된 것으로 보는 경우를 포함한다)되거나 집행을 받지 아니하기로 확정된 후 2년이 경과되지 아니한 자
- 금고 이상의 형이 집행유예를 받고 그 집행유예기간 중에 있는 자</td></tr>
</table>

목차

CHAPTER

의료법

Dental Management Officer

의료법

Dental Management Officer

01

1. 의료법의 목적

■ **제1조**(목적)

이 법은 모든 국민이 수준 높은 의료 혜택을 받을 수 있도록 국민의료에 필요한 사항을 규정함으로써 국민의 건강을 보호하고 증진하는 데에 목적이 있다.

2. 의료법 적용 대상

1) 관련 법 규정

■ **제2조**(의료인)

① 이 법에서 "의료인"이란 보건복지부장관의 면허를 받은 의사 · 치과의사 · 한의사 · 조산사 및 간호사를 말한다. 〈개정 2008. 2. 29., 2010. 1. 18.〉

② 의료인은 종별에 따라 다음 각 호의 임무를 수행하여 국민보건 향상을 이루고 국민의 건강한 생활 확보에 이바지할 사명을 가진다. 〈개정 2015. 12. 29., 2019. 4. 23.〉

1. 의사는 의료와 보건지도를 임무로 한다.
2. 치과의사는 치과 의료와 구강 보건지도를 임무로 한다.
3. 한의사는 한방 의료와 한방 보건지도를 임무로 한다.
4. 조산사는 조산(助産)과 임산부 및 신생아에 대한 보건과 양호지도를 임무로 한다.
5. 간호사는 다음 각 목의 업무를 임무로 한다.

가. 환자의 간호요구에 대한 관찰, 자료수집, 간호판단 및 요양을 위한 간호

나. 의사, 치과의사, 한의사의 지도하에 시행하는 진료의 보조

다. 간호 요구자에 대한 교육 · 상담 및 건강증진을 위한 활동의 기획과 수행,

그 밖의 대통령령으로 정하는 보건활동

라. 제80조에 따른 간호조무사가 수행하는 가목부터 다목까지의 업무보조에 대한 지도

■ **제3조**(의료기관)

① 이 법에서 "의료기관"이란 의료인이 공중(公衆) 또는 특정 다수인을 위하여 의료 · 조산의 업(이하 "의료업"이라 한다)을 하는 곳을 말한다.

② 의료기관은 다음 각 호와 같이 구분한다. 〈개정 2009. 1. 30., 2011. 6. 7., 2016. 5. 29., 2019. 4. 23.〉

1. 의원급 의료기관: 의사, 치과의사 또는 한의사가 주로 외래환자를 대상으로 각각 그 의료행위를 하는 의료기관으로서 그 종류는 다음 각 목과 같다.

가. 의원

나. 치과의원

다. 한의원

2. 조산원: 조산사가 조산과 임산부 및 신생아를 대상으로 보건활동과 교육 · 상담을 하는 의료기관을 말한다.

3. 병원급 의료기관: 의사, 치과의사 또는 한의사가 주로 입원환자를 대상으로 의료행위를 하는 의료기관으로서 그 종류는 다음 각 목과 같다.

가. 병원

나. 치과병원

다. 한방병원

■ **제3조**(의료기관)

① 이 법에서 "의료기관"이란 의료인이 공중(公衆) 또는 특정 다수인을 위하여 의료 · 조산의 업(이하 "의료업"이라 한다)을 하는 곳을 말한다.

② 의료기관은 다음 각 호와 같이 구분한다. 〈개정 2009. 1. 30., 2011. 6. 7., 2016. 5. 29., 2019. 4. 23., 2020. 3. 4.〉

1. 의원급 의료기관: 의사, 치과의사 또는 한의사가 주로 외래환자를 대상으로 각각 그 의료행위를 하는 의료기관으로서 그 종류는 다음 각 목과 같다.

가. 의원

나. 치과의원

다. 한의원

2. 조산원: 조산사가 조산과 임산부 및 신생아를 대상으로 보건활동과 교육 · 상담을 하는 의료기관을 말한다.

3. 병원급 의료기관: 의사, 치과의사 또는 한의사가 주로 입원환자를 대상으로 의료행위를 하는 의료기관으로서 그 종류는 다음 각 목과 같다.

가. 병원

나. 치과병원

다. 한방병원

마. 정신병원

바. 종합병원

■ **제3조의2**(병원등)

병원 · 치과병원 · 한방병원 및 요양병원(이하 "병원등"이라 한다)은 30개 이상의 병상(병원 · 한방병원만 해당한다) 또는 요양병상(요양병원만 해당하며, 장기입원이 필요한 환자를 대상으로 의료행위를 하기 위하여 설치한 병상을 말한다)을 갖추어야 한다.

[본조신설 2009. 1. 30.]

■ **제3조의3**(종합병원)

① 종합병원은 다음 각 호의 요건을 갖추어야 한다. 〈개정 2011. 8. 4.〉

1. 100개 이상의 병상을 갖출 것

2. 100병상 이상 300병상 이하인 경우에는 내과 · 외과 · 소아청소년과 · 산부인과 중 3개 진료과목, 영상의학과, 마취통증의학과와 진단검사의학과 또는 병리과를 포함한 7개 이상의 진료과목을 갖추고 각 진료과목마다 전속하는 전문의를 둘 것

3. 300병상을 초과하는 경우에는 내과, 외과, 소아청소년과, 산부인과, 영상의학과, 마취통증의학과, 진단검사의학과 또는 병리과, 정신건강의학과 및 치과를 포함한 9개 이상의 진료과목을 갖추고 각 진료과목마다 전속하는 전문의를 둘 것

② 종합병원은 제1항제2호 또는 제3호에 따른 진료과목(이하 이 항에서 "필수진료과목"이라 한다) 외에 필요하면 추가로 진료과목을 설치 · 운영할 수 있다. 이 경우 필수진료과목 외의 진료과목에 대하여는 해당 의료기관에 전속하지 아니한 전문의를 둘 수 있다.

[본조신설 2009. 1. 30.]

■ **제3조의4**(상급종합병원 지정)

① 보건복지부장관은 다음 각 호의 요건을 갖춘 종합병원 중에서 중증질환에 대하여 난이도가 높은 의료행위를 전문적으로 하는 종합병원을 상급종합병원으로 지정할 수 있다. 〈개정 2010. 1. 18.〉

1. 보건복지부령으로 정하는 20개 이상의 진료과목을 갖추고 각 진료과목마다 전속하는 전문의를 둘 것
2. 제77조제1항에 따라 전문의가 되려는 자를 수련시키는 기관일 것
3. 보건복지부령으로 정하는 인력 · 시설 · 장비 등을 갖출 것
4. 질병군별(疾病群別) 환자구성 비율이 보건복지부령으로 정하는 기준에 해당할 것

② 보건복지부장관은 제1항에 따른 지정을 하는 경우 제1항 각 호의 사항 및 전문성 등에 대하여 평가를 실시하여야 한다. 〈개정 2010. 1. 18.〉

③ 보건복지부장관은 제1항에 따라 상급종합병원으로 지정받은 종합병원에 대하여 3년마다 제2항에 따른 평가를 실시하여 재지정하거나 지정을 취소할 수 있다. 〈개정 2010. 1. 18.〉

④ 보건복지부장관은 제2항 및 제3항에 따른 평가업무를 관계 전문기관 또는 단체에 위탁할 수 있다. 〈개정 2010. 1. 18.〉

[본조신설 2009. 1. 30.]

■ **제3조의5**(전문병원 지정)

① 보건복지부장관은 병원급 의료기관 중에서 특정 진료과목이나 특정 질환 등에 대하여 난이도가 높은 의료행위를 하는 병원을 전문병원으로 지정할 수 있다. 〈개정 2010. 1. 18.〉

2) 적용대상 관련 실제 문제

의사면허가 없는 우리나라 국민이 '해외'에서 무면허 의료행위를 했다면 의료법 위반을 적용할 수 없다는 판결이 나왔다.
대법원은 보건범죄단속에관한특별조치법, 의료법 위반 혐의로 기소돼 2심에서 무죄를 선고 받은 A씨에 대해 "검사의 상고를 기각한다"고 판결했다고 9일 밝혔다.

우리나라 국적을 가진 A씨는 의료 면허를 취득하지 않은 채 베트남에서 실리프팅 시술 등 의료행위를 한 혐의로 검찰에 기소됐다. 검찰은 A씨의 행위를 무자격 의료행위로 보고 구의료법 87조1항2호, 27조1항 위반, 보건범죄단속특별법(부정의료업자) 위반 혐의를 적용했다.

이와 관련해 1심 법원인 인천지방법원은 A씨에 대해 유죄를 선고했다. 하지만 2심 법원에서는 1심과 달리 '일부 무죄(의료법 위반)' 판결이 났다. 법원이 해외에서의 무면허 의료행위에 대해서는 죄를 물을 수 없다고 판단한 것이다. 이에 대해 검찰이상고했지만 결국 대법원이 기각한 것이다.

대법원은 "의료법상 의료제도는 '대한민국 영역 내'에서 이루어지는 의료행위를 규율하기 위해 체계화된 것"이라고 밝혔다.

이어 "구의료법 87조1항2호, 27조1항이 대한민국 영역 외에서 의료행위를 하려는 사람에게까지 보건복지부장관의 면허를 받을 의무를 부과하고 나아가 이를 위반한 자를 처벌하는 규정이라고 보기는 어렵다"면서 "내국인이 대한민국 영역 외에서 의료행위를 하는 경우는 (범죄) 구성요건 해당성이 없다"고 판결했다.

대법원은 이번 경우와 반대로 국내 의료면허가 없더라도 예외적으로 허용되는 의료행위 규정이 있긴 하지만이 또한 '대한민국 영역 내에서' 벌어지는 경우에 국한된다는 점을 강조했다. 재판부는 "구의료법 27조1항 단서1호는 '외국의 의료인 면허를 가지고 국내에 체류하는 자'에 대해 '보건복지부령으로 정하는 범위에서 의료행위를 할 수 있다'고 규정한다"고 밝혔다.

출처 의사신문

3. 의료인의 자격과 면허

1) 관련 법 규정

■ **제4조**(의료인과 의료기관의 장의 의무)

① 의료인과 의료기관의 장은 의료의 질을 높이고 병원감염을 예방하며 의료기술을 발전시키는 등 환자에게 최선의 의료서비스를 제공하기 위하여 노력하여야 한다. 〈개정 2012. 2. 1.〉

② 의료인은 다른 의료인 또는 의료법인 등의 명의로 의료기관을 개설하거나 운영할 수 없다. 〈신설 2012. 2. 1., 2019. 8. 27.〉

③ 의료기관의 장은 「보건의료기본법」 제6조 · 제12조 및 제13조에 따른 환자의 권리 등 보건복지부령으로 정하는 사항을 환자가 쉽게 볼 수 있도록 의료기관 내에 게시하여야 한다. 이 경우 게시 방법, 게시 장소 등 게시에 필요한 사항은 보건복지부령으로 정한다. 〈신설 2012. 2. 1.〉

④ 의료인은 제5조(의사 · 치과의사 및 한의사를 말한다), 제6조(조산사를 말한다) 및 제7조(간호사를 말한다)에 따라 발급받은 면허증을 다른 사람에게 빌려주어서는 아니 된다. 〈신설 2015. 12. 29.〉

⑤ 의료기관의 장은 환자와 보호자가 의료행위를 하는 사람의 신분을 알 수 있도록 의료인, 제27조제1항 각 호 외의 부분 단서에 따라 의료행위를 하는 같은 항 제3호에 따른 학생, 제80조에 따른 간호조무사 및 「의료기사 등에 관한 법률」 제2조에 따른 의료기사에게 의료기관 내에서 대통령령으로 정하는 바에 따라 명찰을 달도록 지시 · 감독하여야 한다. 다만, 응급의료상황, 수술실 내인 경우, 의료행위를 하지 아니할 때, 그 밖에 대통령령으로 정하는 경우에는 명찰을 달지 아니하도록 할 수 있다. 〈신설 2016. 5. 29.〉

⑥ 의료인은 일회용 주사 의료용품(한 번 사용할 목적으로 제작되거나 한 번의 의료행위에서 한 환자에게 사용하여야 하는 의료용품으로서 사람의 신체에 의약품, 혈액, 지방 등을 투여 · 채취하기 위하여 사용하는 주사침, 주사기, 수액용기와 연결줄 등을 포함하는 수액세트 및 그 밖에 이에 준하는 의료용품을 말한다. 이하 같다)을 한 번 사용한 후 다시 사용하여서는 아니 된다. 〈신설 2016. 5. 29.〉

■ **제4조의2**(간호 · 간병통합서비스 제공 등)

① 간호 · 간병통합서비스란 보건복지부령으로 정하는 입원 환자를 대상으로 보호자 등이 상주하지 아니하고 간호사, 제80조에 따른 간호조무사 및 그 밖에 간병지원인력(이하 이 조에서 "간호 · 간병통합서비스 제공인력"이라 한다)에 의하여 포괄적으로 제공되는 입원서비스를 말한다.

② 보건복지부령으로 정하는 병원급 의료기관은 간호 · 간병통합서비스를 제공할 수 있도록 노력하여야 한다.

④ 「공공보건의료에 관한 법률」 제2조제3호에 따른 공공보건의료기관 중 보건복지부령으로 정하는 병원급 의료기관은 간호 · 간병통합서비스를 제공하여야 한다. 이 경우 국가 및 지방자치단체는 필요한 비용의 전부 또는 일부를 지원할 수 있다.

⑤ 간호 · 간병통합서비스 제공기관은 보호자 등의 입원실 내 상주를 제한하고 환자 병문안에 관한 기준을 마련하는 등 안전관리를 위하여 노력하여야 한다.

⑥ 간호 · 간병통합서비스 제공기관은 간호 · 간병통합서비스 제공인력의 근무환경 및 처우 개선을 위하여 필요한 지원을 하여야 한다.

⑦ 국가 및 지방자치단체는 간호 · 간병통합서비스의 제공 · 확대, 간호 · 간병통합서비스 제공인력의 원활한 수급 및 근무환경 개선을 위하여 필요한 시책을 수립하고 그에 따른 지원을 하여야 한다.

[본조신설 2015. 12. 29.]

■ **제4조의3**(의료인의 면허 대여 금지 등)

① 의료인은 제5조(의사 · 치과의사 및 한의사를 말한다), 제6조(조산사를 말한다) 및 제7조(간호사를 말한다)에 따라 받은 면허를 다른 사람에게 대여하여서는 아니 된다.

■ **제5조**(의사 · 치과의사 및 한의사 면허)

① 의사 · 치과의사 또는 한의사가 되려는 자는 다음 각 호의 어느 하나에 해당하는 자격을 가진 자로서 제9조에 따른 의사 · 치과의사 또는 한의사 국가시험에 합격한 후 보건복지부장관의 면허를 받아야 한다. 〈개정 2010. 1. 18., 2012. 2. 1., 2019. 8. 27.〉

1. 「고등교육법」 제11조의2에 따른 인정기관(이하 "평가인증기구"라 한다)의 인증(이하 "평가인증기구의 인증"이라 한다)을 받은 의학 · 치의학 또는 한의학을 전공하는 대학을 졸업하고 의학사 · 치의학사 또는 한의학사 학위를 받은 자
2. 평가인증기구의 인증을 받은 의학 · 치의학 또는 한의학을 전공하는 전문대학원을 졸업하고 석사학위 또는 박사학위를 받은 자
3. 외국의 제1호나 제2호에 해당하는 학교(보건복지부장관이 정하여 고시하는 인정기준에 해당하는 학교를 말한다)를 졸업하고 외국의 의사 · 치과의사 또는 한의사 면허를 받은 자로서 제9조에 따른 예비시험에 합격한 자

② 평가인증기구의 인증을 받은 의학 · 치의학 또는 한의학을 전공하는 대학 또는 전문대학원을 6개월 이내에 졸업하고 해당 학위를 받을 것으로 예정된 자는 제1항제1호 및 제2호의 자격을 가진 자로 본다. 다만, 그 졸업예정시기에 졸업하고 해당 학위를 받아야 면허를 받을 수 있다. 〈개정 2012. 2. 1.〉

③ 제1항에도 불구하고 입학 당시 평가인증기구의 인증을 받은 의학 · 치의학 또는 한의학을 전공하는 대학 또는 전문대학원에 입학한 사람으로서 그 대학 또는 전문대학원을 졸업하고 해당 학위를 받은 사람은 같은 항 제1호 및 제2호의 자격을 가진 사람으로 본다. 〈신설 2012. 2. 1.〉

[전문개정 2008. 10. 14.]

■ **제6조**(조산사 면허)

조산사가 되려는 자는 다음 각 호의 어느 하나에 해당하는 자로서 제9조에 따른 조산사 국가시험에 합격한 후 보건복지부장관의 면허를 받아야 한다. 〈개정 2008. 2. 29., 2010. 1. 18., 2019. 8. 27.〉

1. 간호사 면허를 가지고 보건복지부장관이 인정하는 의료기관에서 1년간 조산 수습과정을 마친 자

■ **제7조**(간호사 면허)

① 간호사가 되려는 자는 다음 각 호의 어느 하나에 해당하는 자로서 제9조에 따른 간호사 국가시험에 합격한 후 보건복지부장관의 면허를 받아야 한다. 〈개정 2008. 2. 29., 2010. 1. 18., 2012. 2. 1., 2019. 8. 27.〉

1. 평가인증기구의 인증을 받은 간호학을 전공하는 대학이나 전문대학[구제

(舊制) 전문학교와 간호학교를 포함한다]을 졸업한 자

2. 외국의 제1호에 해당하는 학교(보건복지부장관이 정하여 고시하는 인정기준에 해당하는 학교를 말한다)를 졸업하고 외국의 간호사 면허를 받은 자

② 제1항에도 불구하고 입학 당시 평가인증기구의 인증을 받은 간호학을 전공하는 대학 또는 전문대학에 입학한 사람으로서 그 대학 또는 전문대학을 졸업하고 해당 학위를 받은 사람은 같은 항 제1호에 해당하는 사람으로 본다. 〈신설 2012. 2. 1.〉

■ **제8조**(결격사유 등)

다음 각 호의 어느 하나에 해당하는 자는 의료인이 될 수 없다. 〈개정 2007. 10. 17., 2018. 3. 27., 2018. 8. 14.〉

1. 「정신건강증진 및 정신질환자 복지서비스 지원에 관한 법률」 제3조제1호에 따른 정신질환자. 다만, 전문의가 의료인으로서 적합하다고 인정하는 사람은 그러하지 아니하다.
2. 마약 · 대마 · 향정신성의약품 중독자
3. 피성년후견인 · 피한정후견인
4. 이 법 또는 「형법」 제233조, 제234조, 제269조, 제270조, 제317조제1항 및 제347조(허위로 진료비를 청구하여 환자나 진료비를 지급하는 기관이나 단체를 속인 경우만을 말한다), 「보건범죄단속에 관한 특별조치법」, 「지역보건법」, 「후천성면역결핍증 예방법」, 「응급의료에 관한 법률」, 「농어촌 등 보건의료를 위한 특별 조치법」, 「시체해부 및 보존에 관한 법률」, 「혈액관리법」, 「마약류관리에 관한 법률」, 「약사법」, 「모자보건법」, 그 밖에 대통령령으로 정하는 의료 관련 법령을 위반하여 금고 이상의 형을 선고받고 그 형의 집행이 종료되지 아니하였거나 집행을 받지 아니하기로 확정되지 아니한 자

■ **제9조**(국가시험 등)

① 의사 · 치과의사 · 한의사 · 조산사 또는 간호사 국가시험과 의사 · 치과의사 · 한의사 예비시험(이하 "국가시험등"이라 한다)은 매년 보건복지부장관이 시행한다. 〈개정 2008. 2. 29., 2010. 1. 18.〉

② 보건복지부장관은 국가시험등의 관리를 대통령령으로 정하는 바에 따라 「한

국보건의료인국가시험원법」에 따른 한국보건의료인국가시험원에 맡길 수 있다. 〈개정 2008. 2. 29., 2010. 1. 18., 2015. 6. 22.〉

③ 보건복지부장관은 제2항에 따라 국가시험등의 관리를 맡긴 때에는 그 관리에 필요한 예산을 보조할 수 있다. 〈개정 2008. 2. 29., 2010. 1. 18.〉

④ 국가시험등에 필요한 사항은 대통령령으로 정한다.

■ **제10조**(응시자격 제한 등)

① 제8조 각 호의 어느 하나에 해당하는 자는 국가시험등에 응시할 수 없다. 〈개정 2009. 1. 30.〉

② 부정한 방법으로 국가시험등에 응시한 자나 국가시험등에 관하여 부정행위를 한 자는 그 수험을 정지시키거나 합격을 무효로 한다.

③ 보건복지부장관은 제2항에 따라 수험이 정지되거나 합격이 무효가 된 사람에 대하여 처분의 사유와 위반 정도 등을 고려하여 대통령령으로 정하는 바에 따라 그 다음에 치러지는 이 법에 따른 국가시험등의 응시를 3회의 범위에서 제한할 수 있다. 〈개정 2016. 12. 20.〉

■ **제11조**(면허 조건과 등록)

① 보건복지부장관은 보건의료 시책에 필요하다고 인정하면 제5조에서 제7조까지의 규정에 따른 면허를 내줄 때 3년 이내의 기간을 정하여 특정 지역이나 특정 업무에 종사할 것을 면허의 조건으로 붙일 수 있다. 〈개정 2008. 2. 29., 2010. 1. 18.〉

② 보건복지부장관은 제5조부터 제7조까지의 규정에 따른 면허를 내줄 때에는 그 면허에 관한 사항을 등록대장에 등록하고 면허증을 내주어야 한다. 〈개정 2008. 2. 29., 2010. 1. 18.〉

③ 제2항의 등록대장은 의료인의 종별로 따로 작성 · 비치하여야 한다.

2) 자격면허 관련 사실관계 및 판례

[제주지법 2019. 5. 2., 선고, 2018노334, 판결 : 상고]

판시사항

피부과의원 의사인 피고인이 환자 甲(만 3세의 아동)을 진찰하여 전염성 연속종(일명 물사마귀)으로 진단한 후 의료인이 아닌 간호조무사 乙에게 지시하여 乙로 하여금 甲의 왼쪽 다리 부위에 있는 전염성 연속종을 제거하는 시술을 하도록 함으로써 의료법을 위반하였다는 내용으로 기소된 사안에서, 위 시술은 피고인의 일반적 지도·감독하에 甲에 의하여 진료보조 행위의 일환으로 실시된 것으로서 의료법 위반행위에 해당하지 아니하거나 사회상규에 위배되지 아니하는 정당행위로서 위법성이 조각된다고 한 사례

판결요지

피부과의원 의사인 피고인이 환자 甲(만 3세의 아동)을 진찰하여 전염성 연속종(일명 물사마귀)으로 진단한 후 의료인이 아닌 간호조무사 乙에게 지시하여 乙로 하여금 甲의 왼쪽 다리 부위에 있는 전염성 연속종을 제거하는 시술을 하도록 함으로써 의료법을 위반하였다는 내용으로 기소된 사안이다.
전염성 연속종을 제거하는 시술은 시술의 내용과 방법 등에 비추어 의학적 전문지식에 바탕한 질병의 치료행위 내지 의료인이 행하지 아니하면 보건위생상 위해가 생길 우려가 있는 행위로서 의료법 제27조 제1항에 규정된 의료행위에 해당하나, 구 의료법(2015. 12. 29. 법률 제13658호로 개정되기 전의 것) 제80조제2항, 제3항 및 구 간호조무사 및 의료유사업자에 관한 규칙(2016. 12. 30. 보건복지부령 제472호로 개정되기 전의 것) 제2조 제1항의 내용에 따라 의사는 비의료인인 간호조무사에게도 제한된 범위 내에서 진료의 보조행위를 하도록 지시하거나 위임할 수 있고, 위 시술은 성격상 의사만이 할 수 있는 진료행위가 아니라 간호사 내지 간호조무사가 의사의 적절한 지도·감독 하에 진료보조 행위로서 수행 가능한 업무 영역에 포함된다고 볼 여지가 크며, 나아가 위 시술의 위험성, 시술 당시 甲의 상태 및 피고인의 진료행위, 乙의 자질과 숙련도 등을 종합하면 간호조무사가 진료보조 행위로서 행하는 위 시술 과정에 의사가 입회 없이 일반적인 지도·감독만을 하는 것 역시 허용되고, 위 시술의 경우 피고인에 의해 그와 같은 일반적인 지도·감독이 이루어졌으므로, 결국 위 시술은 피고인의 일반적 지도·감독 하에 乙에 의하여 진료보조 행위의 일환으로 실시된 것으로서 의료법 위반행위에 해당하지 아니하거나 사회상규에 위배되지 아니하는 정당행위로서 위법성이 조각된다는 이유로, 피고인에게 무죄를 선고한 제1심판결이 정당하다고 한 사례이다.

나. 비의료인인 간호조무사가 이 사건 시술을 할 수 있는지 여부

1) 의사만이 할 수 있는 진료행위에 해당하는지 여부

가) 의사는 의료인인 간호사에게 진료의 보조행위를 하도록 지시하거나 위임할 수 있다. 한편 간호조무사는 의료법상 의료인에 해당하지 않으나, 구 의료법(2015. 12. 29. 법률 제13658호로 개정되기 전의 것, 이하 '의료법'이라 하고, 위와 같이 개정된 법을 '개정 의료법'이라 한다) 제80조 제2항 및 제3항에서는 의료법 제27조에도 불구하고 간호조무사로 하여금 간호보조 업무에 종사할 수 있도록 하되, 그 업무 한계 등에 필요한 사항은 보건복지부령으로 정하도록 하였다. 이에 구 간호조무사 및 의료유사업자에 관한 규칙(2016. 12. 30. 보건복지부령 제472호로 개정되기 전의 것, 이하 '이 사건 규칙'이라 하고, 위와 같이 개정된 규칙을 '개정 규칙'이라 한다) 제2조제1항은 간호보조 업무와 진료보조 업무를 간호조무사가 수행하는 업무로 규정하고 있으므로, 간호조무사는 간호사가 할 수 있는 간호업무를 보조하거나 진료보조 업무를 담당할 수 있다.(개정 의료법 제80조의2에서는 간호조무사로 하여금 간호사를 보조하여 진료의 보조행위를 수행하고, 의원급 의료기관에 한해서는 의사의 지도하에 진료의 보조를 수행할 수 있도록 하되, 이에 따른 구체적인 업무 범위와 한계에 대하여 필요한 사항은 보건복지부령으로 정하도록 하였으나, 개정 규칙 제2조에서는 이 사건 규칙 제2조 제1항과는 달리 간호조무사의 업무 범위에 관하여 별도의 규정을 두고 있지 않다)

나) 따라서 의사는 비의료인인 간호조무사에게도 제한된 범위 내에서 진료의 보조행위를 하도록 지시하거나 위임할 수 있다고 보아야 한다. 다만 간호사의 경우와 마찬가지로 간호조무사에 대해서도 의사만이 할 수 있는 진료행위 자체를 하도록 지시하거나 위임하는 것은 허용될 수 없으므로, 간호사나 간호조무사가 의사의 지시나 위임을 받고 그러한 행위를 하였더라도 이는 무면허 의료행위에 해당한다.(대법원 2010. 5. 13. 선고 2010도2755 판결 참조)

다) 이 사건 기록에 의하여 알 수 있는 아래와 같은 사정들을 종합하면, 이 사건 시술은 그 성격상 의사만이 할 수 있는 진료행위가 아닌 간호사 내지 간호조무사가 의사의 적절한 지도·감독 하에 진료보조 행위로서 수행 가능한 업무 영역에 포함된다고 볼 여지가 크다.

① 전염성 연속종은 직접적인 환자와의 접촉 또는 간접적인 매개체를 통하여 감염되는 것으로 알려져 있는데, 이는 특별한 치료행위 없이 자연적으로 소멸하기도 하나, 병변의 확산 및 이차적인 감염의 위험성으로 인해 치료가 필요한 경우도 적지 않다. 이에 전염성 연속종의 치료에 있어서는, 관련 질환이 전염성 연속종에 해당하는지에 대한 의학적 진단과 함께(피고인은 관련 질환의 전부 또는 일부가 전염성 연속종이 아니라고 판단할 경우에는 직접 위 질환을 처치하거나 간호사 등과 협력하여 시술을 하여 온 것으로 보인다), 감염 위험성 등을 최소화할 수 있는 적절한 치료방법의 선택 및 치료시기의 결정이 중요하다고 볼 수 있다.

② 이에 반해 의료도구인 큐렛을 이용한 이 사건 시술과 같이 이 사건 전염성 연속종을 제거하는 구체적인 시술 자체는, 의학적 관점에서의 재량적 판단이나 전문적 기술을 요하지 않는 비교적 단순한 행위로 평가할 수 있다. 즉, ㉠ 전염성 연속종을 제거하는 시술은 일반적으로 두 손가락으로 해당 부위를 벌려 팽창되었을 때 큐렛을 이용하여 제거하는 방법으로 이루어지며, 한 개의 전염성 연속종을 제거하는 데 5초 이내의 매우 짧은 시간만이 소요된다. ㉡ 전염성 연속종의 병변은 이차적인 박테리아 감염이 없는 이상 흉터 없이 저절로 치유되고, 의료인의 관여 없이 테이프 등을 이용하여 자체적

으로 제거하는 경우도 드물지 않게 관찰된다. ⓒ 큐렛을 사용한 전염성 연속종 제거 시술은 비교적 안전하여 피부표면의 양성병변 치료에 널리 사용되고 있으며, 다른 방법에 비해 비교적 효과적이고 안전한 시술로 보고되고 있다.
③ 보건복지부에서 제작한 '의료법 민원질의·회신 사례집'에는 의사의 지시·감독 하에 간호사 및 간호조무사가 진료보조 행위로서 수행할 수 있는 업무의 예로 '피하·근육·혈관 등 주사행위' 등을 들고 있는데[의사가 자신의 처방에 따른 간호사의 정맥주사(Side Injection 방식) 현장에 반드시 입회하여 주사행위를 직접 감독할 업무상 주의의무가 있다고 보기 어렵다는 취지의 대법원 2003. 8. 19. 선고 2001도3667 판결 참조], 환자의 신체에 대한 침습 정도나 감염 위험성의 측면에서 위 주사행위에 비해 이 사건 시술이 보건위생상 위해가 생길 우려가 더 크다고 단정하기 어렵다.
2) 이 사건 시술이 진료보조 행위로서 의사의 적절한 지도·감독하에 행하여졌는지 여부
가) 간호사나 간호조무사가 진료의 보조를 함에 있어서는 모든 행위 하나하나마다 항상 의사가 현장에 입회하여 일일이 지도·감독하여야 하는 것은 아니고, 경우에 따라서는 의사가 진료의 보조행위 현장에 입회할 필요 없이 일반적인 지도·감독만을 하는 것이 허용되는 경우도 있을 수 있으나, 이는 보조행위의 유형에 따라 일률적으로 결정할 수는 없고 구체적인 경우에 있어서 그 행위의 객관적인 특성상 위험이 따르거나 부작용 또는 후유증이 있을 수 있는지, 당시의 환자 상태가 어떠한지, 간호사의 자질과 숙련도는 어느 정도인지 등의 여러 사정을 참작하여 개별적으로 결정하여야 한다.(위 대법원 2010도2755 판결 참조)
나) 이 사건 시술은 의사인 피고인의 입회 없이 간호조무사인 공소외 1에 의하여 이루어졌다. 그런데 이 사건 기록에 의하여 알 수 있는 아래와 같은 사정들을 위 법리에 비추어 보면, 간호조무사가 진료보조 행위로서 행하는 이 사건 시술 과정에 있어 의사가 입회 없이 일반적인 지도·감독만을 하는 것 역시 허용되고, 이 사건 시술의 경우 피고인에 의해 그와 같은 일반적인 지도·감독이 이루어졌다고 판단된다.(의료인인 간호사와 비교할 때 간호조무사에 대해서는 진료보조 행위에 대한 의사의 보다 엄격한 지도·감독이 이루어져야 할 필요가 있다는 점을 고려하더라도, 아래 사정에 비추어 보면 이 사건 시술 과정에 대해서는, 위 결론에 영향을 미치지 못한다)
(1) 이 사건 시술의 위험성
① 이 사건 시술은 앞서 본 바와 같이 전문적인 의학적 판단이나 기술을 요하지 않는 간단한 행위일 뿐만 아니라, 그로 인한 후유증 내지 부작용의 발생 가능성이 매우 낮은 것으로 보인다. 이 사건 환자가 이 사건 시술 이후 부작용이나 후유증을 호소한 바 없고, 피고인 등이 운영하는 병원에 내원한 다른 환자의 경우에도 전염성 연속종 제거 시술 후 부작용 등이 발생하였다는 정황은 확인되지 않는다.
② 전염성 연속종을 제거하는 시술에 있어 감염의 위험성이 전혀 없다고는 할 수 없으나, 이와 같은 감염의 위험성은 시술 과정 못지 않게 시술 후 해당 부위를 관리하는 과정에서도 문제 될 소지가 크다.(공소외 1도 '전염성 연속종 시술 후 집에서의 관리가 더 중요하다'는 취지로 증언하였다) 결국 전염성 연속종의 원활한 치료를 위해서는, 의료진 외 환자 스스로에 의한 시술 후 자체적인 감염 관리가 현실적으로 수반되어야 할 것으로 보인다.
(2) 시술 당시 이 사건 환자의 상태 및 피고인의 진료행위
이 사건 환자는 만 3세의 아동으로 2016. 6. 14. 알레르기성 접촉성 피부염 증상으로 피고인에게 처

음 진료를 받았고, 2016. 9. 1. 같은 증상으로 다시 병원을 방문하였다. 피고인은 이 사건 환자에 대해 두 차례의 진료를 실시한 결과 해당 질환을 전염성 연속종으로 진단하였고, 환자 및 전염성 연속종의 상태 등을 고려할 때 큐렛을 사용한 제거 시술만으로도 해당 질환을 치료할 수 있다고 보아 공소외 1에게 이 사건 시술을 지시하였던바, 그 과정에서 이 사건 환자의 보호자 등에게 전염성 연속종의 제거 시술 후 정기적인 소독 등 감염 관리의 필요성과 그 방법, 향후 부작용 등이 발생할 경우 병원에 내원할 것 등을 적절한 방법으로 안내하였을 것으로 보인다.

(3) 간호조무사의 자질과 숙련도

① 의료법 제80조제1항은 '간호조무사가 되려는 사람은 간호조무사 자격시험에 합격하고 시·도지사의 자격인정을 받아야 한다'고 정하면서, 같은 조 제3항에서 간호조무사의 자격시험·자격인정에 필요한 사항을 보건복지부령으로 정하도록 하였다. 이 사건 규칙 제3조 내지 제5조에서는 '초·중등교육법 시행령 제91조 제1항에 따른 특성화고등학교의 간호 관련 학과 등을 졸업한 사람으로서 해당 교육기관에서 740시간 이상의 학과교육과 의료기관 또는 보건소에서 780시간 이상의 실습과정을 이수한 사람'에 한하여 간조조무사 자격시험에 응시할 수 있는 자격을 부여하고(제4조), 보건복지부장관으로 하여금 매년 1회 이상 위 응시자격자를 대상으로 '기초간호학개요', '보건간호학개요', '공중보건학개론' 및 병원간호 실기학 등 '실기'를 시험과목으로 한 자격시험을 실시하도록 하여(제3조, 제5조), 위 자격시험에 합격한 사람에게 간호조무사 자격을 부여하고 있다.

② 공소외 1은 간호조무사 자격을 취득한 후 2015. 5. 1.부터 이 사건 시술을 실시할 무렵까지 약 1년 4개월간 피고인 등이 운영하는 병원에서 근무하였다. 공소외 1은 위 병원에 근무한 후 일정 기간 동안 같은 병원에 근무하는 의사 내지 간호사, 혹은 선배 간호조무사들이 실시하는 전염성 연속종 제거 시술을 참관하거나 시술 방법을 지도받는 등으로 교육을 받았고, 소정의 교육기간이 지난 후에는 피고인 등 소속 의사의 지시에 따라 다수의 환자들을 상대로 큐렛을 이용하여 직접 전염성 연속종 제거 시술을 하였다.

3) 결국 이 사건 시술은 앞서 본 바와 같이 의사인 피고인의 일반적 지도·감독 하에 간호조무사 공소외 1에 의하여 진료보조 행위의 일환으로 실시되었다고 보이는바, 제출된 증거만으로는 이 사건 시술이 의료법 위반행위에 해당한다고 볼 수 없거나, 앞서 본 제2의 나. 1), 2)항에 비추어 보면 사회상규에 위배되지 아니하는 정당행위로 위법성이 조각된다고 판단된다.

3. 결론

검사의 항소는 이유 없으므로 형사소송법 제364조제4항에 따라 기각하기로 하여, 주문과 같이 판결한다.

4. 의료인의 의무

1) 관련 법 규정

■ **제15조**(진료거부 금지 등)

① 의료인 또는 의료기관 개설자는 진료나 조산 요청을 받으면 정당한 사유 없이 거부하지 못한다. 〈개정 2016. 12. 20.〉

■ **제17조**(진단서 등)

① 의료업에 종사하고 직접 진찰하거나 검안(檢案)한 의사[이하 이 항에서는 검안서에 한하여 검시(檢屍)업무를 담당하는 국가기관에 종사하는 의사를 포함한다], 치과의사, 한의사가 아니면 진단서 · 검안서 · 증명서를 작성하여 환자(환자가 사망하거나 의식이 없는 경우에는 직계존속 · 비속, 배우자 또는 배우자의 직계존속을 말하며, 환자가 사망하거나 의식이 없는 경우로서 환자의 직계존속 · 비속, 배우자 및 배우자의 직계존속이 모두 없는 경우에는 형제자매를 말한다) 또는 「형사소송법」 제222조제1항에 따라 검시(檢屍)를 하는 지방검찰청검사(검안서에 한한다)에게 교부하지 못한다. 다만, 진료 중이던 환자가 최종 진료 시부터 48시간 이내에 사망한 경우에는 다시 진료하지 아니하더라도 진단서나 증명서를 내줄 수 있으며, 환자 또는 사망자를 직접 진찰하거나 검안한 의사 · 치과의사 또는 한의사가 부득이한 사유로 진단서 · 검안서 또는 증명서를 내줄 수 없으면 같은 의료기관에 종사하는 다른 의사 · 치과의사 또는 한의사가 환자의 진료기록부 등에 따라 내줄 수 있다. 〈개정 2009. 1. 30., 2016. 5. 29., 2019. 8. 27.〉

② 의료업에 종사하고 직접 조산한 의사 · 한의사 또는 조산사가 아니면 출생 · 사망 또는 사산 증명서를 내주지 못한다. 다만, 직접 조산한 의사 · 한의사 또는 조산사가 부득이한 사유로 증명서를 내줄 수 없으면 같은 의료기관에 종사하는 다른 의사 · 한의사 또는 조산사가 진료기록부 등에 따라 증명서를 내줄 수 있다.

③ 의사 · 치과의사 또는 한의사는 자신이 진찰하거나 검안한 자에 대한 진단서 · 검안서 또는 증명서 교부를 요구받은 때에는 정당한 사유 없이 거부하지 못한다.

④ 의사 · 한의사 또는 조산사는 자신이 조산(助産)한 것에 대한 출생 · 사망 또는 사산 증명서 교부를 요구받은 때에는 정당한 사유 없이 거부하지 못한다.

■ **제17조의2**(처방전)

① 의료업에 종사하고 직접 진찰한 의사, 치과의사 또는 한의사가 아니면 처방전[의사나 치과의사가 「전자서명법」에 따른 전자서명이 기재된 전자문서 형태로 작성한 처방전(이하 "전자처방전"이라 한다)을 포함한다. 이하 같다]을 작성하여 환자에게 교부하거나 발송(전자처방전에 한정한다. 이하 이 조에서 같다)하지 못하며, 의사, 치과의사 또는 한의사에게 직접 진찰을 받은 환자가 아니면 누구든지 그 의사, 치과의사 또는 한의사가 작성한 처방전을 수령하지 못한다.

② 제1항에도 불구하고 의사, 치과의사 또는 한의사는 다음 각 호의 어느 하나에 해당하는 경우로서 해당 환자 및 의약품에 대한 안전성을 인정하는 경우에는 환자의 직계존속 · 비속, 배우자 및 배우자의 직계존속, 형제자매 또는 「노인복지법」 제34조에 따른 노인의료복지시설에서 근무하는 사람 등 대통령령으로 정하는 사람(이하 이 조에서 "대리수령자"라 한다)에게 처방전을 교부하거나 발송할 수 있으며 대리수령자는 환자를 대리하여 그 처방전을 수령할 수 있다.

1. 환자의 의식이 없는 경우
2. 환자의 거동이 현저히 곤란하고 동일한 상병(傷病)에 대하여 장기간 동일한 처방이 이루어지는 경우

■ **제18조**(처방전 작성과 교부)

① 의사나 치과의사는 환자에게 의약품을 투여할 필요가 있다고 인정하면 「약사법」에 따라 자신이 직접 의약품을 조제할 수 있는 경우가 아니면 보건복지부령으로 정하는 바에 따라 처방전을 작성하여 환자에게 내주거나 발송(전자처방전만 해당된다)하여야 한다. 〈개정 2008. 2. 29., 2010. 1. 18.〉

③ 누구든지 정당한 사유 없이 전자처방전에 저장된 개인정보를 탐지하거나 누출 · 변조 또는 훼손하여서는 아니 된다.

④ 제1항에 따라 처방전을 발행한 의사 또는 치과의사(처방전을 발행한 한의사를 포함한다)는 처방전에 따라 의약품을 조제하는 약사 또는 한약사가 「약사법」 제26조제2항에 따라 문의한 때 즉시 이에 응하여야 한다. 다만, 다음 각 호의

어느 하나에 해당하는 사유로 약사 또는 한약사의 문의에 응할 수 없는 경우 사유가 종료된 때 즉시 이에 응하여야 한다. 〈신설 2007. 7. 27.〉

1. 「응급의료에 관한 법률」 제2조제1호에 따른 응급환자를 진료 중인 경우
2. 환자를 수술 또는 처치 중인 경우
3. 그 밖에 약사의 문의에 응할 수 없는 정당한 사유가 있는 경우

⑤ 의사, 치과의사 또는 한의사가 「약사법」에 따라 자신이 직접 의약품을 조제하여 환자에게 그 의약품을 내어주는 경우에는 그 약제의 용기 또는 포장에 환자의 이름, 용법 및 용량, 그 밖에 보건복지부령으로 정하는 사항을 적어야 한다. 다만, 급박한 응급의료상황 등 환자의 진료 상황이나 의약품의 성질상 그 약제의 용기 또는 포장에 적는 것이 어려운 경우로서 보건복지부령으로 정하는 경우에는 그러하지 아니하다. 〈신설 2016. 5. 29.〉

■ **제18조의2**(의약품정보의 확인)

① 의사 및 치과의사는 제18조에 따른 처방전을 작성하거나 「약사법」 제23조 제4항에 따라 의약품을 자신이 직접 조제하는 경우에는 다음 각 호의 정보(이하 "의약품정보"라 한다)를 미리 확인하여야 한다.

1. 환자에게 처방 또는 투여되고 있는 의약품과 동일한 성분의 의약품인지 여부
2. 식품의약품안전처장이 병용금기, 특정연령대 금기 또는 임부금기 등으로 고시한 성분이 포함되는지 여부

② 제1항에도 불구하고 의사 및 치과의사는 급박한 응급의료상황 등 의약품정보를 확인할 수 없는 정당한 사유가 있을 때에는 이를 확인하지 아니할 수 있다.

■ **제19조**(정보 누설 금지)

① 의료인이나 의료기관 종사자는 이 법이나 다른 법령에 특별히 규정된 경우 외에는 의료 · 조산 또는 간호업무나 제17조에 따른 진단서 · 검안서 · 증명서 작성 · 교부 업무, 제18조에 따른 처방전 작성 · 교부 업무, 제21조에 따른 진료기록 열람 · 사본 교부 업무, 제22조제2항에 따른 진료기록부등 보존 업무 및 제23조에 따른 전자의무기록 작성 · 보관 · 관리 업무를 하면서 알게 된 다른 사람의 정보를 누설하거나 발표하지 못한다. 〈개정 2016. 5. 29.〉

② 제58조제2항에 따라 의료기관 인증에 관한 업무에 종사하는 자 또는 종사하

였던 자는 그 업무를 하면서 알게 된 정보를 다른 사람에게 누설하거나 부당한 목적으로 사용하여서는 아니 된다. 〈신설 2016. 5. 29.〉

■ **제20조**(태아 성 감별 행위 등 금지)

① 의료인은 태아 성 감별을 목적으로 임부를 진찰하거나 검사하여서는 아니 되며, 같은 목적을 위한 다른 사람의 행위를 도와서도 아니 된다.

② 의료인은 임신 32주 이전에 태아나 임부를 진찰하거나 검사하면서 알게 된 태아의 성(性)을 임부, 임부의 가족, 그 밖의 다른 사람이 알게 하여서는 아니 된다. 〈개정 2009. 12. 31.〉

[2009. 12. 31. 법률 제9906호에 의하여 2008. 7. 31. 헌법재판소에서 헌법불합치 결정된 이 조 제2항을 개정함.]

■ **제21조**(기록 열람 등)

① 환자는 의료인, 의료기관의 장 및 의료기관 종사자에게 본인에 관한 기록(추가기재 · 수정된 경우 추가기재 · 수정된 기록 및 추가기재 · 수정 전의 원본을 모두 포함한다. 이하 같다)의 전부 또는 일부에 대하여 열람 또는 그 사본의 발급 등 내용의 확인을 요청할 수 있다. 이 경우 의료인, 의료기관의 장 및 의료기관 종사자는 정당한 사유가 없으면 이를 거부하여서는 아니 된다. 〈신설 2016. 12. 20., 2018. 3. 27.〉

② 의료인, 의료기관의 장 및 의료기관 종사자는 환자가 아닌 다른 사람에게 환자에 관한 기록을 열람하게 하거나 그 사본을 내주는 등 내용을 확인할 수 있게 하여서는 아니 된다. 〈개정 2009. 1. 30., 2016. 12. 20.〉

③ 제2항에도 불구하고 의료인, 의료기관의 장 및 의료기관 종사자는 다음 각 호의 어느 하나에 해당하면 그 기록을 열람하게 하거나 그 사본을 교부하는 등 그 내용을 확인할 수 있게 하여야 한다. 다만, 의사 · 치과의사 또는 한의사가 환자의 진료를 위하여 불가피하다고 인정한 경우에는 그러하지 아니하다. 〈개정 2009. 1. 30., 2010. 1. 18., 2011. 4. 7., 2011. 12. 31., 2012. 2. 1., 2015. 12. 22., 2015. 12. 29., 2016. 5. 29., 2016. 12. 20., 2018. 3. 20., 2018. 8. 14., 2020. 3. 4.〉

1. 환자의 배우자, 직계 존속 · 비속, 형제 · 자매(환자의 배우자 및 직계 존속 · 비속, 배우자의 직계존속이 모두 없는 경우에 한정한다) 또는 배우자의 직

계 존속이 환자 본인의 동의서와 친족관계임을 나타내는 증명서 등을 첨부하는 등 보건복지부령으로 정하는 요건을 갖추어 요청한 경우

2. 환자가 지정하는 대리인이 환자 본인의 동의서와 대리권이 있음을 증명하는 서류를 첨부하는 등 보건복지부령으로 정하는 요건을 갖추어 요청한 경우
3. 환자가 사망하거나 의식이 없는 등 환자의 동의를 받을 수 없어 환자의 배우자, 직계 존속 · 비속, 형제 · 자매(환자의 배우자 및 직계 존속 · 비속, 배우자의 직계존속이 모두 없는 경우에 한정한다) 또는 배우자의 직계 존속이 친족관계임을 나타내는 증명서 등을 첨부하는 등 보건복지부령으로 정하는 요건을 갖추어 요청한 경우
4. 「국민건강보험법」 제14조, 제47조, 제48조 및 제63조에 따라 급여비용 심사 · 지급 · 대상여부 확인 · 사후관리 및 요양급여의 적정성 평가 · 가감지급 등을 위하여 국민건강보험공단 또는 건강보험심사평가원에 제공하는 경우
5. 「의료급여법」 제5조, 제11조, 제11조의3 및 제33조에 따라 의료급여 수급권자 확인, 급여비용의 심사 · 지급, 사후관리 등 의료급여 업무를 위하여 보장기관(시 · 군 · 구), 국민건강보험공단, 건강보험심사평가원에 제공하는 경우
6. 「형사소송법」 제106조, 제215조 또는 제218조에 따른 경우

6의2. 「군사법원법」 제146조, 제254조 또는 제257조에 따른 경우

7. 「민사소송법」 제347조에 따라 문서제출을 명한 경우
8. 「산업재해보상보험법」 제118조에 따라 근로복지공단이 보험급여를 받는 근로자를 진료한 산재보험 의료기관(의사를 포함한다)에 대하여 그 근로자의 진료에 관한 보고 또는 서류 등 제출을 요구하거나 조사하는 경우
9. 「자동차손해배상 보장법」 제12조제2항 및 제14조에 따라 의료기관으로부터 자동차보험진료수가를 청구받은 보험회사등이 그 의료기관에 대하여 관계 진료기록의 열람을 청구한 경우
10. 「병역법」 제11조의2에 따라 지방병무청장이 병역판정검사와 관련하여 질병 또는 심신장애의 확인을 위하여 필요하다고 인정하여 의료기관의 장에게 병역판정검사대상자의 진료기록 · 치료 관련 기록의 제출을 요구한 경우

11. 「학교안전사고 예방 및 보상에 관한 법률」 제42조에 따라 공제회가 공제급여의 지급 여부를 결정하기 위하여 필요하다고 인정하여 「국민건강보험법」 제42조에 따른 요양기관에 대하여 관계 진료기록의 열람 또는 필요한 자료의 제출을 요청하는 경우
12. 「고엽제후유의증 등 환자지원 및 단체설립에 관한 법률」 제7조제3항에 따라 의료기관의 장이 진료기록 및 임상소견서를 보훈병원장에게 보내는 경우
13. 「의료사고 피해구제 및 의료분쟁 조정 등에 관한 법률」 제28조제1항 또는 제3항에 따른 경우
14. 「국민연금법」 제123조에 따라 국민연금공단이 부양가족연금, 장애연금 및 유족연금 급여의 지급심사와 관련하여 가입자 또는 가입자였던 사람을 진료한 의료기관에 해당 진료에 관한 사항의 열람 또는 사본 교부를 요청하는 경우

14의2. 다음 각 목의 어느 하나에 따라 공무원 또는 공무원이었던 사람을 진료한 의료기관에 해당 진료에 관한 사항의 열람 또는 사본 교부를 요청하는 경우
  가. 「공무원연금법」 제92조에 따라 인사혁신처장이 퇴직유족급여 및 비공무상장해급여와 관련하여 요청하는 경우
  나. 「공무원연금법」 제93조에 따라 공무원연금공단이 퇴직유족급여 및 비공무상장해급여와 관련하여 요청하는 경우
  다. 「공무원 재해보상법」 제57조 및 제58조에 따라 인사혁신처장(같은 법 제61조에 따라 업무를 위탁받은 자를 포함한다)이 요양급여, 재활급여, 장해급여, 간병급여 및 재해유족급여와 관련하여 요청하는 경우

14의3. 「사립학교교직원 연금법」 제19조제4항제4호의2에 따라 사립학교교직원연금공단이 요양급여, 장해급여 및 재해유족급여의 지급심사와 관련하여 교직원 또는 교직원이었던 자를 진료한 의료기관에 해당 진료에 관한 사항의 열람 또는 사본 교부를 요청하는 경우

15. 「장애인복지법」 제32조제7항에 따라 대통령령으로 정하는 공공기관의 장이 장애 정도에 관한 심사와 관련하여 장애인 등록을 신청한 사람 및 장애인으로 등록한 사람을 진료한 의료기관에 해당 진료에 관한 사항의

열람 또는 사본 교부를 요청하는 경우

16. 「감염병의 예방 및 관리에 관한 법률」 제18조의4 및 제29조에 따라 보건복지부장관, 질병관리본부장, 시 · 도지사 또는 시장 · 군수 · 구청장이 감염병의 역학조사 및 예방접종에 관한 역학조사를 위하여 필요하다고 인정하여 의료기관의 장에게 감염병환자등의 진료기록 및 예방접종을 받은 사람의 예방접종 후 이상반응에 관한 진료기록의 제출을 요청하는 경우
17. 「국가유공자 등 예우 및 지원에 관한 법률」 제74조의8제1항제7호에 따라 보훈심사위원회가 보훈심사와 관련하여 보훈심사대상자를 진료한 의료기관에 해당 진료에 관한 사항의 열람 또는 사본 교부를 요청하는 경우

④ 진료기록을 보관하고 있는 의료기관이나 진료기록이 이관된 보건소에 근무하는 의사 · 치과의사 또는 한의사는 자신이 직접 진료하지 아니한 환자의 과거 진료 내용의 확인 요청을 받은 경우에는 진료기록을 근거로 하여 사실을 확인하여 줄 수 있다. 〈신설 2009. 1. 30.〉

⑤ 삭제 〈2016. 12. 20.〉

■ **제21조의2**(진료기록의 송부 등)

① 의료인 또는 의료기관의 장은 다른 의료인 또는 의료기관의 장으로부터 제22조 또는 제23조에 따른 진료기록의 내용 확인이나 진료기록의 사본 및 환자의 진료경과에 대한 소견 등을 송부 또는 전송할 것을 요청받은 경우 해당 환자나 환자 보호자의 동의를 받아 그 요청에 응하여야 한다. 다만, 해당 환자의 의식이 없거나 응급환자인 경우 또는 환자의 보호자가 없어 동의를 받을 수 없는 경우에는 환자나 환자 보호자의 동의 없이 송부 또는 전송할 수 있다.

② 의료인 또는 의료기관의 장이 응급환자를 다른 의료기관에 이송하는 경우에는 지체 없이 내원 당시 작성된 진료기록의 사본 등을 이송하여야 한다.

③ 보건복지부장관은 제1항 및 제2항에 따른 진료기록의 사본 및 진료경과에 대한 소견 등의 전송 업무를 지원하기 위하여 전자정보시스템(이하 이 조에서 "진료기록전송지원시스템"이라 한다)을 구축 · 운영할 수 있다.

④ 보건복지부장관은 진료기록전송지원시스템의 구축 · 운영을 대통령령으로

정하는 바에 따라 관계 전문기관에 위탁할 수 있다. 이 경우 보건복지부장관은 그 소요 비용의 전부 또는 일부를 지원할 수 있다.

⑤ 제4항에 따라 업무를 위탁받은 전문기관은 다음 각 호의 사항을 준수하여야 한다.

1. 진료기록전송지원시스템이 보유한 정보의 누출, 변조, 훼손 등을 방지하기 위하여 접근 권한자의 지정, 방화벽의 설치, 암호화 소프트웨어의 활용, 접속기록 보관 등 대통령령으로 정하는 바에 따라 안전성 확보에 필요한 기술적 · 관리적 조치를 할 것
2. 진료기록전송지원시스템 운영 업무를 다른 기관에 재위탁 하지 아니할 것
3. 진료기록전송지원시스템이 보유한 정보를 제3자에게 임의로 제공하거나 유출하지 아니할 것

⑥ 보건복지부장관은 의료인 또는 의료기관의 장에게 보건복지부령으로 정하는 바에 따라 제1항 본문에 따른 환자나 환자 보호자의 동의에 관한 자료 등 진료기록전송지원시스템의 구축 · 운영에 필요한 자료의 제출을 요구하고 제출받은 목적의 범위에서 보유 · 이용할 수 있다. 이 경우 자료 제출을 요구받은 자는 정당한 사유가 없으면 이에 따라야 한다.

⑦ 그 밖에 진료기록전송지원시스템의 구축 · 운영 등에 필요한 사항은 보건복지부령으로 정한다.

⑧ 누구든지 정당한 사유 없이 진료기록전송지원시스템에 저장된 정보를 누출 · 변조 또는 훼손하여서는 아니 된다.

⑨ 진료기록전송지원시스템의 구축 · 운영에 관하여 이 법에서 규정된 것을 제외하고는 「개인정보 보호법」에 따른다.

[본조신설 2016. 12. 20.]

■ **제22조**(진료기록부 등)

① 의료인은 각각 진료기록부, 조산기록부, 간호기록부, 그 밖의 진료에 관한 기록(이하 "진료기록부 등"이라 한다)을 갖추어 두고 환자의 주된 증상, 진단 및 치료 내용 등 보건복지부령으로 정하는 의료행위에 관한 사항과 의견을 상세히 기록하고 서명하여야 한다. 〈개정 2013. 4. 5.〉

② 의료인이나 의료기관 개설자는 진료기록부등[제23조제1항에 따른 전자의무기록(電子醫務記錄)을 포함하며, 추가기재 · 수정된 경우 추가기재 · 수정된

진료기록부등 및 추가기재 · 수정 전의 원본을 모두 포함한다. 이하 같다)을 보건복지부령으로 정하는 바에 따라 보존하여야 한다. 〈개정 2008. 2. 29., 2010. 1. 18., 2018. 3. 27.〉

③ 의료인은 진료기록부등을 거짓으로 작성하거나 고의로 사실과 다르게 추가기재 · 수정하여서는 아니 된다. 〈신설 2011. 4. 7.〉

④ 보건복지부장관은 의료인이 진료기록부등에 기록하는 질병명, 검사명, 약제명 등 의학용어와 진료기록부등의 서식 및 세부내용에 관한 표준을 마련하여 고시하고 의료인 또는 의료기관 개설자에게 그 준수를 권고할 수 있다. 〈신설 2019. 8. 27.〉

■ **제23조**(전자의무기록)

① 의료인이나 의료기관 개설자는 제22조의 규정에도 불구하고 진료기록부등을 「전자서명법」에 따른 전자서명이 기재된 전자문서(이하 "전자의무기록"이라 한다)로 작성 · 보관할 수 있다.

② 의료인이나 의료기관 개설자는 보건복지부령으로 정하는 바에 따라 전자의무기록을 안전하게 관리 · 보존하는 데에 필요한 시설과 장비를 갖추어야 한다. 〈개정 2008. 2. 29., 2010. 1. 18.〉

③ 누구든지 정당한 사유 없이 전자의무기록에 저장된 개인정보를 탐지하거나 누출 · 변조 또는 훼손하여서는 아니 된다.

④ 의료인이나 의료기관 개설자는 전자의무기록에 추가기재 · 수정을 한 경우 보건복지부령으로 정하는 바에 따라 접속기록을 별도로 보관하여야 한다. 〈신설 2018. 3. 27.〉

■ **제23조의2**(전자의무기록의 표준화 등)

① 보건복지부장관은 전자의무기록이 효율적이고 통일적으로 관리 · 활용될 수 있도록 기록의 작성, 관리 및 보존에 필요한 전산정보처리시스템(이하 이 조에서 "전자의무기록시스템"이라 한다), 시설, 장비 및 기록 서식 등에 관한 표준을 정하여 고시하고 전자의무기록시스템을 제조 · 공급하는 자, 의료인 또는 의료기관 개설자에게 그 준수를 권고할 수 있다.

② 보건복지부장관은 전자의무기록시스템이 제1항에 따른 표준, 전자의무기록시스템 간 호환성, 정보 보안 등 대통령령으로 정하는 인증 기준에 적합한 경

우에는 인증을 할 수 있다.

③ 제2항에 따라 인증을 받은 자는 대통령령으로 정하는 바에 따라 인증의 내용을 표시할 수 있다. 이 경우 인증을 받지 아니한 자는 인증의 표시 또는 이와 유사한 표시를 하여서는 아니 된다.

④ 보건복지부장관은 다음 각 호의 어느 하나에 해당하는 경우에는 제2항에 따른 인증을 취소할 수 있다. 다만, 제1호에 해당하는 경우에는 인증을 취소하여야 한다.

1. 거짓이나 그 밖의 부정한 방법으로 인증을 받은 경우
2. 제2항에 따른 인증 기준에 미달하게 된 경우

⑤ 보건복지부장관은 전자의무기록시스템의 기술 개발 및 활용을 촉진하기 위한 사업을 할 수 있다.

⑥ 제1항에 따른 표준의 대상, 제2항에 따른 인증의 방법 · 절차 등에 필요한 사항은 대통령령으로 정한다.

[본조신설 2016. 12. 20.]

[종전 제23조의2는 제23조의3으로 이동 〈2016. 12. 20.〉]

■ **제23조의3**(진료정보 침해사고의 통지)

① 의료인 또는 의료기관 개설자는 전자의무기록에 대한 전자적 침해행위로 진료정보가 유출되거나 의료기관의 업무가 교란 · 마비되는 등 대통령령으로 정하는 사고(이하 "진료정보 침해사고"라 한다)가 발생한 때에는 보건복지부장관에게 즉시 그 사실을 통지하여야 한다.

② 보건복지부장관은 제1항에 따라 진료정보 침해사고의 통지를 받거나 진료정보 침해사고가 발생한 사실을 알게 되면 이를 관계 행정기관에 통보하여야 한다.

[본조신설 2019. 8. 27.]

[종전 제23조의3은 제23조의5로 이동 〈2019. 8. 27.〉]

■ **제23조의4**(진료정보 침해사고의 예방 및 대응 등)

① 보건복지부장관은 진료정보 침해사고의 예방 및 대응을 위하여 다음 각 호의 업무를 수행한다.

1. 진료정보 침해사고에 관한 정보의 수집 · 전파

2. 진료정보 침해사고의 예보 · 경보
3. 진료정보 침해사고에 대한 긴급조치
4. 전자의무기록에 대한 전자적 침해행위의 탐지 · 분석
5. 그 밖에 진료정보 침해사고 예방 및 대응을 위하여 대통령령으로 정하는 사항

② 보건복지부장관은 제1항에 따른 업무의 전부 또는 일부를 전문기관에 위탁할 수 있다.

③ 제1항에 따른 업무를 수행하는 데 필요한 절차 및 방법, 제2항에 따른 업무의 위탁 절차 등에 필요한 사항은 보건복지부령으로 정한다.

[본조신설 2019. 8. 27.]

■ **제23조의5**(부당한 경제적 이익등의 취득 금지)

① 의료인, 의료기관 개설자(법인의 대표자, 이사, 그 밖에 이에 종사하는 자를 포함한다. 이하 이 조에서 같다) 및 의료기관 종사자는 「약사법」 제47조제2항에 따른 의약품공급자로부터 의약품 채택 · 처방유도 · 거래유지 등 판매촉진을 목적으로 제공되는 금전, 물품, 편익, 노무, 향응, 그 밖의 경제적 이익(이하 "경제적 이익 등"이라 한다)을 받거나 의료기관으로 하여금 받게 하여서는 아니 된다. 다만, 견본품 제공, 학술대회 지원, 임상시험 지원, 제품설명회, 대금결제조건에 따른 비용할인, 시판 후 조사 등의 행위(이하 "견본품 제공등의 행위"라 한다)로서 보건복지부령으로 정하는 범위 안의 경제적 이익등인 경우에는 그러하지 아니하다. 〈개정 2015. 12. 29.〉

② 의료인, 의료기관 개설자 및 의료기관 종사자는 「의료기기법」 제6조에 따른 제조업자, 같은 법 제15조에 따른 의료기기 수입업자, 같은 법 제17조에 따른 의료기기 판매업자 또는 임대업자로부터 의료기기 채택 · 사용유도 · 거래유지 등 판매촉진을 목적으로 제공되는 경제적 이익등을 받거나 의료기관으로 하여금 받게 하여서는 아니 된다. 다만, 견본품 제공등의 행위로서 보건복지부령으로 정하는 범위 안의 경제적 이익등인 경우에는 그러하지 아니하다. 〈개정 2011. 4. 7., 2015. 12. 29.〉

[본조신설 2010. 5. 27.]

[제23조의3에서 이동 〈2019. 8. 27.〉]

■ **제24조**(요양방법 지도)

의료인은 환자나 환자의 보호자에게 요양방법이나 그 밖에 건강관리에 필요한 사항을 지도하여야 한다.

■ **제24조의2**(의료행위에 관한 설명)

① 의사ㆍ치과의사 또는 한의사는 사람의 생명 또는 신체에 중대한 위해를 발생하게 할 우려가 있는 수술, 수혈, 전신마취(이하 이 조에서 "수술등"이라 한다)를 하는 경우 제2항에 따른 사항을 환자(환자가 의사결정능력이 없는 경우 환자의 법정대리인을 말한다. 이하 이 조에서 같다)에게 설명하고 서면(전자문서를 포함한다. 이하 이 조에서 같다)으로 그 동의를 받아야 한다. 다만, 설명 및 동의 절차로 인하여 수술등이 지체되면 환자의 생명이 위험하여지거나 심신상의 중대한 장애를 가져오는 경우에는 그러하지 아니하다.

② 제1항에 따라 환자에게 설명하고 동의를 받아야 하는 사항은 다음 각 호와 같다.

1. 환자에게 발생하거나 발생 가능한 증상의 진단명
2. 수술등의 필요성, 방법 및 내용
3. 환자에게 설명을 하는 의사, 치과의사 또는 한의사 및 수술등에 참여하는 주된 의사, 치과의사 또는 한의사의 성명
4. 수술등에 따라 전형적으로 발생이 예상되는 후유증 또는 부작용
5. 수술등 전후 환자가 준수하여야 할 사항

③ 환자는 의사, 치과의사 또는 한의사에게 제1항에 따른 동의서 사본의 발급을 요청할 수 있다. 이 경우 요청을 받은 의사, 치과의사 또는 한의사는 정당한 사유가 없으면 이를 거부하여서는 아니 된다.

④ 제1항에 따라 동의를 받은 사항 중 수술등의 방법 및 내용, 수술등에 참여한 주된 의사, 치과의사 또는 한의사가 변경된 경우에는 변경 사유와 내용을 환자에게 서면으로 알려야 한다.

⑤ 제1항 및 제4항에 따른 설명, 동의 및 고지의 방법ㆍ절차 등 필요한 사항은 대통령령으로 정한다.

[본조신설 2016. 12. 20.]

■ **제25조**(신고)

① 의료인은 대통령령으로 정하는 바에 따라 최초로 면허를 받은 후부터 3년마다 그 실태와 취업상황 등을 보건복지부장관에게 신고하여야 한다. 〈개정 2008. 2. 29., 2010. 1. 18., 2011. 4. 28.〉

② 보건복지부장관은 제30조제3항의 보수교육을 이수하지 아니한 의료인에 대하여 제1항에 따른 신고를 반려할 수 있다. 〈신설 2011. 4. 28.〉

③ 보건복지부장관은 제1항에 따른 신고 수리 업무를 대통령령으로 정하는 바에 따라 관련 단체 등에 위탁할 수 있다. 〈신설 2011. 4. 28.〉

■ **제26조**(변사체 신고)

의사 · 치과의사 · 한의사 및 조산사는 사체를 검안하여 변사(變死)한 것으로 의심되는 때에는 사체의 소재지를 관할하는 경찰서장에게 신고하여야 한다.

■ **제27조**(무면허 의료행위 등 금지)

① 의료인이 아니면 누구든지 의료행위를 할 수 없으며 의료인도 면허된 것 이외의 의료행위를 할 수 없다. 다만, 다음 각 호의 어느 하나에 해당하는 자는 보건복지부령으로 정하는 범위에서 의료행위를 할 수 있다. 〈개정 2008. 2. 29., 2009. 1. 30., 2010. 1. 18.〉

1. 외국의 의료인 면허를 가진 자로서 일정 기간 국내에 체류하는 자
2. 의과대학, 치과대학, 한의과대학, 의학전문대학원, 치의학전문대학원, 한의학전문대학원, 종합병원 또는 외국 의료원조기관의 의료봉사 또는 연구 및 시범사업을 위하여 의료행위를 하는 자
3. 의학 · 치과의학 · 한방의학 또는 간호학을 전공하는 학교의 학생

② 의료인이 아니면 의사 · 치과의사 · 한의사 · 조산사 또는 간호사 명칭이나 이와 비슷한 명칭을 사용하지 못한다.

③ 누구든지 「국민건강보험법」이나 「의료급여법」에 따른 본인부담금을 면제하거나 할인하는 행위, 금품 등을 제공하거나 불특정 다수인에게 교통편의를 제공하는 행위 등 영리를 목적으로 환자를 의료기관이나 의료인에게 소개 · 알선 · 유인하는 행위 및 이를 사주하는 행위를 하여서는 아니 된다. 다만, 다음 각 호의 어느 하나에 해당하는 행위는 할 수 있다. 〈개정 2009. 1. 30., 2010. 1. 18., 2011. 12. 31.〉

1. 환자의 경제적 사정 등을 이유로 개별적으로 관할 시장 · 군수 · 구청장의 사전승인을 받아 환자를 유치하는 행위
2. 「국민건강보험법」 제109조에 따른 가입자나 피부양자가 아닌 외국인(보건복지부령으로 정하는 바에 따라 국내에 거주하는 외국인은 제외한다)환자를 유치하기 위한 행위

④ 제3항제2호에도 불구하고 「보험업법」 제2조에 따른 보험회사, 상호회사, 보험설계사, 보험대리점 또는 보험중개사는 외국인환자를 유치하기 위한 행위를 하여서는 아니 된다. 〈신설 2009. 1. 30.〉

⑤ 의료인, 의료기관 개설자 및 종사자는 무자격자에게 의료행위를 하게 하거나 의료인에게 면허 사항 외의 의료행위를 하게 하여서는 아니 된다. 〈신설 2019. 4. 23.〉

2) 의료인의 업무 관련 실제 사례

관련 사례 (1)

환자가 해외 출장을 이유로 내원이 어렵다며 비급여 약 처방을 요구해 처방전 비용을 받고 3개월치 약을 처방해준 사례

"무진찰 처방전·진단서·검안서·증명서 발급이 의료법에서 금지돼 있고, 이를 어길 경우 1년 이하의 징역이나 1,000만 원 이하의 벌금, 자격정지 2개월 행정처분 사유가 된다."

환자가 원하더라도 전화 진료를 하고 처방을 해주는 것을 특히 조심해야 한다.

관련 사례 (2)

정신과병원을 운영하는 E의료기관 원장이 수용자를 대신해 교도관에게 대리처방을 해준 사례

환자의 편의를 위한 대리처방은 허용이 되는 경우라고 할지라도 주의해야 하고, 특히 해외여행을 이유로 대리처방을 요청하는 경우는 더욱더 주의해야 한다.

관련 사례 (3)

의료기관 원장이 대진의사를 고용했는데, 대진의사가 자신의 명의가 아니라 의료기관 원장 이름으로 진료기록과 처방전을 발행한 것과 관련 "직접 진료한 의사가 타인 명의로 처방전을 발급하는 것은 의료법 위반으로 1년 이하의 징역이나 1,000만 원 이하의 벌금에 처해질 수 있다."며 "원장과 대진의 모두 처벌받을 수 있다."

관련 사례 (4)

의료컨설팅업체와 협약을 맺고 건강검진 할인권을 발행해 유통한 것이 문제가 된 사례

"본인부담금 면제, 할인, 금품 제공, 불특정 다수에게 교통편의를 제공하는 것이 영리를 목적으로 환자를 소개·알선·유인하는 행위에 해당하기 때문에 3년 이하의 징역 또는 3,000만 원 이하의 벌금, 자격정지 2개월 행정처분을 받을 수 있다."

"업체와의 협약 시 이런 내용을 주의 깊게 살피는 것이 요구된다."

관련 사례 (5)

의료인이 환자에게 허위진단서를 발급해주어 자격정지처분을 받았음에도 불구하고 또 다시 허위진단서를 작성해준 사례

의료인 A씨는 2008년 진단서를 허위로 작성해 교부했다는 이유로 의사면허 자격정지 3개월의 처분을 받음.

하지만 A씨는 자격정지 기간에도 진료를 하고 허위로 입, 퇴원 진단서를 발급하고 진료비까지 청구한 것으로 밝혀짐 의료인 A씨는 5천만 원이 넘는 요양급여비를 받았고, 수십 회에 걸쳐 허위로 입, 퇴원서를 발급해 줌. 이에 따라 법원은 A원장에게 사기죄로 징역10월에 집행유예 2년을 선고함.

의료인 A씨는 "면허정지 기간 중 직접 의료행위를 한 적이 없고 대진의를 썼다."며 법원에 호소하였지만 법원은 이를 받아들이지 않았고 이 소식을 접한 복지부는 의료인 A씨에게 집행유예 이상의 형을 선고 받았다는 이유로 A씨에게 의사 면허를 취소한다는 처분을 내림.

위 사례처럼 허위진단서 발급으로 인해 의료인 A씨는 의사 면허는 물론이며, 면허정지 기간 중 유관기관으로부터 받은 요양급여비를 전부 몰수함 이처럼 정당한 방법이 아닌 부당한 방법으로 돈을 받아낼 경우, 형사처벌과 동시에 행정처분이 내려질 수 있음.

관련 사례 (6)

C의료기관 원장은 자동차보험회사로부터 환자의 진료기록부를 복사해달라는 요청을 받은 후 환자의 개인정보라서 환자의 동의 없이 줄 수 없다고 문제된 사례

"자동차손해배상보장법에 따라 자보회사가 환자의 진료기록부 사본을 요청한 경우 정당한 사유 없이 거부해서는 안된다."며, "이를 위반할 경우 500만 원 이하의 벌금, 자격정지 15일 등의 행정처분을 받을 수 있다."

그러면서 자동차보험과는 달리 실손 보험의 경우 실손보험사는 의료기관에 진료기록부 열람을 요구할 권한은 없다고 판시함.

관련 사례 (7)

A의료기관에서 의사가 아닌 피부관리실 직원이 환자에게 고주파치료를 해준 사례

"환자가 아무리 요청해도 의사가 아닌 직원이 고주파치료를 하게 되면 의료법(제27조) 상 무면허 의료행위에 해당할 수 있고, 의료인도 면허된 것 이외의 행위를 할 수 없다."며, "최악의 경우 5년 이하 징역 또는 5,000만 원 이하의 벌금에 처해지는 것은 물론, 자격정지 3개월, 업무정지 3개월 등의 행정처분도 가능"

관련 사례 (8)

B의료기관 원장이 사회복지시설에서 촉탁의로 일하고 있는 동료 의사의 요청을 받고 요양 중인 노인들을 가끔 진료한 후 의료법 위반사례

의료기관 외 의료행위에 해당하며, 정식 촉탁의가 아닌 경우 문제가 될 수 있고 "의사가 어떤 의료기관에 등록돼 있으면 다른 의료기관에서 진료할 수 없다."

"국가나 지자체장이 공익상 필요하다고 인정해 요청하는 경우, 또는 응급환자를 진료하는 경우 외에는 자신이 등록돼 있는 의료기관 내에서 의료업을 해야 한다."며 "이런 경우는 의료법 위반으로 500만 원 이하의 벌금, 자격정지 3개월 처분을 받을 수 있다."

3) 성별고지 금지법 조항 논의

의사가 임신부 진찰을 통해 태아의 성(性)을 알았다고 했고 임신부를 비롯한 그 가족에게 태아의 성별을 알려주지 못하도록 규정한 의료법 조항이 1987년 제정된 뒤 21년 만에 헌법불합치 결정이 내려졌다.

낙태가 불가능한 임신 후반기까지 태아의 성별 고지를 금지하는 것은 의료인의 직업 수행 자유와 태아 부모의 정보접근권을 지나치게 제한하기 때문에 의료법을 개정해야 한다는 취지이다.

헌법재판소 전원재판부는 31일 산부인과 의사 등이 "태아의 성 감별고지를 무조건 금지한 조항은 시대의 변화에 맞지 않고 의료인의 직업활동 자유와 임부의 알권리 등을 침해한다"며 낸 헌법소원 사건에 대해 헌법불합치 결정을 내렸다.

재판부는 '의료인이 태아의 성감별을 목적으로 임부를 진찰하거나 진찰 중 알게 된 성별을 본인이나 가족에게 알려줘서는 안된다'고 규정한 의료법 제20조 제2항을 입법자가 2009년 12월31일까지 개정하고, 그때까지는 잠정 적용하라고 선고했다.

9명의 재판관 중 8명이 위헌 의견, 1명이 합헌 의견을 냈으며 위헌 의견을 낸 재판관 중 5명은 법적 공백상태를 막기 위해 법 개정 때까지만 해당 조항의 효력을 유지하도록 헌법 불합치 의견을 냈다.

재판부는 "태아성별고지 금지는 성별을 이유로 한 낙태를 방지함으로써 성비의 불균형을 해소하고 태아의 생명권을 보호한다는 측면에서 입법 목적의 정당성은 인정되지만 낙태가 불가능한 임신 후반기까지 전면 금지하는 것은 의료인과 태아 부모의 기본권을 지나치게 제한한다"고 밝혔다.

재판부는 "임신기간이 통상 40주라고 할 때 28주가 지나면 낙태 자체가 위험하기 때문에 태아에 대한 성별 고지를 예외적으로 허용하더라도 성별을 이유로 한 낙태가 행해질 가능성은 거의 없다"고 판단했다.

또한 "이 사건 조항을 입법할 때에 비해 남아 선호 경향이 현저히 완화됐고 남녀 성비가 여아 100명 당 남아 107.4명으로 자연성비 106명에 근접하는 점 등에 비춰 임신기간 전 기간에 걸쳐 성별 고지를 금지하는 것은 과도한 대처"라고 설명했다.

 태아성별고지금지 사건(헌법재판소)

사건의 경과

사 건 번 호 2004헌마1010, 2005헌바90(병합) (의료법 제19조의2 제2항 위헌확인 등)

사건의 개요

1. 2004헌마1010 사건

청구인은 2003.3.23 청구외 이**와 결혼해 2003.4 경 혼인신고를 마쳤고, 위 이**이 2004.5.경 임신해 2004.12.23 초음파검사를 받음에 있어 의사에게 태아의 성별을 알려줄 것을 요청했다. 그러나 담당의사는 '의료인은 태아 또는 임부에 대한 진찰이나 검사를 통해 알게 된 태아의 성별을 임부 본인, 그 가족 기타 다른 사람이 알 수 있도록 해서는 아니된다'는 의료법 제19조의2 제2항으로 인하여 태아의 성별을 알려줄 수 없다는 이유로 이를 거절했다. 이에 청구인은 위 의료법 규정이 자신의 기본권을 침해했다고 주장하며, 출산을 한달 정도 앞둔 2004.12.28. 이 사건 헌법소원심판을 청구했다.

2. 2005헌바90 사건

청구인은 산부인과 전문의로서 1999년경부터 서울 동작구에서 산부인과 병원을 운영하고 있다. 그런데 보건복지부장관은 2005.5.4. 청구인이 2001.7부터 3차례에 걸쳐 산모인 최**에게 태아의 성별을 확인해 주어 의료법 제19조의2 제2항을 위반했다는 이유로 청구인에 대해 의사면허자격정지 6월을 명하는 처분을 하였다.

이에 청구인은 서울행정법원에 보건복지가족부장관을 상대로 하여 위 의사면허자격정지처분의 취소를 구하는 소송을 제기하고 그 재판 계속 중 의료법 제19조의2 제2항의 위헌 여부가 재판의 전제가 된다고 하여 위헌법률심판제청신청을 하였는바, 서울행정법원은 2005.10.5. 위 자격정지처분취소청구를 기각함과 동시에 위 위헌법률심판제청신청을 기각했다.

판결요지

○ 판결선고

헌법재판소 전원재판부는 2008년 7월 31일 재판관 8(헌법불합치의견 5인, 단순위헌의견 3인):1(합헌의견)의 의견으로 태아성별에 대한 고지를 금지하고 있는 구 의료법 제19조의2에 대해 이 규정들이 의료인의 직업의 자유와 태아 부모의 태아성별 정보에 대한 접근을 방해받지 않을 권리를 침해하고 있다는 이유로 헌법불합치결정을 선고했다.

구 의료법 제19조의2 제2항의 태아성별고지 금지는 성별을 이류로 한 낙태를 방지함으로써 성비의 불균형을 해소하고 태아의 생명권을 보호한다는 측면에서 입법목적의 정당성은 인정된다고 할 것이나, 낙태가 불가능한 임신 후반기에 이르러서도 이를 전면적으로 금지하는 것은 의료인의 직업수행의 자유와 태아 부모의 태아성별 정보에 대한 접근을 방해받지 않을 권리를 제한해 헌법에 위반된다는 것이다.

한편, 위 구 의료법 규정은 개정되어 내용에는 변함이 없이 그 조문의 위치를 의료법 제20조 제2항으로 옮긴 바, 이 규정 역시 의료인의 직업수행의 자유와 태아 부모의 태아성별 정보에 대한 접근을 방해받지 않을 권리를 침해하므로 헌법에 위반된다고 하였다.
다만 위와 같은 이 사건 심판대상 규정들에 대해 단순위헌결정을 할 경우 태아의 성별 고지 금지에 대한 근거 규정이 사라져 법적 공백상태가 발생하게 될 것이므로 헌법불합치결정을 하기로 하는 바, 의료법 제20조 제2항은 입법자가 2009.12.31.을 기한으로 새 입법을 마련할 때까지 잠정 허용하기로 하며, 구 의료법 제 19조의2 제2항은 이미 개정되어 효력을 상실하고 있지만, 2005헌바90 당해사건과 관련하여서는 여전히 그 효력을 유지하고 있다고 할 것이므로 당해사건과 관련하여 그 적용을 중지하고, 국회가 의료법 규정을 개정하면 그 개정 법률을 적용하도록 했다.

4) 무면허 의료행위 판례

판시사항

[1] 무면허 의료행위를 엄격히 금지하는 의료법 제27조 제1항에서 정한 '의료행위'의 의미와 범위
[2] 의료기사 등에 관한 법률 제1조, 제2조, 제3조 및 같은 법 시행령 제2조가 의료기사의 면허를 가진 사람에게 의사 또는 치과의사의 지도에 따라 의료행위 중 위 시행령 제2조 제1항에서 정한 일정한 분야의 업무를 할 수 있도록 허용하는 취지 / 의료기사가 의료기사 등에 관한 법률 및 같은 법 시행령에서 정한 업무의 범위와 한계를 벗어나는 의료행위를 한 경우, 무면허 의료행위에 해당하는지 여부(적극) 및 의사나 치과의사의 지시나 지도에 따라 이루어졌더라도 마찬가지인지 여부(적극)
[3] 치과의사 피고인 甲과 치과위생사 피고인 乙이 공모하여, 환자의 충치에 대한 복합레진 충전 치료 과정에서 의료인 아닌 피고인 乙이 의료행위인 에칭과 본딩 시술을 함으로써 의료법을 위반하였다는 내용으로 기소된 사안에서, 제반 사정을 종합하면, 충치치료 과정에서 이루어지는 에칭과 본딩 시술은 의료기사 등에 관한 법률 및 같은 법 시행령이 허용하는 치과위생사의 업무 범위와 한계를 벗어나는 의료행위로서 의료인인 치과의사만 할 수 있고, 비록 피고인 乙이 피고인 甲의 지도나 감독 아래 이러한 시술을 하였더라도 무면허 의료행위에 해당한다고 한 사례

[1] 의료법 제27조 제1항은 의료인에게만 의료행위를 허용하고, 의료인이라고 하더라도 면허된 의료행위만 할 수 있도록 하여, 무면허 의료행위를 엄격히 금지하고 있다. 여기서 '의료행위'란 의학적 전문지식을 기초로 하는 경험과 기능으로 진찰, 검안, 처방, 투약 또는 외과적 시술을 시행하여 하는 질병의 예방 또는 치료행위 및 그 밖에 의료인이 행하지 아니하면 보건위생상 위해가 생길 우려가 있는 행위를 의미한다. '의료인이 행하지 아니하면 보건위생상 위해가 생길 우려'는 추상적 위험으로도 충분하므로, 구체적으로 환자에게 위험이 발생하지 아니하였다고 해서 보건위생상의 위해가 없다고 할 수는 없다.

[2] 의료기사 등에 관한 법률(이하 '의료기사법'이라고 한다) 제1조, 제2조, 제3조 및 같은 법 시행령 제2조는 임상병리사, 방사선사, 물리치료사, 작업치료사, 치과기공사, 치과위생사를 의료기사로 분류하고, 의료기사의 면허를 가진 사람에게 의사 또는 치과의사의 지도에 따라 의료행위 중 위 시행령 제2조 제1항에서 정하는 일정한 분야의 업무를 할 수 있도록 허용하고 있다. 이는 의료인만이 의료행위를 할 수 있음을 원칙으로 하되, 의료행위 중에서 사람의 생명이나 신체 또는 공중위생에 위해를 발생시킬 우려가 적은 특정 분야에 관하여, 그 특정 분야의 의료행위가 인체에 가져올 수 있는 위험성 등에 대하여 지식과 경험을 획득하여, 그 의료행위로 인한 인체의 반응을 확인하고 이상 유무를 판단하며 상황에 대처할 수 있는 능력을 가졌다고 인정되는 사람에게 면허를 부여하고, 그들로 하여금 그 특정 분야의 의료행위를 의사의 지도에 따라서 제한적으로 행할 수 있도록 허용하는 취지라고 보아야 한다.

따라서 의료기사라 할지라도 의료기사법 및 같은 법 시행령이 정하고 있는 업무의 범위와 한계를 벗어나는 의료행위를 하였다면 무면허 의료행위에 해당하고, 이는 비록 의사나 치과의사의 지시나 지도에 따라 이루어졌더라도 마찬가지이다.

[3] 치과의사 피고인 甲과 치과위생사 피고인 乙이 공모하여, 환자의 충치에 대한 복합레진 충전 치료 과정에서 의료인 아닌 피고인 乙이 의료행위인 에칭과 본딩 시술을 함으로써 의료법을 위반하였다는 내용으로 기소된 사안에서, 제반 사정을 종합하면, 충치예방을 위해 시술되는 치면열구전색술(이른바 '실런트') 과정에서 이루어지는 에칭과 본딩 시술과 달리, 충치치료 과정에서 이루어지는 에칭과 본딩 시술은 의료기사 등에 관한 법률 및 같은 법 시행령이 허용하고 있는 치과위생사의 업무 범위와 한계를 벗어나는 의료행위로서 의료인인 치과의사만이 할 수 있고, 비록 피고인 乙이 피고인 甲의 지도나 감독 아래 이러한 시술을 하였더라도 무면허 의료행위에 해당한다고 한 사례

5. 의료인 단체의 역할

1) 관련 법 규정

■ **제28조**(중앙회와 지부)

① 의사 · 치과의사 · 한의사 · 조산사 및 간호사는 대통령령으로 정하는 바에 따라 각각 전국적 조직을 두는 의사회 · 치과의사회 · 한의사회 · 조산사회 및 간호사회(이하 "중앙회"라 한다)를 각각 설립하여야 한다.

② 중앙회는 법인으로 한다.

③ 제1항에 따라 중앙회가 설립된 경우에는 의료인은 당연히 해당하는 중앙회의 회원이 되며, 중앙회의 정관을 지켜야 한다.

④ 중앙회에 관하여 이 법에 규정되지 아니한 사항에 대하여는 「민법」 중 사단법인에 관한 규정을 준용한다.

⑤ 중앙회는 대통령령으로 정하는 바에 따라 특별시 · 광역시 · 도와 특별자치도(이하 "시 · 도"라 한다)에 지부를 설치하여야 하며, 시 · 군 · 구(자치구만을 말한다. 이하 같다)에 분회를 설치할 수 있다. 다만, 그 외의 지부나 외국에 의사회 지부를 설치하려면 보건복지부장관의 승인을 받아야 한다. 〈개정 2008. 2. 29., 2010. 1. 18.〉

⑥ 중앙회가 지부나 분회를 설치한 때에는 그 지부나 분회의 책임자는 지체 없이 특별시장 · 광역시장 · 도지사 · 특별자치도지사(이하 "시 · 도지사"라 한다) 또는 시장 · 군수 · 구청장에게 신고하여야 한다.

⑦ 각 중앙회는 제66조의2에 따른 자격정지 처분 요구에 관한 사항 등을 심의 · 의결하기 위하여 윤리위원회를 둔다. 〈신설 2011. 4. 28.〉

⑧ 윤리위원회의 구성, 운영 등에 관한 사항은 대통령령으로 정한다. 〈신설 2011. 4. 28.〉

■ **제29조**(설립 허가 등)

① 중앙회를 설립하려면 대표자는 대통령령으로 정하는 바에 따라 정관과 그 밖에 필요한 서류를 보건복지부장관에게 제출하여 설립 허가를 받아야 한다. 〈개정 2008. 2. 29., 2010. 1. 18.〉

② 중앙회의 정관에 적을 사항은 대통령령으로 정한다.

③ 중앙회가 정관을 변경하려면 보건복지부장관의 허가를 받아야 한다. 〈개정 2008. 2. 29., 2010. 1. 18.〉

■ **제30조**(협조 의무)

① 중앙회는 보건복지부장관으로부터 의료와 국민보건 향상에 관한 협조 요청을 받으면 협조하여야 한다. 〈개정 2008. 2. 29., 2010. 1. 18.〉

② 중앙회는 보건복지부령으로 정하는 바에 따라 회원의 자질 향상을 위하여 필요한 보수(補修)교육을 실시하여야 한다. 〈개정 2008. 2. 29., 2010. 1. 18.〉

③ 의료인은 제2항에 따른 보수교육을 받아야 한다.

■ **제31조 삭제 〈2011. 4. 7.〉**

■ **제32조**(감독)

보건복지부장관은 중앙회나 그 지부가 정관으로 정한 사업 외의 사업을 하거나 국민보건 향상에 장애가 되는 행위를 한 때 또는 제30조제1항에 따른 요청을 받고 협조하지 아니한 경우에는 정관을 변경하거나 임원을 새로 뽑을 것을 명할 수 있다. 〈개정 2008. 2. 29., 2010. 1. 18.〉

2) 의료인 단체의 역할과 한계

의료인 · 변호사 · 세무사 등과 같은 전문직은 직업 수행에 있어 전문적인 지식과 기술이 요구되므로, 국가는 일정한 자격 요건을 갖춘 자에게만 그 업무를 수행할 수 있도록 독점적 자격을 부여하고 있다.

또한, 사회적 책임과 고도의 윤리성이 요구되므로, 여러 가지 법적인 의무를 부과하고 그 위반에 대해서는 징계와 함께 형사처벌까지 할 수 있다. 한편, 각 법률에서는 전문직 종사자로 하여금 단체를 설립하게 하고, 그 단체에 강제적으로 가입하도록 하고 있다.

이러한 전문가 단체는 구성원인 전문 직 종사자들의 권익을 증진하고 보호하는데 목적이 있지만, 한편으로는 국가나 사회가 전문직 종사자들에게 요구하는 공익성을 확보하는데도 필수적인 역할을 하고 있다.

그에 따라 대부분의 법률에서는 각 전문가단체로 하여금 각종의 자율규제권한을 부여하고 있다.

예를 들어, 공인회계사와 세무사의 경우, 사무소 개업 시 공인회계사회나 세무사회를 거쳐 관할 관청에 등록하도록 하고 있고, 휴·폐업이나 사무소 이전 시에도 협회를 거쳐 신고하도록 하고 있기 때문에, 사실상 협회를 거치지 않고서는 업무수행이 불가능하다.

또한, 각 법률에서는 공인회계사회나 세무사회에 회원에 대한 징계권한까지 부여하고 있다. 변호사의 경우에는 협회의 권한이 더욱 막강하다. 개업이나 휴·폐업, 사무소 이전 시 대한변호사협회에 등록해야 하고, 등록을 하지 아니하면 업무수행이 불가능할 뿐만 아니라, 3년 이하의 징역이나 2,000만 원 이하의 형사처벌까지 받을 수 있다.

심지어는 협회에 등록 신청에 대한 심사권한까지 부여하여, 부적격자에 대해서는 등록을 거부할 수도 있다.

그러면, 대한의사협회를 비롯한 의료인단체의 상황은 어떠한가? 의료법상으로는 전문가단체 설립 및 회원 가입이 강제되어 있음에도 불구하고, 개업이나 휴·폐업, 사무소 이전 시 협회에 등록(신고)하게 하거나 협회를 경유하도록 하는 규정이 없다.

뿐만 아니라 회원에 대한 징계권이나 징계요구권도 없다. 이는 약사의 경우에도 마찬가지이다.

그러다 보니, 협회에 등록하지 아니한 회원에 대해서 어떠한 제재도 가할 수 없다. 비리를 저지르거나 품위를 손상한 회원에 대해서도 외부적인 징계는 할 수 없고, 회칙 위반에 대한 내부 징계만 가능할 뿐이다.

이러한 내부 징계는 회원으로서의 명예와 관련되어 있을 뿐, 자격이나 업무수행에는 전혀 지장이 없기 때문에 징계로서의 실효성이 미약하다. 또한, 해당 회원이 징계심사를 위한 조사 및 요구에 따르지 않으면 이를 구속할 방법이 없고, 징계를 결정하더라도 이를 강제적으로 집행할 방법이 없다.

이로 인하여 전문가단체는 소속 회원들에 대한 관리는 물론 실태 파악에 있어서도 어려움을 겪고 있다. 협회에 등록하지 않더라도 영업이나 사업 활동에 아무런 지장이 없기 때문에, 협회 등록 비율이나 회비 납부율은 계속 저하되고 있다. 협회 회무 운영에도 상당한 지장이 초래되고 있음은 말할 필요도 없다.

법정단체로서의 의미가 퇴색되고, 사실상 임의단체로 운영되고 있다.

지금까지 의료계에서는 정부와 국회에 자율징계권과 등록에 관한 권한을 각 전문가단체에 인정할 것을 지속적으로 요구해 오고 있으나, 주무 관청은 이에 대해서 지나치게 소극적이었고, 국회 역시 이 문제에 대해서 크게 관심을 갖고 있지 않다.

그러나 다른 전문가단체의 사례, 법정단체와 당연가입제의 취지, 전문성과 공익성의 확보 등의 면에서 전문가단체에 대한 자율징계권 부여는 반드시 필요하다고 본다.

얼마 전 국회에서 개최된 토론회에 참가했던 보건복지부 관계자는 그 취지에 대해서는 공감을 하면서도 도입에 관해서는 시기상조라는 입장을 표시한 바 있다. 그러나 이 문제는 이미 오래전부터 의료계가 요구했던 사항이고, 일부는 법률안까지 제출되었던 적이 있다.

또한, 모든 징계권을 한꺼번에 넘겨달라고 요구하는 것도 아니고, 자율징계로 인한 부작용이나 남용을 최소화할 수 있는 방안이 있는데도 이를 검토하지 않고, 무조건 시기상조라고 하는 것은 자율징계권 도입에 대한 의지가 없는 것으로 밖에 볼 수 없다.

보건복지부는, 의료인단체에 자율징계권이나 등록에 관한 권한을 일부라도 이양하였을 경우 각 의료인단체의 권한과 회원들의 결속력이 강화되고, 그에 따라 의료인단체에 대한 보건복지부의 효율적인 통제가 어려워지는 것을 우려하고 있는 것으로 보인다.

만약 보건복지부가 이러한 우려 때문에 자율징계권이나 등록에 관한 권한을 이양하지 않고 있다면, 이는 상당히 시대착오적인 발상이라고 생각한다.

다른 법률에서 전문가단체에 자율규제권을 부여하고 있는 이유는 일방적인 행정규제에 대한 반성과 전문가단체에 자율규제권을 인정하는 것이 장기적으로는 행정목적을 달성하는데 효율적이라는 믿음 때문이다.

의료인단체라고 해서 달리 취급해야 할 이유가 전혀 없다. 오히려 의료인단체이기 때문에 위와 같은 자율규제가 더욱 시급할 수도 있다.

[출처] 의료인단체 자율징계권 도입의 당위성 의사신문

6. 의료기관

1) 의료기관의 개설 절차 규정

■ **제33조**(개설 등)

① 의료인은 이 법에 따른 의료기관을 개설하지 아니하고는 의료업을 할 수 없으며, 다음 각 호의 어느 하나에 해당하는 경우 외에는 그 의료기관 내에서 의료업을 하여야 한다. 〈개정 2008. 2. 29., 2010. 1. 18.〉

1. 「응급의료에 관한 법률」 제2조제1호에 따른 응급환자를 진료하는 경우
2. 환자나 환자 보호자의 요청에 따라 진료하는 경우
3. 국가나 지방자치단체의 장이 공익상 필요하다고 인정하여 요청하는 경우
4. 보건복지부령으로 정하는 바에 따라 가정간호를 하는 경우
5. 그 밖에 이 법 또는 다른 법령으로 특별히 정한 경우나 환자가 있는 현장에서 진료를 하여야 하는 부득이한 사유가 있는 경우

② 다음 각 호의 어느 하나에 해당하는 자가 아니면 의료기관을 개설할 수 없다. 이 경우 의사는 종합병원 · 병원 · 요양병원 또는 의원을, 치과의사는 치과병원 또는 치과의원을, 한의사는 한방병원 · 요양병원 또는 한의원을, 조산사는 조산원만을 개설할 수 있다. 〈개정 2009. 1. 30.〉

1. 의사, 치과의사, 한의사 또는 조산사
2. 국가나 지방자치단체
3. 의료업을 목적으로 설립된 법인(이하 "의료법인"이라 한다)
4. 「민법」이나 특별법에 따라 설립된 비영리법인
5. 「공공기관의 운영에 관한 법률」에 따른 준정부기관, 「지방의료원의 설립 및 운영에 관한 법률」에 따른 지방의료원, 「한국보훈복지의료공단법」에 따른 한국보훈복지의료공단

⑥ 조산원을 개설하는 자는 반드시 지도의사(指導醫師)를 정하여야 한다.

⑦ 다음 각 호의 어느 하나에 해당하는 경우에는 의료기관을 개설할 수 없다. 〈개정 2019. 8. 27.〉

1. 약국 시설 안이나 구내인 경우
2. 약국의 시설이나 부지 일부를 분할 · 변경 또는 개수하여 의료기관을 개설하는 경우

3. 약국과 전용 복도 · 계단 · 승강기 또는 구름다리 등의 통로가 설치되어 있거나 이런 것들을 설치하여 의료기관을 개설하는 경우
4. 「건축법」 등 관계 법령에 따라 허가를 받지 아니하거나 신고를 하지 아니하고 건축 또는 증축 · 개축한 건축물에 의료기관을 개설하는 경우

⑧ 제2항제1호의 의료인은 어떠한 명목으로도 둘 이상의 의료기관을 개설 · 운영할 수 없다. 다만, 2 이상의 의료인 면허를 소지한 자가 의원급 의료기관을 개설하려는 경우에는 하나의 장소에 한하여 면허 종별에 따른 의료기관을 함께 개설할 수 있다. 〈신설 2009. 1. 30., 2012. 2. 1.〉

⑨ 의료법인 및 제2항제4호에 따른 비영리법인(이하 이 조에서 "의료법인등"이라 한다)이 의료기관을 개설하려면 그 법인의 정관에 개설하고자 하는 의료기관의 소재지를 기재하여 대통령령으로 정하는 바에 따라 정관의 변경허가를 얻어야 한다(의료법인등을 설립할 때에는 설립 허가를 말한다. 이하 이 항에서 같다). 이 경우 그 법인의 주무관청은 정관의 변경허가를 하기 전에 그 법인이 개설하고자 하는 의료기관이 소재하는 시 · 도지사 또는 시장 · 군수 · 구청장과 협의하여야 한다. 〈신설 2015. 12. 29.〉

⑩ 의료기관을 개설 · 운영하는 의료법인등은 다른 자에게 그 법인의 명의를 빌려주어서는 아니 된다. 〈신설 2015. 12. 29.〉

■ **제34조**(원격의료)

① 의료인(의료업에 종사하는 의사 · 치과의사 · 한의사만 해당한다)은 제33조제1항에도 불구하고 컴퓨터 · 화상통신 등 정보통신기술을 활용하여 먼 곳에 있는 의료인에게 의료지식이나 기술을 지원하는 원격의료(이하 "원격의료"라 한다)를 할 수 있다.

② 원격의료를 행하거나 받으려는 자는 보건복지부령으로 정하는 시설과 장비를 갖추어야 한다. 〈개정 2008. 2. 29., 2010. 1. 18.〉

③ 원격의료를 하는 자(이하 "원격지의사"라 한다)는 환자를 직접 대면하여 진료하는 경우와 같은 책임을 진다.

④ 원격지의사의 원격의료에 따라 의료행위를 한 의료인이 의사 · 치과의사 또는 한의사(이하 "현지의사"라 한다)인 경우에는 그 의료행위에 대하여 원격지의사의 과실을 인정할 만한 명백한 근거가 없으면 환자에 대한 책임은 제3항에도 불구하고 현지의사에게 있는 것으로 본다.

■ **제35조**(의료기관 개설 특례)

① 제33조제1항 · 제2항 및 제8항에 따른 자 외의 자가 그 소속 직원, 종업원, 그 밖의 구성원(수용자를 포함한다) 이나 그 가족의 건강관리를 위하여 부속 의료기관을 개설하려면 그 개설 장소를 관할하는 시장 · 군수 · 구청장에게 신고하여야 한다. 다만, 부속 의료기관으로 병원급 의료기관을 개설하려면 그 개설 장소를 관할하는 시 · 도지사의 허가를 받아야 한다. 〈개정 2009. 1. 30.〉

② 제1항에 따른 개설 신고 및 허가에 관한 절차 · 조건, 그 밖에 필요한 사항과 그 의료기관의 운영에 필요한 사항은 보건복지부령으로 정한다. 〈개정 2008. 2. 29., 2010. 1. 18.〉

■ **제36조**(준수사항)

제33조제2항 및 제8항에 따라 의료기관을 개설하는 자는 보건복지부령으로 정하는 바에 따라 다음 각 호의 사항을 지켜야 한다. 〈개정 2008. 2. 29., 2009. 1. 30., 2010. 1. 18., 2016. 5. 29., 2019. 4. 23., 2019. 8. 27.〉

1. 의료기관의 종류에 따른 시설기준 및 규격에 관한 사항
2. 의료기관의 안전관리시설 기준에 관한 사항
3. 의료기관 및 요양병원의 운영 기준에 관한 사항
4. 고가의료장비의 설치 · 운영 기준에 관한 사항
5. 의료기관의 종류에 따른 의료인 등의 정원 기준에 관한 사항
6. 급식관리 기준에 관한 사항
7. 의료기관의 위생 관리에 관한 사항
8. 의료기관의 의약품 및 일회용 주사 의료용품의 사용에 관한 사항
9. 의료기관의 「감염병의 예방 및 관리에 관한 법률」 제41조제4항에 따른 감염병환자등의 진료 기준에 관한 사항
10. 의료기관 내 수술실, 분만실, 중환자실 등 감염관리가 필요한 시설의 출입 기준에 관한 사항
11. 의료인 및 환자 안전을 위한 보안장비 설치 및 보안인력 배치 등에 관한 사항
12. 의료기관의 신체보호대 사용에 관한 사항

■ **제36조의2**(공중보건의사 등의 고용금지)

① 의료기관 개설자는 「농어촌 등 보건의료를 위한 특별조치법」 제5조의2에 따른 배치기관 및 배치시설이나 같은 법 제6조의2에 따른 파견근무기관 및 시설이 아니면 같은 법 제2조제1호의 공중보건의사에게 의료행위를 하게 하거나, 제41조제1항에 따른 당직의료인으로 두어서는 아니 된다. 〈개정 2016. 12. 20., 2018. 3. 27.〉

② 의료기관 개설자는 「병역법」 제34조의2제2항에 따라 군병원 또는 병무청장이 지정하는 병원에서 직무와 관련된 수련을 실시하는 경우가 아니면 같은 법 제2조제14호의 병역판정검사전담의사에게 의료행위를 하게 하거나 제41조제1항에 따른 당직의료인으로 두어서는 아니 된다. 〈신설 2018. 3. 27.〉

■ **제37조**(진단용 방사선 발생장치)

① 진단용 방사선 발생장치를 설치 · 운영하려는 의료기관은 보건복지부령으로 정하는 바에 따라 시장 · 군수 · 구청장에게 신고하여야 하며, 보건복지부령으로 정하는 안전관리기준에 맞도록 설치 · 운영하여야 한다. 〈개정 2008. 2. 29., 2010. 1. 18.〉

② 의료기관 개설자나 관리자는 진단용 방사선 발생장치를 설치한 경우에는 보건복지부령으로 정하는 바에 따라 안전관리책임자를 선임하고, 정기적으로 검사와 측정을 받아야 하며, 방사선 관계 종사자에 대한 피폭관리(被曝管理)를 하여야 한다. 〈개정 2008. 2. 29., 2010. 1. 18.〉

③ 제1항과 제2항에 따른 진단용 방사선 발생장치의 범위 · 신고 · 검사 · 설치 및 측정기준 등에 필요한 사항은 보건복지부령으로 정한다. 〈개정 2008. 2. 29., 2010. 1. 18.〉

■ **제38조**(특수의료장비의 설치 · 운영)

① 의료기관은 보건의료 시책 상 적정한 설치와 활용이 필요하여 보건복지부장관이 정하여 고시하는 의료장비(이하 "특수의료장비"라 한다)를 설치 · 운영하려면 보건복지부령으로 정하는 바에 따라 시장 · 군수 · 구청장에게 등록하여야 하며, 보건복지부령으로 정하는 설치인정기준에 맞게 설치 · 운영하여야 한다. 〈개정 2008. 2. 29., 2010. 1. 18., 2012. 2. 1.〉

② 의료기관의 개설자나 관리자는 제1항에 따라 특수의료장비를 설치하면 보건

복지부령으로 정하는 바에 따라 보건복지부장관에게 정기적인 품질관리검사를 받아야 한다. 〈개정 2008. 2. 29., 2010. 1. 18.〉

③ 의료기관의 개설자나 관리자는 제2항에 따른 품질관리검사에서 부적합하다고 판정받은 특수의료장비를 사용하여서는 아니 된다.

④ 보건복지부장관은 제2항에 따른 품질관리검사업무의 전부 또는 일부를 보건복지부령으로 정하는 바에 따라 관계 전문기관에 위탁할 수 있다. 〈개정 2008. 2. 29., 2010. 1. 18.〉

■ **제39조**(시설 등의 공동이용)

① 의료인은 다른 의료기관의 장의 동의를 받아 그 의료기관의 시설 · 장비 및 인력 등을 이용하여 진료할 수 있다.

② 의료기관의 장은 그 의료기관의 환자를 진료하는 데에 필요하면 해당 의료기관에 소속되지 아니한 의료인에게 진료하도록 할 수 있다.

③ 의료인이 다른 의료기관의 시설 · 장비 및 인력 등을 이용하여 진료하는 과정에서 발생한 의료사고에 대하여는 진료를 한 의료인의 과실 때문이면 그 의료인에게, 의료기관의 시설 · 장비 및 인력 등의 결함 때문이면 그것을 제공한 의료기관 개설자에게 각각 책임이 있는 것으로 본다.

■ **제40조**(폐업 · 휴업 신고와 진료기록부등의 이관)

① 의료기관 개설자는 의료업을 폐업하거나 1개월 이상 휴업(입원환자가 있는 경우에는 1개월 미만의 휴업도 포함한다. 이하 이 조에서 이와 같다)하려면 보건복지부령으로 정하는 바에 따라 관할 시장 · 군수 · 구청장에게 신고하여야 한다. 〈개정 2008. 2. 29., 2010. 1. 18., 2016. 12. 20.〉

② 의료기관 개설자는 제1항에 따라 폐업 또는 휴업 신고를 할 때 제22조나 제23조에 따라 기록 · 보존하고 있는 진료기록부등을 관할 보건소장에게 넘겨야 한다. 다만, 의료기관 개설자가 보건복지부령으로 정하는 바에 따라 진료기록부등의 보관계획서를 제출하여 관할 보건소장의 허가를 받은 경우에는 직접 보관할 수 있다. 〈개정 2008. 2. 29., 2010. 1. 18.〉

③ 시장 · 군수 · 구청장은 제1항에 따른 신고에도 불구하고 「감염병의 예방 및 관리에 관한 법률」 제18조 및 제29조에 따라 질병관리본부장, 시 · 도지사 또는 시장 · 군수 · 구청장이 감염병의 역학조사 및 예방접종에 관한 역학조사

를 실시하거나 같은 법 제18조의2에 따라 의료인 또는 의료기관의 장이 보건복지부장관 또는 시 · 도지사에게 역학조사 실시를 요청한 경우로서 그 역학조사를 위하여 필요하다고 판단하는 때에는 의료기관 폐업 신고를 수리하지 아니할 수 있다. 〈신설 2016. 5. 29.〉

④ 의료기관 개설자는 의료업을 폐업 또는 휴업하는 경우 보건복지부령으로 정하는 바에 따라 해당 의료기관에 입원 중인 환자를 다른 의료기관으로 옮길 수 있도록 하는 등 환자의 권익을 보호하기 위한 조치를 하여야 한다. 〈신설 2016. 12. 20.〉

⑤ 시장 · 군수 · 구청장은 제1항에 따른 폐업 또는 휴업 신고를 받은 경우 의료기관 개설자가 제4항에 따른 환자의 권익을 보호하기 위한 조치를 취하였는지 여부를 확인하는 등 대통령령으로 정하는 조치를 하여야 한다. 〈신설 2016. 12. 20.〉

■ **제40조의2**(진료기록부등의 이관)

① 의료기관 개설자는 제40조제1항에 따라 폐업 또는 휴업 신고를 할 때 제22조나 제23조에 따라 기록 · 보존하고 있는 진료기록부등의 수량 및 목록을 확인하고 진료기록부등을 관할 보건소장에게 넘겨야 한다. 다만, 의료기관 개설자가 보건복지부령으로 정하는 바에 따라 진료기록부등의 보관계획서를 제출하여 관할 보건소장의 허가를 받은 경우에는 직접 보관할 수 있다.

② 제1항에 따라 관할 보건소장의 허가를 받아 진료기록부등을 직접 보관하는 의료기관 개설자는 보관계획서에 기재된 사항 중 보건복지부령으로 정하는 사항이 변경된 경우 관할 보건소장에게 이를 신고하여야 하며, 직접 보관 중 질병, 국외 이주 등 보건복지부령으로 정하는 사유로 보존 및 관리가 어려운 경우 이를 대행할 책임자를 지정하여 보관하게 하거나 진료기록부등을 관할 보건소장에게 넘겨야 한다.

③ 제1항에 따라 관할 보건소장의 허가를 받아 진료기록부등을 직접 보관하는 의료기관 개설자는 보관 기간, 방법 등 보건복지부령으로 정하는 사항을 준수하여야 한다.

④ 제1항에 따라 관할 보건소장의 허가를 받아 진료기록부등을 직접 보관하는 의료기관 개설자(제2항에 따라 지정된 책임자를 포함한다)의 기록 열람 및 보존에 관하여는 제21조 및 제22조제2항을 준용한다.

⑤ 그 밖에 진료기록부등의 이관 방법, 절차 등에 필요한 사항은 보건복지부령으로 정한다.

[본조신설 2020. 3. 4.]

[시행일 : 2023. 3. 5.] 제40조의2

■ **제40조의3**(진료기록보관시스템의 구축·운영)

① 보건복지부장관은 제40조의2에 따라 폐업 또는 휴업한 의료기관의 진료기록부등을 보관하는 관할 보건소장 및 의료기관 개설자가 안전하고 효과적으로 진료기록부등을 보존·관리할 수 있도록 지원하기 위한 시스템(이하 "진료기록보관시스템"이라 한다)을 구축·운영할 수 있다.

② 제40조의2에 따라 폐업 또는 휴업한 의료기관의 진료기록부등을 보관하는 관할 보건소장 및 의료기관 개설자는 진료기록보관시스템에 진료기록부등을 보관할 수 있다.

③ 제2항에 따라 진료기록부등을 진료기록보관시스템에 보관한 관할 보건소장 및 의료기관 개설자(해당 보건소 및 의료기관 소속 의료인 및 그 종사자를 포함한다)는 직접 보관한 진료기록부등 외에는 진료기록보관시스템에 보관된 정보를 열람하는 등 그 내용을 확인하여서는 아니 된다.

④ 보건복지부장관은 제1항에 따른 진료기록보관시스템의 구축·운영 업무를 관계 전문기관 또는 단체에 위탁할 수 있다. 이 경우 보건복지부장관은 진료기록보관시스템의 구축·운영 업무에 소요되는 비용의 전부 또는 일부를 지원할 수 있다.

⑤ 제4항 전단에 따라 진료기록보관시스템의 구축·운영 업무를 위탁받은 전문기관 또는 단체는 보건복지부령으로 정하는 바에 따라 진료기록부등을 안전하게 관리·보존하는 데에 필요한 시설과 장비를 갖추어야 한다.

⑥ 보건복지부장관은 진료기록보관시스템의 효율적 운영을 위하여 원본에 기재된 정보가 변경되지 않는 범위에서 진료기록부등의 형태를 변경하여 보존·관리할 수 있으며, 변경된 형태로 진료기록부등의 사본을 발급할 수 있다.

⑦ 누구든지 정당한 접근 권한 없이 또는 허용된 접근 권한을 넘어 진료기록보관시스템에 보관된 정보를 훼손·멸실·변경·위조·유출하거나 검색·복제하여서는 아니 된다.

⑧ 진료기록보관시스템의 구축 범위 및 운영 절차 등에 필요한 사항은 보건복지

부령으로 정한다.

[본조신설 2020. 3. 4.]

[시행일 : 2023. 3. 5.] 제40조의3

■ **제41조**(당직의료인)

① 각종 병원에는 응급환자와 입원환자의 진료 등에 필요한 당직의료인을 두어야 한다. 〈개정 2016. 12. 20.〉

② 제1항에 따른 당직의료인의 수와 배치 기준은 병원의 종류, 입원환자의 수 등을 고려하여 보건복지부령으로 정한다. 〈신설 2016. 12. 20.〉

■ **제42조**(의료기관의 명칭)

① 의료기관은 제3조제2항에 따른 의료기관의 종류에 따르는 명칭 외의 명칭을 사용하지 못한다. 다만, 다음 각 호의 어느 하나에 해당하는 경우에는 그러하지 아니하다. 〈개정 2008. 2. 29., 2009. 1. 30., 2010. 1. 18.〉

1. 종합병원이 그 명칭을 병원으로 표시하는 경우
2. 제3조의4제1항에 따라 상급종합병원으로 지정받거나 제3조의5제1항에 따라 전문병원으로 지정받은 의료기관이 지정받은 기간 동안 그 명칭을 사용하는 경우
3. 제33조제8항 단서에 따라 개설한 의원급 의료기관이 면허 종별에 따른 종별명칭을 함께 사용하는 경우
4. 국가나 지방자치단체에서 개설하는 의료기관이 보건복지부장관이나 시 · 도지사와 협의하여 정한 명칭을 사용하는 경우
5. 다른 법령으로 따로 정한 명칭을 사용하는 경우

② 의료기관의 명칭 표시에 관한 사항은 보건복지부령으로 정한다. 〈개정 2008. 2. 29., 2010. 1. 18.〉

③ 의료기관이 아니면 의료기관의 명칭이나 이와 비슷한 명칭을 사용하지 못한다.

■ **제42조**(의료기관의 명칭)

① 의료기관은 제3조제2항에 따른 의료기관의 종류에 따르는 명칭 외의 명칭을 사용하지 못한다. 다만, 다음 각 호의 어느 하나에 해당하는 경우에는 그러하

지 아니하다. 〈개정 2008. 2. 29., 2009. 1. 30., 2010. 1. 18., 2020. 3. 4.〉

1. 종합병원 또는 정신병원이 그 명칭을 병원으로 표시하는 경우
2. 제3조의4제1항에 따라 상급종합병원으로 지정받거나 제3조의5제1항에 따라 전문병원으로 지정받은 의료기관이 지정받은 기간 동안 그 명칭을 사용하는 경우
3. 제33조제8항 단서에 따라 개설한 의원급 의료기관이 면허 종별에 따른 종별명칭을 함께 사용하는 경우
4. 국가나 지방자치단체에서 개설하는 의료기관이 보건복지부장관이나 시·도지사와 협의하여 정한 명칭을 사용하는 경우
5. 다른 법령으로 따로 정한 명칭을 사용하는 경우

② 의료기관의 명칭 표시에 관한 사항은 보건복지부령으로 정한다. 〈개정 2008. 2. 29., 2010. 1. 18.〉

③ 의료기관이 아니면 의료기관의 명칭이나 이와 비슷한 명칭을 사용하지 못한다.

[시행일 : 2021. 3. 5.] 제42조제1항제1호

■ **제43조**(진료과목 등)

① 병원·치과병원 또는 종합병원은 한의사를 두어 한의과 진료과목을 추가로 설치·운영할 수 있다.

② 한방병원 또는 치과병원은 의사를 두어 의과 진료과목을 추가로 설치·운영할 수 있다.

③ 병원·한방병원 또는 요양병원은 치과의사를 두어 치과 진료과목을 추가로 설치·운영할 수 있다.

④ 제1항부터 제3항까지의 규정에 따라 추가로 진료과목을 설치·운영하는 경우에는 보건복지부령으로 정하는 바에 따라 진료에 필요한 시설·장비를 갖추어야 한다. 〈개정 2010. 1. 18.〉

⑤ 제1항부터 제3항까지의 규정에 따라 추가로 설치한 진료과목을 포함한 의료기관의 진료과목은 보건복지부령으로 정하는 바에 따라 표시하여야 한다. 다만, 치과의 진료과목은 종합병원과 제77조제2항에 따라 보건복지부령으로 정하는 치과병원에 한하여 표시할 수 있다. 〈개정 2010. 1. 18.〉

[전문개정 2009. 1. 30.]

[법률 제9386호(2009. 1. 30.) 부칙 제2조의 규정에 의하여 이 조 제5항 단서의 개정규정 중 치과의사에 대한 부분은 2013년 12월 31일까지 유효함]

■ **제45조**(비급여 진료비용 등의 고지)

① 의료기관 개설자는 「국민건강보험법」 제41조제4항에 따라 요양급여의 대상에서 제외되는 사항 또는 「의료급여법」 제7조제3항에 따라 의료급여의 대상에서 제외되는 사항의 비용(이하 "비급여 진료비용"이라 한다)을 환자 또는 환자의 보호자가 쉽게 알 수 있도록 보건복지부령으로 정하는 바에 따라 고지하여야 한다. 〈개정 2010. 1. 18., 2011. 12. 31., 2016. 3. 22.〉

② 의료기관 개설자는 보건복지부령으로 정하는 바에 따라 의료기관이 환자로부터 징수하는 제증명수수료의 비용을 게시하여야 한다. 〈개정 2010. 1. 18.〉

③ 의료기관 개설자는 제1항 및 제2항에서 고지·게시한 금액을 초과하여 징수할 수 없다.

[전문개정 2009. 1. 30.]

■ **제45조의2**(비급여 진료비용 등의 현황조사 등)

① 보건복지부장관은 모든 의료기관에 대하여 비급여 진료비용 및 제45조제2항에 따른 제증명수수료(이하 이 조에서 "비급여진료비용등"이라 한다)의 항목, 기준 및 금액 등에 관한 현황을 조사·분석하여 그 결과를 공개할 수 있다. 다만, 병원급 의료기관에 대하여는 그 결과를 공개하여야 한다. 〈개정 2016. 12. 20.〉

② 보건복지부장관은 제1항에 따른 비급여진료비용등의 현황에 대한 조사·분석을 위하여 의료기관의 장에게 관련 자료의 제출을 명할 수 있다. 이 경우 해당 의료기관의 장은 특별한 사유가 없으면 그 명령에 따라야 한다. 〈신설 2016. 12. 20.〉

③ 제1항에 따른 현황조사·분석 및 결과 공개의 범위·방법·절차 등에 필요한 사항은 보건복지부령으로 정한다. 〈개정 2016. 12. 20.〉

[본조신설 2015. 12. 29.]

■ **제46조**(환자의 진료의사 선택 등)

① 환자나 환자의 보호자는 종합병원·병원·치과병원·한방병원 또는 요양병

원의 특정한 의사 · 치과의사 또는 한의사를 선택하여 진료를 요청할 수 있다. 이 경우 의료기관의 장은 특별한 사유가 없으면 환자나 환자의 보호자가 요청한 의사 · 치과의사 또는 한의사가 진료하도록 하여야 한다. 〈개정 2008. 2. 29., 2010. 1. 18., 2018. 3. 27.〉

② 제1항에 따라 진료의사를 선택하여 진료를 받는 환자나 환자의 보호자는 진료의사의 변경을 요청할 수 있다. 이 경우 의료기관의 장은 정당한 사유가 없으면 이에 응하여야 한다. 〈개정 2018. 3. 27.〉

③ 의료기관의 장은 환자 또는 환자의 보호자에게 진료의사 선택을 위한 정보를 제공하여야 한다. 〈개정 2008. 2. 29., 2010. 1. 18., 2018. 3. 27.〉

④ 의료기관의 장은 제1항에 따라 진료하게 한 경우에도 환자나 환자의 보호자로부터 추가비용을 받을 수 없다. 〈개정 2018. 3. 27.〉

2) 공중보건의사 관련한 시사적 문제

의대를 졸업하고 군복무를 해야 하는 젊은 의사들을 군의관 대신 의료서비스 취약지역에 배치하는 공중보건의사제도가 실시 된지도 어느덧 30여년이 되고 있다. 하지만 최근 들어 공중보건의사의 수급이 부족해지면서 공석으로 남은 보건소, 보건지소가 늘어나고 있고 이에 따라 농어촌지역의 의료 공백 사태가 벌어질 것이라는 우려가 제기되는 등 지방마다 공공의료공백 문제로 인해 골머리를 앓고 있다고 한다. 또한 주무부서인 복지부가 최근 공중보건의 신규 배치 때 의사수급이 어려운 농 · 어촌 민간병원 및 보건단체 배치 인원을 약 500명가량 줄일 방침이고 상대적으로 더욱 취약한 보건소와 보건지소 배치를 우선 시 할 것으로 확인돼 수습 문제는 더욱 심각해 질 것으로 예상되고 있다.

이런 공중보건의사의 공백사태는 사실 전국적인 현상이라 할 수 있다. 이에 대해 보건복지부 관계자는 "일선 지방 보건소나 보건지소에는 인력 공급에는 문제가 없다"며 "강원도나 일선 지방의 인력 공백문제는 민간병원이나 보건단체 인원의 배치를 줄이기 때문"이라고 설명했다.

이 같은 공보의 수급문제의 원인은 여학생의 의대 합격률의 증가와 일반대학을 졸업하고 군대를 다녀온 학생을 뽑는 의학전문대학원의 증가로 군미필 의대생의 대량 감소가 불가피하기 때문이다. 현재 의학전문대학원의 여성 비율은 약 53%로 현 추세대로라면 2020년 예상되는 공보의 수는 약 2,300여 명으로 2008년 5,000여 명의 절반도 안 되는 수준이다. 이에 따라 일각에서는 일단 농어촌민간병원에 배치된 공보의를 보건소에 배치하는 대안이 제시되고 있지만 이 역시 결국 취약지구의 의사가 부족하게 되는 미봉책일 뿐이라는 지적이다. 의학전문대학원이 다시 의대 전환이 이뤄지고 있지만 현재 일부 의대에서 정원계획에 차질을 빚어 지연되는 등 공중보건의사의 정상 수급은 해결의 기미가 요원한 상태인 것이 사실이다.

공중보건의들은 스스로를 스카이닥터(sky doctor)라고 부른다. '공중에 붕- 떠있는 의사'라는 뜻으로 의료장비나 진단 검사 없이 열악한 진료환경으로 오로지 문진과 이학적 검사만을 통해 환자를 진료해야 하는 처지를 자조적으로 이야기하는 것이라고 한다.

높아지는 생활수준과 권리의식으로 농어촌지역에서도 질 높은 의료서비스에 대한 수요가 늘어나고 있고, 치열한 민간의료기관의 경쟁구도에서 사실 면단위 까지 민간 병 · 의원이 넘쳐 나는 현실에서 단순히 의사 한 명 시골에 배치하여 무의촌 해소라는 목적으로 이루어진 공중보건의사제도는 이미 30년 전의 낡은 방식임이 분명하다.

이렇게 "공중에 버려지듯이" 배치된 공보의들은 값싼 감기약, 혈압약 나누어주는 것 외에 할 수 있는 것도 없고 의료사고와 민원 때문에 무엇을 더 해서도 안 되는 것이 현실인 것이다. 이런 문제가 앞으로 필연적으로 해결되기 어려운 현실에서 이번 기회에 보다 근본적으로 공공의료에 대한 시스템을 고민해야 할 때인 것이다. 예를 들어 수익성 때문에 민간 의료기관에서 포기한 농 · 어촌지역의 분만실을 갖춘 산부인과나 응급수술이 가능한 응급센터 등을 만들고 그곳에 공중보건의를 집중 배치하여 시설, 장비를 집중시켜 민간분야의 약점을 공공의료가 상호보완하는 등의 발상의 전환이 필요한 때인 것이다. 그래서 방만한 보건지소나 보건진료소 등을 통폐합하고 자원을 집중하여 의료 서비스의 질을 높이고 만성 노인환자의 비율이 높은 특성을 살려 재활, 복지와 결합한 서비스를 제공한다면, 수적, 양적 문제에만 매달린 공중보건의 수급의 문제는 자연스럽게 해결될 것이라 생각한다.

[출처] 공중보건의사 수급문제와 거꾸로 가는 공공의료

7. 의료광고

1) 의료광고 금지 관련 법 규정

■ **제56조**(의료광고의 금지 등)

① 의료기관 개설자, 의료기관의 장 또는 의료인(이하 "의료인등"이라 한다)이 아닌 자는 의료에 관한 광고(의료인등이 신문 · 잡지 · 음성 · 음향 · 영상 · 인터넷 · 인쇄물 · 간판, 그 밖의 방법에 의하여 의료행위, 의료기관 및 의료인등에 대한 정보를 소비자에게 나타내거나 알리는 행위를 말한다. 이하 "의료광고"라 한다)를 하지 못한다. 〈개정 2018. 3. 27.〉

② 의료인등은 다음 각 호의 어느 하나에 해당하는 의료광고를 하지 못한다. 〈개정 2009. 1. 30., 2016. 5. 29., 2018. 3. 27.〉

1. 제53조에 따른 평가를 받지 아니한 신의료기술에 관한 광고
2. 환자에 관한 치료경험담 등 소비자로 하여금 치료 효과를 오인하게 할 우려가 있는 내용의 광고
3. 거짓된 내용을 표시하는 광고
4. 다른 의료인등의 기능 또는 진료 방법과 비교하는 내용의 광고
5. 다른 의료인등을 비방하는 내용의 광고
6. 수술 장면 등 직접적인 시술행위를 노출하는 내용의 광고
7. 의료인등의 기능, 진료 방법과 관련하여 심각한 부작용 등 중요한 정보를 누락하는 광고
8. 객관적인 사실을 과장하는 내용의 광고
9. 법적 근거가 없는 자격이나 명칭을 표방하는 내용의 광고
10. 신문, 방송, 잡지 등을 이용하여 기사(記事) 또는 전문가의 의견 형태로 표현되는 광고
11. 제57조에 따른 심의를 받지 아니하거나 심의받은 내용과 다른 내용의 광고
12. 제27조제3항에 따라 외국인환자를 유치하기 위한 국내광고
13. 소비자를 속이거나 소비자로 하여금 잘못 알게 할 우려가 있는 방법으로 제45조에 따른 비급여 진료비용을 할인하거나 면제하는 내용의 광고
14. 각종 상장 · 감사장 등을 이용하는 광고 또는 인증 · 보증 · 추천을 받았

다는 내용을 사용하거나 이와 유사한 내용을 표현하는 광고. 다만, 다음 각 목의 어느 하나에 해당하는 경우는 제외한다.

가. 제58조에 따른 의료기관 인증을 표시한 광고

나. 「정부조직법」 제2조부터 제4조까지의 규정에 따른 중앙행정기관 · 특별지방행정기관 및 그 부속기관, 「지방자치법」 제2조에 따른 지방자치단체 또는 「공공기관의 운영에 관한 법률」 제4조에 따른 공공기관으로부터 받은 인증 · 보증을 표시한 광고

다. 다른 법령에 따라 받은 인증 · 보증을 표시한 광고

라. 세계보건기구와 협력을 맺은 국제평가기구로부터 받은 인증을 표시한 광고 등 대통령령으로 정하는 광고

15. 그 밖에 의료광고의 방법 또는 내용이 국민의 보건과 건전한 의료경쟁의 질서를 해치거나 소비자에게 피해를 줄 우려가 있는 것으로서 대통령령으로 정하는 내용의 광고

③ 의료광고는 다음 각 호의 방법으로는 하지 못한다. 〈개정 2018. 3. 27.〉

1. 「방송법」 제2조제1호의 방송
2. 그 밖에 국민의 보건과 건전한 의료경쟁의 질서를 유지하기 위하여 제한할 필요가 있는 경우로서 대통령령으로 정하는 방법

④제2항에 따라 금지되는 의료광고의 구체적인 내용 등 의료광고에 관하여 필요한 사항은 대통령령으로 정한다. 〈개정 2018. 3. 27.〉

⑤ 보건복지부장관, 시장 · 군수 · 구청장은 제2항제2호부터 제5호까지 및 제7호부터 제9호까지를 위반한 의료인등에 대하여 제63조, 제64조 및 제67조에 따른 처분을 하려는 경우에는 지체 없이 그 내용을 공정거래위원회에 통보하여야 한다. 〈신설 2016. 5. 29., 2018. 3. 27.〉

[2018. 3. 27. 법률 제15540호에 의하여 2015. 12. 23. 헌법재판소에서 위헌 결정된 이 조를 개정함.]

■ **제57조**(의료광고의 심의)

① 의료인등이 다음 각 호의 어느 하나에 해당하는 매체를 이용하여 의료광고를 하려는 경우 미리 의료광고가 제56조제1항부터 제3항까지의 규정에 위반되는지 여부에 관하여 제2항에 따른 기관 또는 단체의 심의를 받아야 한다. 〈개정 2008. 2. 29., 2010. 1. 18., 2011. 8. 4., 2016. 1. 6., 2018. 3. 27.〉

1. 「신문 등의 진흥에 관한 법률」 제2조에 따른 신문 · 인터넷신문 또는 「잡지 등 정기간행물의 진흥에 관한 법률」 제2조에 따른 정기간행물
2. 「옥외광고물 등의 관리와 옥외광고산업 진흥에 관한 법률」 제2조제1호에 따른 옥외광고물 중 현수막(懸垂幕), 벽보, 전단(傳單) 및 교통시설 · 교통수단에 표시(교통수단 내부에 표시되거나 영상 · 음성 · 음향 및 이들의 조합으로 이루어지는 광고를 포함한다)되는 것
3. 전광판
4. 대통령령으로 정하는 인터넷 매체[이동통신단말장치에서 사용되는 애플리케이션(Application)을 포함한다]
5. 그 밖에 매체의 성질, 영향력 등을 고려하여 대통령령으로 정하는 광고매체

② 다음 각 호의 기관 또는 단체는 대통령령으로 정하는 바에 따라 자율심의를 위한 조직 등을 갖추어 보건복지부장관에게 신고한 후 의료광고 심의 업무를 수행할 수 있다. 〈개정 2018. 3. 27.〉

1. 제28조제1항에 따른 의사회 · 치과의사회 · 한의사회
2. 「소비자기본법」 제29조에 따라 등록한 소비자단체로서 대통령령으로 정하는 기준을 충족하는 단체

③ 의료인등은 제1항에도 불구하고 다음 각 호의 사항으로만 구성된 의료광고에 대해서는 제2항에 따라 보건복지부장관에게 신고한 기관 또는 단체(이하 "자율심의기구"라 한다)의 심의를 받지 아니할 수 있다. 〈개정 2018. 3. 27.〉

1. 의료기관의 명칭 · 소재지 · 전화번호
2. 의료기관이 설치 · 운영하는 진료과목(제43조제5항에 따른 진료과목을 말한다)
3. 의료기관에 소속된 의료인의 성명 · 성별 및 면허의 종류
4. 그 밖에 대통령령으로 정하는 사항

④ 자율심의기구는 제1항에 따른 심의를 할 때 적용하는 심의 기준을 상호 협의하여 마련하여야 한다. 〈개정 2018. 3. 27.〉

⑤ 의료광고 심의를 받으려는 자는 자율심의기구가 정하는 수수료를 내야 한다. 〈신설 2018. 3. 27.〉

⑥ 제2항제1호에 따른 자율심의기구가 수행하는 의료광고 심의 업무 및 이와 관련된 업무의 수행에 관하여는 제29조제3항, 제30조제1항, 제32조, 제83조제1항 및 「민법」 제37조를 적용하지 아니하며, 제2항제2호에 따른 자율심의기구가 수행하는 의료광고 심의 업무 및 이와 관련된 업무의 수행에 관하여는

「민법」 제37조를 적용하지 아니한다. 〈신설 2018. 3. 27.〉

⑦ 자율심의기구는 의료광고 제도 및 법령의 개선에 관하여 보건복지부장관에게 의견을 제시할 수 있다. 〈신설 2018. 3. 27.〉

⑧ 제1항에 따른 심의의 유효기간은 심의를 신청하여 승인을 받은 날부터 3년으로 한다. 〈신설 2018. 3. 27.〉

⑨ 의료인등이 제8항에 따른 유효기간의 만료 후 계속하여 의료광고를 하려는 경우에는 유효기간 만료 6개월 전에 자율심의기구에 의료광고 심의를 신청하여야 한다. 〈신설 2018. 3. 27.〉

⑩ 제1항부터 제9항까지의 규정에서 정한 것 외에 자율심의기구의 구성 · 운영 및 심의에 필요한 사항은 자율심의기구가 정한다. 〈신설 2018. 3. 27.〉

⑪ 자율심의기구는 제1항 및 제4항에 따른 심의 관련 업무를 수행할 때에는 제56조제1항부터 제3항까지의 규정에 따라 공정하고 투명하게 하여야 한다. 〈신설 2018. 3. 27.〉

[제목개정 2018. 3. 27.]

[2018. 3. 27. 법률 제15540호에 의하여 2005. 12. 23. 헌법재판소에서 위헌 결정된 이 조를 개정함.]

■ **제57조의2**(의료광고에 관한 심의위원회)

① 자율심의기구는 의료광고를 심의하기 위하여 제2항 각 호의 구분에 따른 심의위원회(이하 이 조에서 "심의위원회"라 한다)를 설치 · 운영하여야 한다.

② 심의위원회의 종류와 심의 대상은 다음 각 호와 같다.

1. 의료광고심의위원회: 의사, 의원, 의원의 개설자, 병원, 병원의 개설자, 요양병원(한의사가 개설한 경우는 제외한다), 요양병원의 개설자, 종합병원(치과는 제외한다. 이하 이 호에서 같다), 종합병원의 개설자, 조산사, 조산원, 조산원의 개설자가 하는 의료광고의 심의
2. 치과의료광고심의위원회: 치과의사, 치과의원, 치과의원의 개설자, 치과병원, 치과병원의 개설자, 종합병원(치과만 해당한다. 이하 이 호에서 같다), 종합병원의 개설자가 하는 의료광고의 심의
3. 한방의료광고심의위원회: 한의사, 한의원, 한의원의 개설자, 한방병원, 한방병원의 개설자, 요양병원(한의사가 개설한 경우만 해당한다. 이하 이 호에서 같다), 요양병원의 개설자가 하는 의료광고의 심의

③ 제57조제2항제1호에 따른 자율심의기구 중 의사회는 제2항제1호에 따른 심의위원회만, 치과의사회는 같은 항 제2호에 따른 심의위원회만, 한의사회는 같은 항 제3호에 따른 심의위원회만 설치 · 운영하고, 제57조제2항제2호에 따른 자율심의기구는 제2항 각호의 어느 하나에 해당하는 심의위원회만 설치 · 운영할 수 있다.

④ 심의위원회는 위원장 1명과 부위원장 1명을 포함하여 15명 이상 25명 이하의 위원으로 구성한다. 이 경우 제2항 각 호의 심의위원회 종류별로 다음 각 호의 구분에 따라 구성하여야 한다.

1. 의료광고심의위원회: 제5항제2호부터 제9호까지의 사람을 각각 1명 이상 포함하되, 같은 항 제4호부터 제9호까지의 사람이 전체 위원의 3분의 1 이상이 되도록 구성하여야 한다.
2. 치과의료광고심의위원회: 제5항제1호 및 제3호부터 제9호까지의 사람을 각각 1명 이상 포함하되, 같은 항 제4호부터 제9호까지의 사람이 전체 위원의 3분의 1 이상이 되도록 구성하여야 한다.
3. 한방의료광고심의위원회: 제5항제1호 · 제2호 및 제4호부터 제9호까지의 사람을 각각 1명 이상 포함하되, 같은 항 제4호부터 제9호까지의 사람이 전체 위원의 3분의 1 이상이 되도록 구성하여야 한다.

⑤ 심의위원회 위원은 다음 각 호의 어느 하나에 해당하는 사람 중에서 자율심의기구의 장이 위촉한다.

1. 의사
2. 치과의사
3. 한의사
4. 「약사법」 제2조제2호에 따른 약사
5. 「소비자기본법」 제2조제3호에 따른 소비자단체의 장이 추천하는 사람
6. 「변호사법」 제7조제1항에 따라 같은 법 제78조에 따른 대한변호사협회에 등록한 변호사로서 대한변호사협회의 장이 추천하는 사람
7. 「민법」 제32조에 따라 설립된 법인 중 여성의 사회참여 확대 및 복지 증진을 주된 목적으로 설립된 법인의 장이 추천하는 사람
8. 「비영리민간단체 지원법」 제4조에 따라 등록된 단체로서 환자의 권익 보호를 주된 목적으로 하는 단체의 장이 추천하는 사람
9. 그 밖에 보건의료 또는 의료광고에 관한 학식과 경험이 풍부한 사람

⑥ 제1항부터 제5항까지의 규정에서 정한 것 외에 심의위원회의 구성 및 운영에 필요한 사항은 자율심의기구가 정한다.

[본조신설 2018. 3. 27.]

■ **제57조의3**(의료광고 모니터링)

자율심의기구는 의료광고가 제56조제1항부터 제3항까지의 규정을 준수하는지 여부에 관하여 모니터링하고, 보건복지부령으로 정하는 바에 따라 모니터링 결과를 보건복지부장관에게 제출하여야 한다.

[본조신설 2018. 3. 27.]

2) 의료광고의 세부적 기준 (의료법 시행령)

시행령 제23조, 제24조, 제27조의 2에서 세부 내용을 규정하고 있습니다.

■ **제23조** (의료광고의 금지 기준)

① 법 제56조제5항에 따라 금지되는 의료광고의 구체적인 기준은 다음 각 호와 같다. [개정 2008.12.3 제21148호(잡지 등 정기간행물의 진흥에 관한 법률 시행령), 2010.1.27 제22003호(신문 등의 진흥에 관한 법률 시행령), 2012.4.27] [[시행일 2012.8.5]]

1. 법 제53조에 따른 신의료기술평가를 받지 아니한 신의료기술에 관하여 광고하는 것
2. 특정 의료기관 · 의료인의 기능 또는 진료 방법이 질병 치료에 반드시 효과가 있다고 표현하거나 환자의 치료경험담이나 6개월 이하의 임상경력을 광고하는 것
3. 특정 의료기관 · 의료인의 기능 또는 진료 방법이 다른 의료기관이나 의료인의 것과 비교하여 우수하거나 효과가 있다는 내용으로 광고하는 것
4. 다른 의료법인 · 의료기관 또는 의료인을 비방할 목적으로 해당 의료기관 · 의료인의 기능 또는 진료 방법에 관하여 불리한 사실을 광고하는 것
5. 의료인이 환자를 수술하는 장면이나 환자의 환부(患部) 등을 촬영한 동영상 · 사진으로써 일반인에게 혐오감을 일으키는 것을 게재하여 광고하는 것
6. 의료행위나 진료 방법 등을 광고하면서 예견할 수 있는 환자의 안전에 심

각한 위해(危害)를 끼칠 우려가 있는 부작용 등 중요 정보를 빠뜨리거나 글씨 크기를 작게 하는 등의 방법으로 눈에 잘 띄지 않게 광고하는 것

7. 의료기관 · 의료인의 기능 또는 진료 방법에 관하여 객관적으로 인정되지 아니한 내용이나 객관적인 근거가 없는 내용을 광고하는 것
8. 특정 의료기관 · 의료인의 기능 또는 진료 방법에 관한 기사나 전문가의 의견을 「신문 등의 진흥에 관한 법률」 제2조에 따른 신문 · 인터넷신문 또는 「잡지 등 정기간행물의 진흥에 관한 법률」에 따른 정기간행물이나 「방송법」 제2조제1호에 따른 방송에 싣거나 방송하면서 특정 의료기관 · 의료인의 연락처나 약도 등의 정보도 함께 싣거나 방송하여 광고하는 것
9. 법 제57조제1항에 따라 심의 대상이 되는 의료광고를 심의를 받지 아니하고 광고하거나 심의 받은 내용과 다르게 광고하는 것

② 보건복지부장관은 의료법인 · 의료기관 또는 의료인 자신이 운영하는 인터넷 홈페이지에 의료광고를 하는 경우에 제1항에 따라 금지되는 의료광고의 세부적인 기준을 정하여 고시할 수 있다. [개정 2008.2.29 제20679호(보건복지가족부와 그 소속기관 직제), 2010.3.15 제22075호(보건복지부와 그 소속기관 직제)] [[시행일 2010.3.19]]

■ **제24조** (의료광고의 심의 대상 및 심의 업무의 위탁)

① 법 제57조제1항제4호에서 "대통령령으로 정하는 인터넷 매체"란 다음 각 호의 매체를 말한다. [개정 2012.4.27] [[시행일 2012.8.5]]

1. 「신문 등의 진흥에 관한 법률」 제2조제5호에 따른 인터넷뉴스 서비스
2. 「방송법」 제2조제3호에 따른 방송사업자가 운영하는 인터넷 홈페이지
3. 「방송법」 제2조제3호에 따른 방송사업자의 방송프로그램을 주된 서비스로 하여 '방송', 'TV' 또는 '라디오' 등의 명칭을 사용하면서 인터넷을 통하여 제공하는 인터넷 매체
4. 「정보통신망 이용촉진 및 정보보호 등에 관한 법률」 제2조제1항제3호에 따른 정보통신서비스 제공자 중 전년도 말 기준 직전 3개월 간 일일 평균 이용자 수가 10만 명 이상인 자가 운영하는 인터넷 매체

② 법 제57조제3항에 따라 보건복지부장관은 의료광고 심의에 관한 업무를 다음 각 호에서 정하는 바에 따라 법 제28조제1항에 따른 의사회, 치과의사회 및 한의사회에 각각 위탁한다. [개정 2008.2.29 제20679호(보건복지가족

부와 그 소속기관 직제), 2010.3.15 제22075호(보건복지부와 그 소속기관 직제), 2015.9.15]

1. 의사회: 의사, 의원, 병원, 요양병원(한의사가 개설한 경우는 제외한다), 종합병원(치과는 제외한다), 조산사, 조산원이 하는 의료광고의 심의
2. 치과의사회 : 치과의사, 치과의원, 치과병원, 종합병원(치과만 해당한다)이 하는 의료광고의 심의
3. 한의사회 : 한의사, 한의원, 한방병원, 요양병원(한의사가 개설한 경우로 한정한다)이 행하는 의료광고의 심의

③ 제2항에도 불구하고 보건복지부장관은 제2항 각 호에 따른 의료인단체가 의료광고를 심의하기 위하여 통합 심의기구를 설치 · 운영하는 경우에는 해당 심의기구에 의료광고의 심의에 관한 업무를 위탁한다. [개정 2008.2.29 제20679호(보건복지가족부와 그 소속기관 직제), 2010.3.15 제22075호(보건복지부와 그 소속기관 직제)] [[시행일 2010.3.19]]

■ **제27조의2** (의료광고 모니터링)

① 심의기관은 법 제57조에 따라 심의를 받아야 하거나 심의를 받은 의료광고에 대하여 다음 각 호의 사항을 모니터링 하여야 한다.

1. 의료법인 · 의료기관 · 의료인이 법 제57조제1항 각 호의 어느 하나에 해당하는 매체를 이용하여 의료광고를 하는 경우에 제25조 및 제26조에 따라 심의를 받았는지에 대한 사항
2. 신청인이 제25조 및 제26조에 따라 심의를 받은 내용대로 광고를 하는지에 대한 사항
3. 신청인이 제27조에 따라 심의를 받은 사실을 광고에 표시하는지에 대한 사항

② 심의기관의 장은 제1항에 따른 모니터링 결과를 분기별로 분기가 끝난 후 30일 이내에 보건복지부장관에게 보고하여야 한다.

[본조신설 2015.9.15]

8. 보건복지부 장관의 감독

1) 관련 법 규정

■ **제58조**(의료기관 인증)

① 보건복지부장관은 의료의 질과 환자 안전의 수준을 높이기 위하여 병원급 의료기관에 대한 인증(이하 "의료기관 인증"이라 한다)을 할 수 있다.

② 보건복지부장관은 대통령령으로 정하는 바에 따라 의료기관 인증에 관한 업무를 관계 전문기관(이하 "인증전담기관"이라 한다)에 위탁할 수 있다. 이 경우 인증전담기관에 대하여 필요한 예산을 지원할 수 있다.

③ 보건복지부장관은 다른 법률에 따라 의료기관을 대상으로 실시하는 평가를 통합하여 인증전담기관으로 하여금 시행하도록 할 수 있다.

[전문개정 2010. 7. 23.]

■ **제58조의2**(의료기관인증위원회)

① 보건복지부장관은 의료기관 인증에 관한 주요 정책을 심의하기 위하여 보건복지부장관 소속으로 의료기관인증위원회(이하 이 조에서 "위원회"라 한다)를 둔다.

② 위원회는 위원장 1명을 포함한 15인 이내의 위원으로 구성한다.

③ 위원회의 위원장은 보건복지부차관으로 하고, 위원회의 위원은 다음 각호의 사람 중에서 보건복지부장관이 임명 또는 위촉한다. 〈개정 2016. 5. 29.〉

1. 제28조에 따른 의료인 단체 및 제52조에 따른 의료기관단체에서 추천하는 자
2. 노동계, 시민단체(「비영리민간단체지원법」 제2조에 따른 비영리민간단체를 말한다), 소비자단체(「소비자기본법」 제29조에 따른 소비자단체를 말한다)에서 추천하는 자
3. 보건의료에 관한 학식과 경험이 풍부한 자
4. 시설물 안전진단에 관한 학식과 경험이 풍부한 자
5. 보건복지부 소속 3급 이상 공무원 또는 고위공무원단에 속하는 공무원

④ 위원회는 다음 각 호의 사항을 심의한다.

1. 인증기준 및 인증의 공표를 포함한 의료기관 인증과 관련된 주요 정책에 관한 사항

2. 제58조제3항에 따른 의료기관 대상 평가제도 통합에 관한 사항
3. 제58조의7제2항에 따른 의료기관 인증 활용에 관한 사항
4. 그 밖에 위원장이 심의에 부치는 사항

⑤ 위원회의 구성 및 운영, 그 밖에 필요한 사항은 대통령령으로 정한다.

[본조신설 2010. 7. 23.]

■ **제58조의3**(의료기관 인증기준 및 방법 등)

① 의료기관 인증기준은 다음 각 호의 사항을 포함하여야 한다.

1. 환자의 권리와 안전
2. 의료기관의 의료서비스 질 향상 활동
3. 의료서비스의 제공과정 및 성과
4. 의료기관의 조직 · 인력관리 및 운영
5. 환자 만족도

② 보건복지부장관은 인증을 신청한 의료기관에 대하여 제1항에 따른 인증기준의 충족 여부를 평가하여야 한다.

③ 보건복지부장관은 제2항에 따라 평가한 결과와 인증등급을 지체 없이 해당 의료기관의 장에게 통보하여야 한다.

④ 인증등급은 인증, 조건부인증 및 불인증으로 구분한다.

⑤ 인증의 유효기간은 4년으로 한다. 다만, 조건부인증의 경우에는 유효기간을 1년으로 한다.

⑥ 조건부인증을 받은 의료기관의 장은 유효기간 내에 보건복지부령으로 정하는 바에 따라 재인증을 받아야 한다.

⑦ 제1항에 따른 인증기준의 세부 내용은 보건복지부장관이 정한다.

[본조신설 2010. 7. 23.]

■ **제58조의4**(의료기관 인증의 신청 및 평가)

① 의료기관 인증을 받고자 하는 의료기관의 장은 보건복지부령으로 정하는 바에 따라 보건복지부장관에게 신청할 수 있다.

② 제1항에도 불구하고 제3조제2항제3호에 따른 요양병원(「장애인복지법」 제58조제1항제4호에 따른 의료재활시설로서 제3조의2에 따른 요건을 갖춘 의료기관은 제외한다)의 장은 보건복지부령으로 정하는 바에 따라 보건복지부장관에게

인증을 신청하여야 한다. 〈개정 2020. 3. 4.〉

③ 제2항에 따라 인증을 신청하여야 하는 요양병원이 조건부인증 또는 불인증을 받거나 제58조의10제1항제4호 및 제5호에 따라 인증 또는 조건부인증이 취소된 경우 해당 요양병원의 장은 보건복지부령으로 정하는 기간 내에 다시 인증을 신청하여야 한다. 〈개정 2020. 3. 4.〉

④ 보건복지부장관은 인증을 신청한 의료기관에 대하여 제58조의3제1항에 따른 인증기준 적합 여부를 평가하여야 한다. 이 경우 보건복지부장관은 보건복지부령으로 정하는 바에 따라 필요한 조사를 할 수 있고, 인증을 신청한 의료기관은 정당한 사유가 없으면 조사에 협조하여야 한다. 〈신설 2020. 3. 4.〉

⑤ 보건복지부장관은 제4항에 따른 평가 결과와 인증등급을 지체 없이 해당 의료기관의 장에게 통보하여야 한다. 〈신설 2020. 3. 4.〉

[본조신설 2010. 7. 23.]

[제목개정 2020. 3. 4.]

[시행일 : 2020. 9. 5.] 제58조의4

■ **제58조의5**(이의신청)

① 의료기관 인증을 신청한 의료기관의 장은 평가결과 또는 인증등급에 관하여 보건복지부장관에게 이의신청을 할 수 있다.

② 제1항에 따른 이의신청은 평가결과 또는 인증등급을 통보받은 날부터 30일 이내에 하여야 한다. 다만, 책임질 수 없는 사유로 그 기간을 지킬 수 없었던 경우에는 그 사유가 없어진 날부터 기산한다.

③ 제1항에 따른 이의신청의 방법 및 처리 결과의 통보 등에 필요한 사항은 보건복지부령으로 정한다.

[본조신설 2010. 7. 23.]

■ **제58조의6**(인증서와 인증마크)

① 보건복지부장관은 인증을 받은 의료기관에 인증서를 교부하고 인증을 나타내는 표시(이하 "인증마크"라 한다)를 제작하여 인증을 받은 의료기관이 사용하도록 할 수 있다.

② 누구든지 제58조제1항에 따른 인증을 받지 아니하고 인증서나 인증마크를

제작 · 사용하거나 그 밖의 방법으로 인증을 사칭하여서는 아니 된다.

③ 인증마크의 도안 및 표시방법 등에 필요한 사항은 보건복지부령으로 정한다.

[본조신설 2010. 7. 23.]

■ **제58조의**7(인증의 공표 및 활용)

① 보건복지부장관은 인증을 받은 의료기관에 관하여 인증기준, 인증 유효기간 및 제58조의3제2항에 따라 평가한 결과 등 보건복지부령으로 정하는 사항을 인터넷 홈페이지 등에 공표하여야 한다.

② 보건복지부장관은 제58조의3제3항에 따른 평가 결과와 인증등급을 활용하여 의료기관에 대하여 다음 각 호에 해당하는 행정적 · 재정적 지원 등 필요한 조치를 할 수 있다.

1. 제3조의4에 따른 상급종합병원 지정
2. 제3조의5에 따른 전문병원 지정
3. 그 밖에 다른 법률에서 정하거나 보건복지부장관이 필요하다고 인정한 사항

③ 제1항에 따른 공표 등에 필요한 사항은 보건복지부령으로 정한다.

[본조신설 2010. 7. 23.]

■ **제58조의**7(인증의 공표 및 활용)

① 보건복지부장관은 인증을 받은 의료기관에 관하여 인증기준, 인증 유효기간 및 제58조의4제4항에 따라 평가한 결과 등 보건복지부령으로 정하는 사항을 인터넷 홈페이지 등에 공표하여야 한다. 〈개정 2020. 3. 4.〉

② 보건복지부장관은 제58조의4제4항에 따른 평가 결과와 인증등급을 활용하여 의료기관에 대하여 다음 각 호에 해당하는 행정적 · 재정적 지원 등 필요한 조치를 할 수 있다. 〈개정 2020. 3. 4.〉

1. 제3조의4에 따른 상급종합병원 지정
2. 제3조의5에 따른 전문병원 지정
3. 의료의 질 및 환자 안전 수준 향상을 위한 교육, 컨설팅 지원
4. 그 밖에 다른 법률에서 정하거나 보건복지부장관이 필요하다고 인정한 사항

③ 제1항에 따른 공표 등에 필요한 사항은 보건복지부령으로 정한다.

[본조신설 2010. 7. 23.]

[시행일 : 2020. 9. 5.] 제58조의7

■ **제58조의8**(자료의 제공요청)

① 보건복지부장관은 인증과 관련하여 필요한 경우에는 관계 행정기관, 의료기관, 그 밖의 공공단체 등에 대하여 자료의 제공 및 협조를 요청할 수 있다.

② 제1항에 따른 자료의 제공과 협조를 요청받은 자는 정당한 사유가 없는 한 요청에 따라야 한다.

[본조신설 2010. 7. 23.]

■ **제58조의9**(의료기관 인증의 취소)

① 보건복지부장관은 다음 각 호의 어느 하나에 해당하는 경우에는 의료기관 인증 또는 조건부인증을 취소할 수 있다. 다만, 제1호 및 제2호에 해당하는 경우에는 인증 또는 조건부인증을 취소하여야 한다.

1. 거짓이나 그 밖의 부정한 방법으로 인증 또는 조건부인증을 받은 경우
2. 제64조제1항에 따라 의료기관 개설 허가가 취소되거나 폐쇄명령을 받은 경우
3. 의료기관의 종별 변경 등 인증 또는 조건부인증의 전제나 근거가 되는 중대한 사실이 변경된 경우

② 제1항제1호에 따라 인증이 취소된 의료기관은 인증 또는 조건부인증이 취소된 날부터 1년 이내에 인증 신청을 할 수 없다.

[본조신설 2010. 7. 23.]

■ **제58조의9**(의료기관 인증의 사후관리)

보건복지부장관은 인증의 실효성을 유지하기 위하여 보건복지부령으로 정하는 바에 따라 인증을 받은 의료기관에 대하여 제58조의3제1항에 따른 인증기준의 충족 여부를 조사할 수 있다.

[본조신설 2020. 3. 4.]

[종전 제58조의9는 제58조의10으로 이동 〈2020. 3. 4.〉]

[시행일 : 2020. 9. 5.] 제58조의9

■ **제58조의10**(의료기관 인증의 취소 등)

① 보건복지부장관은 인증을 받은 의료기관이 인증 유효기간 중 다음 각 호의 어느 하나에 해당하는 경우에는 의료기관 인증 또는 조건부인증을 취소하거

나 인증마크의 사용정지 또는 시정을 명할 수 있다. 다만, 제1호 및 제2호에 해당하는 경우에는 인증 또는 조건부인증을 취소하여야 한다. 〈개정 2020. 3. 4.〉

1. 거짓이나 그 밖의 부정한 방법으로 인증 또는 조건부인증을 받은 경우
2. 제64조제1항에 따라 의료기관 개설 허가가 취소되거나 폐쇄명령을 받은 경우
3. 의료기관의 종별 변경 등 인증 또는 조건부인증의 전제나 근거가 되는 중대한 사실이 변경된 경우
4. 제58조의3제1항에 따른 인증기준을 충족하지 못하게 된 경우
5. 인증마크의 사용정지 또는 시정명령을 위반한 경우

② 제1항제1호에 따라 인증이 취소된 의료기관은 인증 또는 조건부인증이 취소된 날부터 1년 이내에 인증 신청을 할 수 없다.

③ 제1항에 따른 의료기관 인증 또는 조건부인증의 취소 및 인증마크의 사용정지 등에 필요한 절차와 처분의 기준 등은 보건복지부령으로 정한다. 〈신설 2020. 3. 4.〉

[본조신설 2010. 7. 23.]

[제목개정 2020. 3. 4.]

[제58조의9에서 이동 〈2020. 3. 4.〉]

[시행일 : 2020. 9. 5.] 제58조의10

■ **제58조의**11(의료기관평가인증원의 설립 등)

① 의료기관 인증에 관한 업무와 의료기관을 대상으로 실시하는 각종 평가 업무를 효율적으로 수행하기 위하여 의료기관평가인증원(이하 "인증원"이라 한다)을 설립한다.

② 인증원은 다음 각 호의 업무를 수행한다.

1. 의료기관 인증에 관한 업무로서 제58조제2항에 따라 위탁받은 업무
2. 다른 법률에 따라 의료기관을 대상으로 실시하는 평가 업무로서 보건복지부장관으로부터 위탁받은 업무
3. 그 밖에 이 법 또는 다른 법률에 따라 보건복지부장관으로부터 위탁받은 업무

③ 인증원은 법인으로 하고, 주된 사무소의 소재지에 설립등기를 함으로써 성립

한다.

④ 인증원에는 정관으로 정하는 바에 따라 임원과 필요한 직원을 둔다.

⑤ 보건복지부장관은 인증원의 운영 및 사업에 필요한 경비를 예산의 범위에서 지원할 수 있다.

⑥ 인증원은 보건복지부장관의 승인을 받아 의료기관 인증을 신청한 의료기관의 장으로부터 인증에 소요되는 비용을 징수할 수 있다.

⑦ 인증원은 제2항에 따른 업무 수행에 지장이 없는 범위에서 보건복지부령으로 정하는 바에 따라 교육, 컨설팅 등 수익사업을 할 수 있다.

⑧ 인증원에 관하여 이 법 및 「공공기관의 운영에 관한 법률」에서 정하는 사항 외에는 「민법」 중 재단법인에 관한 규정을 준용한다.

[본조신설 2020. 3. 4.]

[시행일 : 2020. 9. 5.] 제58조의11

■ **제59조**(지도와 명령)

① 보건복지부장관 또는 시 · 도지사는 보건의료정책을 위하여 필요하거나 국민보건에 중대한 위해(危害)가 발생하거나 발생할 우려가 있으면 의료기관이나 의료인에게 필요한 지도와 명령을 할 수 있다. 〈개정 2008. 2. 29., 2010. 1. 18.〉

② 보건복지부장관, 시 · 도지사 또는 시장 · 군수 · 구청장은 의료인이 정당한 사유 없이 진료를 중단하거나 의료기관 개설자가 집단으로 휴업하거나 폐업하여 환자 진료에 막대한 지장을 초래하거나 초래할 우려가 있다고 인정할 만한 상당한 이유가 있으면 그 의료인이나 의료기관 개설자에게 업무개시 명령을 할 수 있다. 〈개정 2008. 2. 29., 2010. 1. 18.〉

③ 의료인과 의료기관 개설자는 정당한 사유 없이 제2항의 명령을 거부할 수 없다.

■ **제60조**(병상 수급계획의 수립 등)

① 보건복지부장관은 병상의 합리적인 공급과 배치에 관한 기본시책을 5년마다 수립하여야 한다. 〈개정 2008. 2. 29., 2010. 1. 18., 2019. 8. 27.〉

② 시 · 도지사는 제1항에 따른 기본시책에 따라 지역 실정을 고려하여 특별시 · 광역시 또는 도 단위의 지역별 · 기능별 · 종별 의료기관 병상 수급 및 관리계획을 수립한 후 보건복지부장관에게 제출하여야 한다. 〈개정 2008. 2.

29., 2010. 1. 18., 2019. 8. 27.〉

③ 보건복지부장관은 제2항에 따라 제출된 병상 수급 및 관리계획이 제1항에 따른 기본시책에 맞지 아니하는 등 보건복지부령으로 정하는 사유가 있으면 시 · 도지사와 협의하여 보건복지부령으로 정하는 바에 따라 이를 조정하여야 한다. 〈개정 2008. 2. 29., 2010. 1. 18., 2019. 8. 27.〉

■ **제60조의2**(의료인 수급계획 등)

① 보건복지부장관은 우수한 의료인의 확보와 적절한 공급을 위한 기본시책을 수립하여야 한다.

② 제1항에 따른 기본시책은 「보건의료기본법」 제15조에 따른 보건의료발전계획과 연계하여 수립한다.

[본조신설 2015. 12. 29.]

■ **제60조의3**(간호인력 취업교육센터 설치 및 운영)

① 보건복지부장관은 간호 · 간병통합서비스 제공 · 확대 및 간호 인력의 원활한 수급을 위하여 다음 각 호의 업무를 수행하는 간호인력 취업교육센터를 지역별로 설치 · 운영할 수 있다.

1. 지역별, 의료기관별 간호인력 확보에 관한 현황 조사
2. 제7조제1항제1호에 따른 간호학을 전공하는 대학이나 전문대학[구제(舊制) 전문학교와 간호학교를 포함한다] 졸업예정자와 신규 간호 인력에 대한 취업교육 지원
3. 간호 인력의 지속적인 근무를 위한 경력개발 지원
4. 유휴 및 이직 간호 인력의 취업교육 지원
5. 그 밖에 간호 인력의 취업교육 지원을 위하여 보건복지부령으로 정하는 사항

② 보건복지부장관은 간호인력 취업교육센터를 효율적으로 운영하기 위하여 그 운영에 관한 업무를 대통령령으로 정하는 절차 · 방식에 따라 관계 전문기관 또는 단체에 위탁할 수 있다.

③ 국가 및 지방자치단체는 제2항에 따라 간호인력 취업교육센터의 운영에 관한 업무를 위탁한 경우에는 그 운영에 드는 비용을 지원할 수 있다.

④ 그 밖에 간호인력 취업교육센터의 운영 등에 필요한 사항은 보건복지부령으

로 정한다.

[본조신설 2015. 12. 29.]

■ **제61조**(보고와 업무 검사 등)

① 보건복지부장관, 시 · 도지사 또는 시장 · 군수 · 구청장은 의료기관 개설자 또는 의료인에게 필요한 사항을 보고하도록 명할 수 있고, 관계 공무원을 시켜 그 업무 상황, 시설 또는 진료기록부 · 조산기록부 · 간호기록부 등 관계 서류를 검사하게 하거나 관계인에게서 진술을 들어 사실을 확인받게 할 수 있다. 이 경우 의료기관 개설자 또는 의료인은 정당한 사유 없이 이를 거부하지 못한다. 〈개정 2008. 2. 29., 2010. 1. 18., 2011. 8. 4., 2016. 12. 20., 2018. 3. 27., 2019. 8. 27.〉

② 제1항의 경우에 관계 공무원은 권한을 증명하는 증표 및 조사기간, 조사범위, 조사담당자, 관계 법령 등이 기재된 조사명령서를 지니고 이를 관계인에게 내보여야 한다. 〈개정 2011. 8. 4.〉

③ 제1항의 보고 및 제2항의 조사명령서에 관한 사항은 보건복지부령으로 정한다. 〈개정 2008. 2. 29., 2010. 1. 18., 2011. 8. 4.〉

■ **제61조의2**(자료제공의 요청)

① 보건복지부장관은 이 법의 위반 사실을 확인하기 위한 경우 등 소관 업무를 수행하기 위하여 필요한 경우에는 의료인, 의료기관의 장, 「국민건강보험법」에 따른 국민건강보험공단 및 건강보험심사평가원, 그 밖의 관계 행정기관 및 단체 등에 대하여 필요한 자료의 제출이나 의견의 진술 등을 요청할 수 있다.

② 제1항에 따른 자료의 제공 또는 협조를 요청받은 자는 특별한 사유가 없으면 이에 따라야 한다.

[본조신설 2019. 8. 27.]

■ **제62조**(의료기관 회계기준)

① 의료기관 개설자는 의료기관 회계를 투명하게 하도록 노력하여야 한다.

② 보건복지부령으로 정하는 일정 규모 이상의 종합병원 개설자는 회계를 투명하게 하기 위하여 의료기관 회계기준을 지켜야 한다. 〈개정 2008. 2. 29., 2010. 1. 18.〉

③ 제2항에 따른 의료기관 회계기준은 보건복지부령으로 정한다. 〈개정 2008. 2. 29., 2010. 1. 18.〉

■ **제63조**(시정 명령 등)

① 보건복지부장관 또는 시장 · 군수 · 구청장은 의료기관이 제15조제1항, 제16조제2항, 제21조제1항 후단 및 같은 조 제2항 · 제3항, 제23조제2항, 제34조제2항, 제35조제2항, 제36조, 제36조의2, 제37조제1항 · 제2항, 제38조제1항 · 제2항, 제41조부터 제43조까지, 제45조, 제46조, 제47조제1항, 제58조의4제2항, 제62조제2항을 위반한 때, 종합병원 · 상급종합병원 · 전문병원이 각각 제3조의3제1항 · 제3조의4제1항 · 제3조의5제2항에 따른 요건에 해당하지 아니하게 된 때, 의료기관의 장이 제4조제5항을 위반한 때 또는 자율심의기구가 제57조제11항을 위반한 때에는 일정한 기간을 정하여 그 시설 · 장비 등의 전부 또는 일부의 사용을 제한 또는 금지하거나 위반한 사항을 시정하도록 명할 수 있다. 〈개정 2008. 2. 29., 2009. 1. 30., 2010. 1. 18., 2010. 7. 23., 2011. 4. 28., 2015. 12. 22., 2015. 12. 29., 2016. 5. 29., 2016. 12. 20., 2018. 3. 27.〉

② 보건복지부장관 또는 시장 · 군수 · 구청장은 의료인등이 제56조제2항 · 제3항을 위반한 때에는 다음 각 호의 조치를 명할 수 있다. 〈신설 2018. 3. 27.〉

1. 위반행위의 중지
2. 위반사실의 공표
3. 정정광고

③ 제2항제2호 · 제3호에 따른 조치에 필요한 사항은 대통령령으로 정한다. 〈신설 2018. 3. 27.〉

■ **제64조**(개설 허가 취소 등)

① 보건복지부장관 또는 시장 · 군수 · 구청장은 의료기관이 다음 각 호의 어느 하나에 해당하면 그 의료업을 1년의 범위에서 정지시키거나 개설 허가의 취소 또는 의료기관 폐쇄를 명할 수 있다. 다만, 제8호에 해당하는 경우에는 의료기관 개설 허가의 취소 또는 의료기관 폐쇄를 명하여야 하며, 의료기관 폐쇄는 제33조제3항과 제35조제1항 본문에 따라 신고한 의료기관에만 명할 수 있다. 〈개정 2007. 7. 27., 2008. 2. 29., 2009. 1. 30., 2010. 1. 18., 2011.

8. 4., 2013. 8. 13., 2015. 12. 22., 2015. 12. 29., 2016. 5. 29., 2016. 12. 20., 2018. 8. 14., 2019. 4. 23., 2019. 8. 27., 2020. 3. 4.〉

1. 개설 신고나 개설 허가를 한 날부터 3개월 이내에 정당한 사유 없이 업무를 시작하지 아니한 때
2. 제27조제5항을 위반하여 무자격자에게 의료행위를 하게 하거나 의료인에게 면허 사항 외의 의료행위를 하게 한 때
3. 제61조에 따른 관계 공무원의 직무 수행을 기피 또는 방해하거나 제59조 또는 제63조에 따른 명령을 위반한 때
4. 제33조제2항제3호부터 제5호까지의 규정에 따른 의료법인 · 비영리법인, 준정부기관 · 지방의료원 또는 한국보훈복지의료공단의 설립허가가 취소되거나 해산된 때

4의2. 제33조제2항을 위반하여 의료기관을 개설한 때

5. 제33조제5항 · 제7항 · 제9항 · 제10항, 제40조, 제40조의2 또는 제56조를 위반한 때. 다만, 의료기관 개설자 본인에게 책임이 없는 사유로 제33조제7항제4호를 위반한 때에는 그러하지 아니하다.

5의2. 정당한 사유 없이 제40조제1항에 따른 폐업 · 휴업 신고를 하지 아니하고 6개월 이상 의료업을 하지 아니한 때

6. 제63조에 따른 시정명령(제4조제5항 위반에 따른 시정명령을 제외한다)을 이행하지 아니한 때
7. 「약사법」 제24조제2항을 위반하여 담합행위를 한 때
8. 의료기관 개설자가 거짓으로 진료비를 청구하여 금고 이상의 형을 선고받고 그 형이 확정된 때
9. 제36조에 따른 준수사항을 위반하여 사람의 생명 또는 신체에 중대한 위해를 발생하게 한 때

② 제1항에 따라 개설 허가를 취소당하거나 폐쇄 명령을 받은 자는 그 취소된 날이나 폐쇄 명령을 받은 날부터 6개월 이내에, 의료업 정지처분을 받은 자는 그 업무 정지 기간 중에 각각 의료기관을 개설 · 운영하지 못한다. 다만, 제1항제8호에 따라 의료기관 개설 허가를 취소당하거나 폐쇄 명령을 받은 자는 취소당한 날이나 폐쇄 명령을 받은 날부터 3년 안에는 의료기관을 개설 · 운영하지 못한다.

③ 보건복지부장관 또는 시장 · 군수 · 구청장은 의료기관이 제1항에 따라 그 의

료업이 정지되거나 개설 허가의 취소 또는 폐쇄 명령을 받은 경우 해당 의료기관에 입원 중인 환자를 다른 의료기관으로 옮기도록 하는 등 환자의 권익을 보호하기 위하여 필요한 조치를 하여야 한다. 〈신설 2016. 12. 20.〉

[시행일 : 2023. 3. 5.] 제64조제1항제5호

■ **제65조**(면허 취소와 재교부)

① 보건복지부장관은 의료인이 다음 각 호의 어느 하나에 해당할 경우에는 그 면허를 취소할 수 있다. 다만, 제1호의 경우에는 면허를 취소하여야 한다. 〈개정 2008. 2. 29., 2009. 1. 30., 2009. 12. 31., 2010. 1. 18., 2015. 12. 29., 2016. 5. 29., 2020. 3. 4.〉

1. 제8조 각 호의 어느 하나에 해당하게 된 경우
2. 제66조에 따른 자격 정지 처분 기간 중에 의료행위를 하거나 3회 이상 자격 정지 처분을 받은 경우
3. 제11조제1항에 따른 면허 조건을 이행하지 아니한 경우
4. 제4조의3제1항을 위반하여 면허를 대여한 경우
5. 삭제 〈2016. 12. 20.〉
6. 제4조제6항을 위반하여 사람의 생명 또는 신체에 중대한 위해를 발생하게 한 경우

② 보건복지부장관은 제1항에 따라 면허가 취소된 자라도 취소의 원인이 된 사유가 없어지거나 개전(改悛)의 정이 뚜렷하다고 인정되면 면허를 재교부할 수 있다. 다만, 제1항제3호에 따라 면허가 취소된 경우에는 취소된 날부터 1년 이내, 제1항제2호에 따라 면허가 취소된 경우에는 취소된 날부터 2년 이내, 제1항제4호·제6호 또는 제8조제4호에 따른 사유로 면허가 취소된 경우에는 취소된 날부터 3년 이내에는 재교부하지 못한다. 〈개정 2007. 7. 27., 2008. 2. 29., 2010. 1. 18., 2016. 5. 29., 2016. 12. 20., 2019. 8. 27.〉

[시행일 : 2020. 6. 5.] 제65조제1항제4호

■ **제66조**(자격정지 등)

① 보건복지부장관은 의료인이 다음 각 호의 어느 하나에 해당하면 1년의 범위에서 면허자격을 정지시킬 수 있다. 이 경우 의료기술과 관련한 판단이 필요한 사항에 관하여는 관계 전문가의 의견을 들어 결정할 수 있다. 〈개정

2008. 2. 29., 2009. 12. 31., 2010. 1. 18., 2010. 5. 27., 2011. 4. 7., 2011. 8. 4., 2016. 5. 29., 2016. 12. 20., 2019. 4. 23., 2019. 8. 27.〉

1. 의료인의 품위를 심하게 손상시키는 행위를 한 때
2. 의료기관 개설자가 될 수 없는 자에게 고용되어 의료행위를 한 때

2의2. 제4조제6항을 위반한 때

3. 제17조제1항 및 제2항에 따른 진단서 · 검안서 또는 증명서를 거짓으로 작성하여 내주거나 제22조제1항에 따른 진료기록부등을 거짓으로 작성하거나 고의로 사실과 다르게 추가기재 · 수정한 때
4. 제20조를 위반한 경우
5. 제27조제5항을 위반하여 의료인이 아닌 자로 하여금 의료행위를 하게 한 때
6. 의료기사가 아닌 자에게 의료기사의 업무를 하게 하거나 의료기사에게 그 업무 범위를 벗어나게 한 때
7. 관련 서류를 위조 · 변조하거나 속임수 등 부정한 방법으로 진료비를 거짓 청구한 때
8. 삭제 〈2011. 8. 4.〉
9. 제23조의5를 위반하여 경제적 이익등을 제공받은 때
10. 그 밖에 이 법 또는 이 법에 따른 명령을 위반한 때

② 제1항제1호에 따른 행위의 범위는 대통령령으로 정한다.

③ 의료기관은 그 의료기관 개설자가 제1항제7호에 따라 자격정지 처분을 받은 경우에는 그 자격정지 기간 중 의료업을 할 수 없다. 〈개정 2010. 7. 23.〉

④ 보건복지부장관은 의료인이 제25조에 따른 신고를 하지 아니한 때에는 신고할 때까지 면허의 효력을 정지할 수 있다. 〈신설 2011. 4. 28.〉

⑤ 제1항제2호를 위반한 의료인이 자진하여 그 사실을 신고한 경우에는 제1항에도 불구하고 보건복지부령으로 정하는 바에 따라 그 처분을 감경하거나 면제할 수 있다. 〈신설 2012. 2. 1.〉

⑥ 제1항에 따른 자격정지처분은 그 사유가 발생한 날부터 5년(제1항제5호 · 제7호에 따른 자격정지처분의 경우에는 7년으로 한다)이 지나면 하지 못한다. 다만, 그 사유에 대하여 「형사소송법」 제246조에 따른 공소가 제기된 경우에는 공소가 제기된 날부터 해당 사건의 재판이 확정된 날까지의 기간은 시효 기간에 산입하지 아니 한다. 〈신설 2016. 5. 29.〉

■ **제66조의2**(중앙회의 자격정지 처분 요구 등)

각 중앙회의 장은 의료인이 제66조제1항제1호에 해당하는 경우에는 각 중앙회의 윤리위원회의 심의 · 의결을 거쳐 보건복지부장관에게 자격정지 처분을 요구할 수 있다.

■ **제67조**(과징금 처분)

① 보건복지부장관이나 시장 · 군수 · 구청장은 의료기관이 제64조제1항 각 호의 어느 하나에 해당할 때에는 대통령령으로 정하는 바에 따라 의료업 정지 처분을 갈음하여 10억 원 이하의 과징금을 부과할 수 있으며, 이 경우 과징금은 3회까지만 부과할 수 있다. 다만, 동일한 위반행위에 대하여 「표시 · 광고의 공정화에 관한 법률」 제9조에 따른 과징금 부과처분이 이루어진 경우에는 과징금(의료업 정지 처분을 포함한다)을 감경하여 부과하거나 부과하지 아니할 수 있다. 〈개정 2008. 2. 29., 2010. 1. 18., 2016. 5. 29., 2019. 8. 27.〉

② 제1항에 따른 과징금을 부과하는 위반 행위의 종류와 정도 등에 따른 과징금의 액수와 그 밖에 필요한 사항은 대통령령으로 정한다.

③ 보건복지부장관이나 시장 · 군수 · 구청장은 제1항에 따른 과징금을 기한 안에 내지 아니한 때에는 지방세 체납처분의 예에 따라 징수한다. 〈개정 2008. 2. 29., 2010. 1. 18.〉

■ **제68조**(행정처분의 기준)

제63조, 제64조제1항, 제65조제1항, 제66조제1항에 따른 행정처분의 세부적인 기준은 보건복지부령으로 정한다. 〈개정 2008. 2. 29., 2010. 1. 18.〉

■ **제69조**(의료지도원)

① 제61조에 따른 관계 공무원의 직무를 행하게 하기 위하여 보건복지부, 시 · 도 및 시 · 군 · 구에 의료지도원을 둔다. 〈개정 2008. 2. 29., 2010. 1. 18.〉

② 의료지도원은 보건복지부장관, 시 · 도지사 또는 시장 · 군수 · 구청장이 그 소속 공무원 중에서 임명하되, 자격과 임명 등에 필요한 사항은 보건복지부령으로 정한다. 〈개정 2008. 2. 29., 2010. 1. 18.〉

③ 의료지도원 및 그 밖의 공무원은 직무를 통하여 알게 된 의료기관, 의료인, 환자의 비밀을 누설하지 못한다.

2) 의료소송 관련 종합 사실관계 및 판례

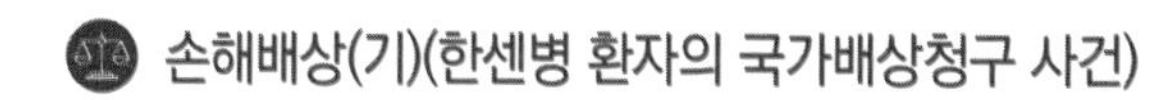

손해배상(기)(한센병 환자의 국가배상청구 사건)

[대법원 2017. 2. 15., 선고, 2014다230535, 판결]

판시사항

[1] 수술과 같이 신체를 침해하는 의료행위를 하는 경우, 환자로부터 의료행위에 대한 동의 내지 승낙을 받아야 하는지 여부(적극) 및 동의 등의 전제로서 환자에게 설명하여야 할 사항 / 의료행위 주체가 설명의무를 소홀히 하여 환자로 하여금 자기결정권을 실질적으로 행사할 수 없게 한 경우, 불법행위가 성립할 수 있는지 여부(적극)
[2] 국가가 한센병 환자의 치료 및 격리수용을 위하여 운영·통제해 온 국립 소록도병원 등에 소속된 의사 등이 한센인들에게 시행한 정관절제수술과 임신중절수술을 정당한 공권력의 행사라고 인정하기 위한 요건 및 국가가 요건을 갖추지 아니한 채 한센인들을 상대로 정관절제수술이나 임신중절수술을 시행한 경우, 민사상 불법행위가 성립하는지 여부(적극)
[3] 한센병을 앓은 적이 있는 甲 등이 국가가 한센병 환자의 치료 및 격리수용을 위하여 운영·통제해 온 국립 소록도병원 등에 입원해 있다가 위 병원 등에 소속된 의사 등으로부터 정관절제수술 또는 임신중절수술을 받았음을 이유로 국가를 상대로 손해배상을 구한 사안에서, 국가배상책임을 인정한 사례
[4] 채무자가 소멸시효의 완성을 주장하는 것이 신의성실의 원칙에 반하여 권리남용으로서 허용될 수 없는 경우 / 장애사유가 소멸한 때로부터 '상당한 기간' 내에 채권자의 권리행사가 있었는지 판단하는 기준 및 불법행위로 인한 손해배상청구의 경우 '상당한 기간'의 범위

채무부존재확인·손해배상

[대법원 2018. 11. 29., 선고, 2016다266606, 266613, 판결]

판시사항

[1] 의사가 의료행위를 할 때 취하여야 할 주의의무의 정도 및 기준
[2] 의료행위상 주의의무 위반으로 인한 손해배상청구에서 의료 상 과실과 결과 사이의 인과관계를 추정하기 위한 피해자 측의 증명책임의 정도
[3] 의료 과실로 인한 손해배상액을 산정하면서 피해자 측 귀책사유와 무관한 피해자의 체질적인 소인 또는 질병의 위험도 등을 감액사유로 참작할 수 있는지 여부(적극) 및 책임감경사유에 관한 사실인정이나 비율을 정하는 것이 사실심의 전권사항인지 여부(원칙적 적극)
[4] 불법행위 당시 기간을 정한 계약에 따라 근무하고 있었던 피해자의 일실수입을 산정하는 방법 / 이때 노동능력상실률에 따른 일실퇴직금을 인정하여야 하는지 여부(원칙적 적극) 및 피해자가 외국인이거나 계약에 따라 임용되었다는 이유만으로 달리 볼 수 있는지 여부(소극)
[5] 불법행위로 입은 정신적 고통에 대한 위자료 액수의 산정이 사실심법원의 재량사항인지 여부(적극)

의료소송 손해배상

[대법원 2018. 12. 13., 선고, 2018다10562, 판결]

판시사항

[1] 의료진이 일반인의 수인한도를 넘어서 현저하게 불성실한 진료를 행한 경우, 위자료 배상책임을 부담하는지 여부(적극) 및 그 증명책임의 소재(=피해자)
[2] 甲이 乙 의료재단이 운영하는 丙 병원 응급실에 내원하여 치료를 받은 후 증세가 호전되어 귀가하였다가 약 7시간 후 같은 증상을 호소하며 2차로 내원하였는데, 丙 병원 의료진이 甲에게 투약 등의 조치를 시행하였고, 그 후 증세가 악화되사 십숭 관찰을 실시하였으며, 2차 내원 후 약 3시간이 지나 응급실 당직의사가 甲의 혼수상태를 보고받고 조치를 취하였으나 甲이 사망에 이르게 된 사안에서, 제반 사정에 비추어 丙 병원 의료진이 일반인의 수인한도를 현저하게 넘어설 만큼 불성실한 진료를 행한 잘못이 있었다고 보기는 어려운데도, 이와 달리 보아 乙 의료재단의 위자료 배상책임을 인정한 원심판단에 법리오해의 잘못이 있다고 한 사례

의료소송 손해배상

[대법원 2019. 2. 14., 선고, 2017다203763, 판결]

판시사항

[1] 의료과오로 인한 손해배상청구 사건에서 의료 상 과실과 결과 사이의 인과관계를 추정하기 위한 증명책임의 정도 및 의료 상 과실의 존재에 관한 증명책임의 소재(=피해자)
[2] 의사의 진료방법 선택에 과실이 있는지 판단하는 기준
[3] 문제 된 증상 발생에 관하여 의료 과실 이외의 다른 원인이 있다고 보기 어려운 간접사실들을 증명함으로써 그 증상이 의료 과실에 기한 것이라고 추정할 수 있는지 여부(적극) 및 위와 같은 경우에도 의사에게 무과실의 증명책임을 지울 수 있는지 여부(소극)
[4] 의료행위로 후유장애가 발생한 경우, 의료 상 과실 추정 여부의 판단 기준
[5] 甲이 乙로부터 전방 경유 요천추 추간판 수술을 받은 후 '사정장애와 역행성 사정'이 영구적으로 계속될 가능성이 높다는 진단을 받은 사안에서, 乙이 위 수술을 택한 것이 의사에게 인정되는 합리적 재량의 범위를 벗어난 것이라고 볼 수 없고, 후유증이 발생하였다는 것만으로 乙의 의료 상 과실을 추정할 수 없다고 한 사례

[1] 환자는 헌법 제10조에서 규정한 개인의 인격권과 행복추구권에 의하여 생명과 신체의 기능을 어떻게 유지할 것인지에 대하여 스스로 결정하고 의료행위를 선택할 권리를 보유한다. 따라서 수술과 같이 신체를 침해하는 의료행위를 하는 경우 환자로부터 의료행위에 대한 동의 내지 승낙을 받아야 하고, 동의 등의 전제로서 질병의 증상, 치료방법의 내용 및 필요성, 발생이 예상되는 위험 등에 관하여 당시의 의료수준에 비추어 상당하다고 생각되는 사항을 설명하여 환자가 필요성이나 위험성을 충분히 비교해 보고 의료행위를 받을 것인지를 선택할 수 있도록 하여야 한다. 만일 의료행위 주체가 위와 같은 설명의무를 소홀히 하여 환자로 하여금 자기결정권을 실질적으로 행사할 수 없게 하였다면 그 자체만으로도 불법행위가 성립할 수 있다.
[2] 국가가 한센병 환자의 치료 및 격리수용을 위하여 운영·통제해 온 국립 소록도병원 등에 소속된 의사나 간호사 또는 의료보조원 등이 한센인들에게 시행한 정관절제수술과 임신중절수술은 신체에 대한 직접적인 침해행위로서 그에 관한 동의 내지 승낙을 받지 아니하였다면 헌법상 신체를 훼손당하지 아니할 권리와 태아의 생명권 등을 침해하는 행위이다. 또한 한센인들의 임신과 출산을 사실상 금지함으로써 자손을 낳고 단란한 가정을 이루어 행복을 추구할 권리는 물론이거니와 인간으로서의 존엄과 가치, 인격권 및 자기결정권, 내밀한 사생활의 비밀 등을 침해하거나 제한하는 행위임이 분명하다. 더욱이 위와 같은 침해행위가 정부의 정책에 따른 정당한 공권력의 행사라고 인정받으려면 법률에 그에 관한 명시적인 근거가 있어야 하고, 과잉금지의 원칙에 위배되지 아니하여야 하며, 침해행위의 상대방인 한센인들로부터 '사전에 이루어진 설명에 기한 동의(prior informed consent)'가 있어야 한다. 만일 국가가 위와 같은 요건을 갖추지 아니한 채 한센인들을 상대로 정관절제수술이나 임신중절수술을 시행하였다면 설령 이러한 조치가 정부의 보건정책이나 산아제한정책을 수행하기 위한 것이었다고 하더라도 이는 위법한 공권력의 행사로서 민사상 불법행위가 성립한다.
[3] 한센병을 앓은 적이 있는 甲 등이 국가가 한센병 환자의 치료 및 격리수용을 위하여 운영·통제해 온 국립 소록도병원 등에 입원해 있다가 위 병원 등에 소속된 의사 등으로부터 정관절제수술 또는 임신중절수술을 받았음을 이유로 국가를 상대로 손해배상을 구한 사안에서, 의사 등이 한센인인 甲 등에 대하여 시행한 정관절제수술과 임신중절수술은 법률상 근거가 없거나 적법 요건을 갖추었다고 볼 수 없는 점, 수술이 행해진 시점에서 의학적으로 밝혀진 한센병의 유전위험성과 전염위험성, 치료가능성 등을 고려해 볼 때 한센병 예방이라는 보건정책 목적을 고려하더라도 수단의 적정성이나 피해의 최소성을 인정하기 어려운 점, 甲 등이 수술에 동의 내지 승낙하였다 할지라도, 甲 등은 한센병이 유전되는지, 자녀에게 감염될 가능성이 어느 정도인지, 치료가 가능한지 등에 관하여 충분히 설명을 받지 못한 상태에서 한센인에 대한 사회적 편견과 차별, 열악한 사회·교육·경제적 여건 등으로 어쩔 수 없이 동의 내지 승낙한 것으로 보일 뿐 자유롭고 진정한 의사에 기한 것으로 볼 수 없는 점 등을 종합해 보면, 국가는 소속 의사 등이 행한 위와 같은 행위로 甲 등이 입은 손해에 대하여 국가배상책임을 부담한다고 한 사례.
[4] 소멸시효를 이유로 한 항변권의 행사도 민법의 대원칙인 신의성실의 원칙과 권리남용금지의 원칙의 지배를 받는 것이어서, 채무자가 시효완성 전에 채권자의 권리행사나 시효중단을 불가능 또는

현저히 곤란하게 하였거나, 그러한 조치가 불필요하다고 믿게 하는 행동을 하였거나, 객관적으로 채권자가 권리를 행사할 수 없는 장애사유가 있었거나, 또는 일단 시효완성 후에 채무자가 시효를 원용하지 아니할 것 같은 태도를 보여 권리자로 하여금 그와 같이 신뢰하게 하였거나, 채권자보호의 필요성이 크고 같은 조건의 다른 채권자가 채무의 변제를 수령하는 등의 사정이 있어 채무이행의 거절을 인정함이 현저히 부당하거나 불공평하게 되는 등의 특별한 사정이 있는 경우에는 채무자가 소멸시효의 완성을 주장하는 것이 신의성실의 원칙에 반하여 권리남용으로서 허용될 수 없다.
한편 채권자에게 위와 같은 장애사유가 있었던 경우에도 채권자는 장애사유가 소멸한 때로부터 상당한 기간 내에 권리를 행사하여야만 채무자의 소멸시효 항변을 저지할 수 있다. 여기에서 '상당한 기간' 내에 권리행사가 있었는지는 채권자와 채무자 사이의 관계, 손해배상청구권의 발생원인, 채권자의 권리행사가 지연된 사유 및 손해배상청구의 소를 제기하기까지의 경과 등 여러 사정을 종합적으로 고려하여 판단하여야 하나, 소멸시효 제도는 법적 안정성의 달성 및 증명 곤란의 구제 등을 이념으로 하는 것이므로 적용요건에 해당함에도 신의성실의 원칙을 들어 시효 완성의 효력을 부정하는 것은 매우 예외적인 제한에 그쳐야 한다. 따라서 권리행사의 '상당한 기간'은 특별한 사정이 없는 한 민법상 시효정지의 경우에 준하여 단기간으로 제한되어야 하고, 특히 불법행위로 인한 손해배상청구 사건에서는 매우 특수한 개별 사정이 있어 기간을 연장하여 인정하는 것이 부득이한 경우에도 민법 제766조 제1항이 규정한 단기소멸시효기간인 3년을 넘을 수는 없다.

[1] 의사가 진찰·치료 등의 의료행위를 할 때에는 사람의 생명·신체·건강을 관리하는 업무의 성질에 비추어 환자의 구체적인 증상이나 상황에 따라 위험을 방지하기 위하여 요구되는 최선의 조치를 할 주의의무가 있다. 의사의 주의의무는 의료행위를 할 당시에 의료기관 등 임상의학 분야에서 실천되고 있는 의료행위의 수준을 기준으로 삼되, 그 의료수준은 통상의 의사에게 의료행위 당시 일반적으로 알려져 있고 또 시인되고 있는 이른바 의학상식을 뜻하므로, 진료환경과 조건, 의료행위의 특수성 등을 고려하여 규범적인 수준으로 파악해야 한다.
[2] 의료행위상 주의의무 위반으로 인한 손해배상청구에서 피해자 측이 일반인의 상식에 바탕을 두고 일련의 의료행위 과정에 저질러진 과실 있는 행위를 증명하고 그 행위와 결과 사이에 일련의 의료행위 외에 다른 원인이 개재될 수 없다는 점을 증명한 경우에는 의료 상 과실과 결과 사이의 인과관계를 추정하여 손해배상책임을 지울 수 있도록 증명책임이 완화된다.
[3] 가해행위와 피해자 측 요인이 경합하여 손해가 발생하거나 확대된 경우에는 피해자 측 요인이 체질적인 소인 또는 질병의 위험도와 같이 피해자 측 귀책사유와 무관한 것이라고 할지라도, 질환의 모습이나 정도 등에 비추어 가해자에게 손해의 전부를 배상하게 하는 것이 공평의 이념에 반하는 경우에는, 법원은 손해배상액을 정하면서 과실상계의 법리를 유추 적용하여 손해의 발생 또는 확대에 기여한 피해자 측 요인을 고려할 수 있다. 손해배상청구 사건에서 책임감경사유에 관한 사실인정이나 비율을 정하는 것은 그것이 형평의 원칙에 비추어 현저히 불합리하다고 인정되지 않는 한 사실심의 전권사항에 속한다.
[4] 불법행위로 인한 피해자의 일실수익은 피해자의 노동능력이 가지는 재산적 가치를 정당하게 반영하는 기준에 의하여 산정하여야 하고 사고 당시 일정한 직업에 종사하여 수익을 얻고 있던 사람은 특별한 사정이 없는 한 그 수익이 산정 기준이 된다. 피해자가 사고 당시 기간을 정한 계약에 따라 근무하고 있었던 경우 특별한 사정이 없는 한 가동연한까지 그 정도의 수익이 있는 유사한 직종에 계속 종사할 수 있는 것으로 봄이 타당하다. 이때 피해자의 가동능력이 상실되면 피해자의 임금이 감소될 것이고, 퇴직금도 위와 같이 감소된 임금을 기초로 하여 산정될 것이므로 특단의 사정이 없는 한 피해자는 남은 가동능력을 가지고 사업장이나 직장에서 정년까지 근무할 것이라고 보아 노동능력상실률에 따른 일실퇴직금을 인정하여야 한다. 피해자가 외국인이거나 계약에 따라 임용되었다는 이유만으로 이와 달리 볼 것이 아니다.
[5] 불법행위로 입은 정신적 고통에 대한 위자료 액수에 관하여는 사실심법원이 여러 사정을 고려하여 그 직권에 속하는 재량에 의하여 확정할 수 있다.

판결요지

[1] 의료진은 의료행위의 속성상 환자의 구체적인 증상이나 상황에 따라 발생하는 위험을 방지하기 위하여 최선의 조치를 취하여야 할 주의의무를 부담한다. 의료진이 환자의 기대에 반하여 환자의 치료에 전력을 다하지 않은 경우에는 업무상 주의의무를 위반한 것이라고 보아야 한다. 그러나 그러한 주의의무 위반과 환자에게 발생한 악결과(惡結果) 사이에 상당인과관계가 인정되지 않는 경우에는 그에 관한 손해배상을 구할 수 없다.

다만 주의의무 위반 정도가 일반인의 처지에서 보아 수인한도를 넘어설 만큼 현저하게 불성실한 진료를 행한 것이라고 평가될 정도에 이른 경우라면 그 자체로서 불법행위를 구성하여 그로 말미암아 환자나 그 가족이 입은 정신적 고통에 대한 위자료 배상을 명할 수 있다. 이때 수인한도를 넘어서는 정도로 현저하게 불성실한 진료를 하였다는 점은 불법행위의 성립을 주장하는 피해자가 증명하여야 한다.

[2] 甲이 乙 의료재단이 운영하는 丙 병원 응급실에 내원하여 치료를 받은 후 증세가 호전되어 귀가하였다가 약 7시간 후 같은 증상을 호소하며 2차로 내원하였는데, 丙 병원 의료진이 甲에게 투약 등의 조치를 시행하였고, 그 후 증세가 악화되자 집중 관찰을 실시하였으며, 2차 내원 후 약 3시간이 지나 응급실 당직의사가 甲의 혼수상태를 보고받고 조치를 취하였으나 甲이 사망에 이르게 된 사안에서, 甲이 2차 내원한 이후 혼수상태에 이를 때까지 적절한 치료와 검사를 지체하였다고 하더라도, 일반인의 수인한도를 넘어설 만큼 현저하게 불성실한 진료를 행한 것으로 평가될 정도에 이르지 않는 한 乙 의료재단의 위자료 배상책임을 인정할 수 없는데, 진료기록감정촉탁 결과 등 제반 사정에 비추어 丙 병원 의료진이 일반인의 수인한도를 현저하게 넘어설 만큼 불성실한 진료를 행한 잘못이 있었다고 보기는 어려운데도, 이와 달리 보아 乙 의료재단의 위자료 배상책임을 인정한 원심판단에 법리오해의 잘못이 있다고 한 사례

[1] 의료과오로 인한 손해배상청구 사건에서 일반인의 상식에 비추어 의료행위 과정에서 저질러진 과실 있는 행위를 증명하고 그 행위와 결과 사이에 의료행위 외에 다른 원인이 개재될 수 없다는 점을 증명한 경우에는 의료 상 과실과 결과 사이의 인과관계를 추정하여 손해배상책임을 지울 수 있도록 증명책임이 완화된다. 그러나 이 경우에도 의료 상 과실의 존재는 피해자가 증명하여야 하므로 의료과정에서 주의의무 위반이 있었다는 점이 부정된다면 그 청구는 배척될 수밖에 없다.

[2] 의사는 진료를 하면서 환자의 상황, 당시의 의료 수준과 자신의 전문적 지식·경험에 따라 적절하다고 판단되는 진료방법을 선택할 수 있다. 그것이 합리적 재량의 범위를 벗어난 것이 아닌 한 진료결과를 놓고 그중 어느 하나만이 정당하고 이와 다른 조치를 취한 것에 과실이 있다고 할 수는 없다.

[3] 의료행위는 고도의 전문적 지식을 필요로 하는 분야로서 전문가가 아닌 일반인으로서는 의사의 의료행위 과정에 주의의무 위반이 있는지나 주의의무 위반과 손해 발생 사이에 인과관계가 있는지를 밝혀내기가 매우 어렵다. 따라서 문제 된 증상 발생에 관하여 의료 과실 이외의 다른 원인이 있다고 보기 어려운 간접사실들을 증명함으로써 그와 같은 증상이 의료 과실에 기한 것이라고 추정할 수도 있다. 그러나 그 경우에도 의사의 과실로 인한 결과 발생을 추정할 정도의 개연성이 담보되지 않는 사정을 가지고 막연하게 중대한 결과에서 의사의 과실과 인과관계를 추정함으로써 결과적으로 의사에게 무과실의 증명책임을 지우는 것까지 허용되지는 않는다.

[4] 의료행위로 후유장해가 발생한 경우 후유장해가 당시 의료수준에서 최선의 조치를 다하는 때에도 의료행위 과정의 합병증으로 나타날 수 있거나 그 합병증으로 2차적으로 발생될 수 있다면, 의료행위의 내용이나 시술 과정, 합병증의 발생 부위·정도, 당시의 의료수준과 담당 의료진의 숙련도 등을 종합하여 볼 때에 그 증상이 일반적으로 인정되는 합병증의 범위를 벗어났다고 볼 수 없는 한, 후유장해가 발생되었다는 사실만으로 의료행위 과정에 과실이 있었다고 추정할 수 없다.

[5] 甲이 乙로부터 전방 경유 요천추 추간판 수술(이하 '전방 경유술'이라 한다)을 받은 후 '사정장애와 역행성 사정'이 영구적으로 계속될 가능성이 높다는 진단을 받은 사안에서, 乙이 전방 경유술을 택한 것이 의사에게 인정되는 합리적 재량의 범위를 벗어난 것이라고 볼 수 없으므로 거기에 주의의무 위반을 인정할 수 없고, 수술 중에 상하복교감신경총이 손상되어 역행성 사정의 후유증이 발생하였다고 보더라도 그것만으로 乙의 의료 상 과실을 추정할 수 없을 뿐만 아니라 진료기록감정촉탁 결과 등에 비추어 甲의 상하복교감신경총 손상은 전방 경유술 중 박리 과정에서 불가피하게 발생하는 손상이거나 그로 인한 역행성 사정 등의 장해는 일반적으로 인정되는 합병증으로 볼 여지가 있으므로, 원심으로서는 수술 과정에서 상하복교감신경총 손상과 그로 인하여 영구적인 역행성 사정 등을 초래하는 원인으로 어떤 것이 있는지, 신경손상을 예방하기 위하여 乙에게 요구되는 주의의무의 구체적인 내용은 무엇인지, 乙이 그러한 주의의무를 준수하지 않은 것인지, 손상된 신경의 위치나 크기에 비추어 육안으로 이를 확인할 수 있는지, 乙이 주의의무를 준수하였다면 신경손상을 예방할 수 있는지 등을 살펴, 신경손상과 그로 인한 역행성 사정 등의 결과가 수술 과정에서 일반적으로 인정되는 합병증의 범위를 벗어나 乙의 의료 상 과실을 추정할 수 있는지를 판단했어야 하는데도, 이러한 사정을 심리하지 않고 乙의 의료 상 과실을 인정한 원심판결에 법리오해 등의 잘못이 있다고 한 사례

기출 문제

01 다음 중 틀린 지문인 것은?

① 수술과 같이 신체를 침해하는 의료행위를 하는 경우, 환자로부터 의료행위에 대한 동의 내지 승낙을 받아야 한다.

(O)

② 의료행위 주체가 설명의무를 소홀히 하여 환자로 하여금 자기결정권을 실질적으로 행사할 수 없게 한 경우, 불법행위가 성립할 수 있다.

(O)

③ 국가가 한센병 환자의 치료 및 격리수용을 위하여 운영·통제해 온 국립 소록도병원 등에 소속된 의사 등이 한센인들에게 시행한 정관절제수술과 임신중절수술을 정당한 공권력의 행사라고 인정하기 위한 요건 및 국가가 요건을 갖추지 아니한 채 한센인들을 상대로 정관절제수술이나 임신중절수술을 시행한 경우, 민사상 불법행위가 성립하지 않는다.

(X)

④ 한센병을 앓은 적이 있는 甲 등이 국가가 한센병 환자의 치료 및 격리수용을 위하여 운영·통제해 온 국립 소록도병원 등에 입원해 있다가 위 병원 등에 소속된 의사 등으로부터 정관절제수술 또는 임신중절수술을 받았음을 이유로 국가를 상대로 손해배상을 구한 사안에서, 국가배상책임을 인정한다.

(O)

기출 문제

⑤ 가해행위와 피해자 측 요인이 경합하여 손해가 발생하거나 확대된 경우에는 피해자 측 요인이 체질적인 소인 또는 질병의 위험도와 같이 피해자 측 귀책사유와 무관한 것이라고 할지라도, 질환의 모습이나 정도 등에 비추어 가해자에게 손해의 전부를 배상하게 하는 것이 공평의 이념에 반하는 경우에는, 법원은 손해배상액을 정하면서 과실상계의 법리를 유추적용하여 손해의 발생 또는 확대에 기여한 피해자 측 요인을 고려할 수 있다. 손해배상청구 사건에서 책임감경사유에 관한 사실인정이나 비율을 정하는 것은 그것이 형평의 원칙에 비추어 현저히 불합리하다고 인정되지 않는 한 판단할 수 있다.

(O)

---

⑥ 불법행위로 입은 정신적 고통에 대한 위자료 액수에 관하여는 사실심법원이 여러 사정을 고려하여 그 직권에 속하는 재량에 의하여 확정할 수 있다.

(O)

CHAPTER

근로 기준법

Dental Management Officer

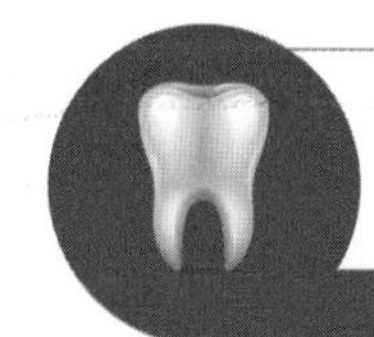

근로 기준법

Dental Management Officer

02

1. 근로기준법 적용범위 및 근로계약 조건

1) 관련 법조문

■ **제11조**(적용 범위)

① 이 법은 상시 5명 이상의 근로자를 사용하는 모든 사업 또는 사업장에 적용한다. 다만, 동거하는 친족만을 사용하는 사업 또는 사업장과 가사(家事) 사용인에 대하여는 적용하지 아니한다.

② 상시 4명 이하의 근로자를 사용하는 사업 또는 사업장에 대하여는 대통령령으로 정하는 바에 따라 이 법의 일부 규정을 적용할 수 있다.

③ 이 법을 적용하는 경우에 상시 사용하는 근로자 수를 산정하는 방법은 대통령령으로 정한다. 〈신설 2008. 3. 21.〉

■ **제14조**(법령 요지 등의 게시)

① 사용자는 이 법과 이 법에 따른 대통령령의 요지(要旨)와 취업규칙을 근로자가 자유롭게 열람할 수 있는 장소에 항상 게시하거나 갖추어 두어 근로자에게 널리 알려야 한다.

② 사용자는 제1항에 따른 대통령령 중 기숙사에 관한 규정과 제99조 제1항에 따른 기숙사규칙을 기숙사에 게시하거나 갖추어 두어 기숙(寄宿)하는 근로자에게 널리 알려야 한다.

■ **제15조**(이 법을 위반한 근로계약)

① 이 법에서 정하는 기준에 미치지 못하는 근로조건을 정한 근로계약은 그 부분에 한정하여 무효로 한다. 〈개정 2020. 5. 26.〉

② 제1항에 따라 무효로 된 부분은 이 법에서 정한 기준에 따른다.

■ **제16조**(계약기간)

근로계약은 기간을 정하지 아니한 것과 일정한 사업의 완료에 필요한 기간을 정한 것 외에는 그 기간은 1년을 초과하지 못한다.

[법률 제8372호(2007. 4. 11.) 부칙 제3조의 규정에 의하여 이 조는 2007년 6월 30일까지 유효함]

■ **제17조**(근로조건의 명시)

① 사용자는 근로계약을 체결할 때에 근로자에게 다음 각 호의 사항을 명시하여야 한다. 근로계약 체결 후 다음 각 호의 사항을 변경하는 경우에도 또한 같다. 〈개정 2010. 5. 25.〉

1. 임금
2. 소정근로시간
3. 제55조에 따른 휴일
4. 제60조에 따른 연차 유급휴가
5. 그 밖에 대통령령으로 정하는 근로조건

② 사용자는 제1항 제1호와 관련한 임금의 구성항목 · 계산방법 · 지급방법 및 제2호부터 제4호까지의 사항이 명시된 서면을 근로자에게 교부하여야 한다. 다만, 본문에 따른 사항이 단체협약 또는 취업규칙의 변경 등 대통령령으로 정하는 사유로 인하여 변경되는 경우에는 근로자의 요구가 있으면 그 근로자에게 교부하여야 한다. 〈신설 2010. 5. 25.〉

■ **제18조**(단시간근로자의 근로조건)

① 단시간근로자의 근로조건은 그 사업장의 같은 종류의 업무에 종사하는 통상 근로자의 근로시간을 기준으로 산정한 비율에 따라 결정되어야 한다.

② 제1항에 따라 근로조건을 결정할 때에 기준이 되는 사항이나 그 밖에 필요한 사항은 대통령령으로 정한다.

③ 4주 동안(4주 미만으로 근로하는 경우에는 그 기간)을 평균하여 1주 동안의 소정근로시간이 15시간 미만인 근로자에 대하여는 제55조와 제60조를 적용하지 아니한다. 〈개정 2008. 3. 21.〉

2) 근로 계약관련 쟁점 이슈

경비용역회사가 경비원과 6개월 단위로 근로계약을 체결하고 계약만료 1개월 전 만료 통지도 했지만 법원에서 6개월간의 급여를 더 지급하라는 판결을 받았다. 회사 취업규칙(1년)에 미달한 근로계약(6개월)을 맺었기 때문이다.

서울 양천구에 소재한 A아파트에서 경비원 B씨는 2012년 7월부터 12월까지 근무하는 근로계약을 체결한다. 근로계약이 끝나갈 무렵 다시 이들은 2013년 1월부터 3월까지 계약을 맺고 또 4월부터 6월까지 계약을 맺는다. 그러던 중 C용역회사는 A아파트와 2013년 6월부터 2015년 5월까지 경비업무에 대한 도급계약을 체결하고 경비원들의 고용을 승계하기로 A아파트 입주자대표회의와 약정한다. C사는 B경비원과 2013년 6월부터 2013년 12월까지 근로계약을 맺는다. 근로계약서에는 계약 만료 1개월 전 재계약을 하고 재계약이 없을 시에는 해약으로 간주한다는 내용이 포함돼 있었다. C사는 2013년 11월 '근로계약 만료통보건'이라는 제목의 문서를 만들고 B경비원에게 해당 문서를 열람하게 한 다음 서명을 받았다. B경비원은 노동위원회에 2013년 12월 근로계약 만료 통보는 부당해고에 해당한다며 구제신청을 하지만 서울지노위와 중앙노동위는 이 신청을 기각한다. B경비원은 서울행정법원에 부당해고 구제재심판정취소청구 소송을 제기하지만 행정법원 역시 해당 근로계약은 2014년 5월 31일 확정적으로 종료했다고 보고 소를 각하했으며 고등법원도 항소를 기각해 원심은 확정됐다. 그러자 B경비원은 2014년 1월 1일부터 5월 31일까지의 임금과 퇴직금, 연차수당 등을 구하는 소송을 낸다. 서울남부지법 제1민사부(재판장 정창근 부장판사)는 B경비원과 C사가 작성한 근로계약서에는 2013년 6월부터 12월까지 근로기간을 정했으나 C사의 취업규칙에는 '근로계약 기간은 기간의 정함이 없는 것을 제외하고는 1년으로 하되, 필요에 따라 갱신 계약을 체결할 수 있다'고 규정하고 있어 취업규칙에서 정한 기준에 미달하는 근로조건은 무효이고 무효가 된 부분은 취업규칙을 따라야 한다고 설명했다. 이에 따라 법원은 C사에게 1월 1일부터 5월 31일까지의 임금 합계 670만원과 퇴직금 135만원, 연차 · 휴일근로수당 · 법정지연손해금 등을 포함한 885만원을 B경비원에게 지급하라고 명했다. 다만 법원은 B경비원이 청구한 위자료 부분은 C사의 계약만료 통보가 고의로 어떤 명목상의 해고사유를 만들거나 징계권을 남용한 것이 아니라는 이유로 받아들이지 않았다.

출처 : 한국아파트신문

2. 근로 조건의 위반

1) 관련 법조문

■ **제19조**(근로조건의 위반)

① 제17조에 따라 명시된 근로조건이 사실과 다를 경우에 근로자는 근로조건 위반을 이유로 손해의 배상을 청구할 수 있으며 즉시 근로계약을 해제할 수 있다.

② 제1항에 따라 근로자가 손해배상을 청구할 경우에는 노동위원회에 신청할 수 있으며, 근로계약이 해제되었을 경우에는 사용자는 취업을 목적으로 거주를 변경하는 근로자에게 귀향 여비를 지급하여야 한다.

■ **제20조**(위약 예정의 금지)

사용자는 근로계약 불이행에 대한 위약금 또는 손해배상액을 예정하는 계약을 체결하지 못한다.

■ **제21조**(전차금 상계의 금지)

사용자는 전차금(前借金)이나 그 밖에 근로할 것을 조건으로 하는 전대(前貸)채권과 임금을 상계하지 못한다.

■ **제22조**(강제 저금의 금지)

① 사용자는 근로계약에 덧붙여 강제 저축 또는 저축금의 관리를 규정하는 계약을 체결하지 못한다.

② 사용자가 근로자의 위탁으로 저축을 관리하는 경우에는 다음 각 호의 사항을 지켜야 한다.

1. 저축의 종류 · 기간 및 금융기관을 근로자가 결정하고, 근로자 본인의 이름으로 저축할 것
2. 근로자가 저축증서 등 관련 자료의 열람 또는 반환을 요구할 때에는 즉시 이에 따를 것

■ **제23조**(해고 등의 제한)

① 사용자는 근로자에게 정당한 이유 없이 해고, 휴직, 정직, 전직, 감봉, 그 밖의 징벌(懲罰)(이하 "부당해고등"이라 한다)을 하지 못한다.

② 사용자는 근로자가 업무상 부상 또는 질병의 요양을 위하여 휴업한 기간과 그 후 30일 동안 또는 산전(産前) · 산후(産後)의 여성이 이 법에 따라 휴업한 기간과 그 후 30일 동안은 해고하지 못한다. 다만, 사용자가 제84조에 따라 일시보상을 하였을 경우 또는 사업을 계속할 수 없게 된 경우에는 그러하지 아니하다.

■ **제24조**(경영상 이유에 의한 해고의 제한)

① 사용자가 경영상 이유에 의하여 근로자를 해고하려면 긴박한 경영상의 필요가 있어야 한다. 이 경우 경영 악화를 방지하기 위한 사업의 양도 · 인수 · 합병은 긴박한 경영상의 필요가 있는 것으로 본다.

② 제1항의 경우에 사용자는 해고를 피하기 위한 노력을 다하여야 하며, 합리적이고 공정한 해고의 기준을 정하고 이에 따라 그 대상자를 선정하여야 한다. 이 경우 남녀의 성을 이유로 차별하여서는 아니 된다.

③ 사용자는 제2항에 따른 해고를 피하기 위한 방법과 해고의 기준 등에 관하여 그 사업 또는 사업장에 근로자의 과반수로 조직된 노동조합이 있는 경우에는 그 노동조합(근로자의 과반수로 조직된 노동조합이 없는 경우에는 근로자의 과반수를 대표하는 자를 말한다. 이하 "근로자대표"라 한다)에 해고를 하려는 날의 50일 전까지 통보하고 성실하게 협의하여야 한다.

④ 사용자는 제1항에 따라 대통령령으로 정하는 일정한 규모 이상의 인원을 해고하려면 대통령령으로 정하는 바에 따라 고용노동부장관에게 신고하여야 한다. 〈개정 2010. 6. 4.〉

⑤ 사용자가 제1항부터 제3항까지의 규정에 따른 요건을 갖추어 근로자를 해고한 경우에는 제23조제1항에 따른 정당한 이유가 있는 해고를 한 것으로 본다.

■ **제25조**(우선 재고용 등)

① 제24조에 따라 근로자를 해고한 사용자는 근로자를 해고한 날부터 3년 이내에 해고된 근로자가 해고 당시 담당하였던 업무와 같은 업무를 할 근로자를

채용하려고 할 경우 제24조에 따라 해고된 근로자가 원하면 그 근로자를 우선적으로 고용하여야 한다.

② 정부는 제24조에 따라 해고된 근로자에 대하여 생계안정, 재취업, 직업훈련 등 필요한 조치를 우선적으로 취하여야 한다.

■ **제26조**(해고의 예고)

사용자는 근로자를 해고(경영상 이유에 의한 해고를 포함한다)하려면 적어도 30일 전에 예고를 하여야 하고, 30일 전에 예고를 하지 아니하였을 때에는 30일분 이상의 통상임금을 지급하여야 한다. 다만, 다음 각 호의 어느 하나에 해당하는 경우에는 그러하지 아니하다. 〈개정 2010. 6. 4., 2019. 1. 15.〉

1. 근로자가 계속 근로한 기간이 3개월 미만인 경우
2. 천재 · 사변, 그 밖의 부득이한 사유로 사업을 계속하는 것이 불가능한 경우
3. 근로자가 고의로 사업에 막대한 지장을 초래하거나 재산상 손해를 끼친 경우로서 고용노동부령으로 정하는 사유에 해당하는 경우

■ **제27조**(해고사유 등의 서면통지)

① 사용자는 근로자를 해고하려면 해고사유와 해고시기를 서면으로 통지하여야 한다.

② 근로자에 대한 해고는 제1항에 따라 서면으로 통지하여야 효력이 있다.

③ 사용자가 제26조에 따른 해고의 예고를 해고사유와 해고시기를 명시하여 서면으로 한 경우에는 제1항에 따른 통지를 한 것으로 본다. 〈신설 2014. 3. 24.〉

■ **제28조**(부당해고등의 구제신청)

① 사용자가 근로자에게 부당해고등을 하면 근로자는 노동위원회에 구제를 신청할 수 있다.

② 제1항에 따른 구제신청은 부당해고등이 있었던 날부터 3개월 이내에 하여야 한다.

2) 근로 조건 위반에 관한 사례 및 판례요약

- 근로기준법에 정한 기준에 달하지 못하는 근로조건을 정한 근로계약은 그 부분에 한하여 무효이므로 그것이 단체협약에 의한 것이라거나 근로자들의 승인을 받은 것이라고 하여 유효로 볼 수 없다.(대법 90.12.21. 선고 90다카24496; 같은 취지의 판례로 대법 93.5.27. 선고 92다24509가 있다.)

- 보수규정이 근로기준법상의 기준에 미달 될 때에는 그 한도 내에서 무효인 것은 당연하며, 재직 시에 근로기준법상의 기준에 미달 되는 보수를 아무런 이의 없이 수령하고서 퇴직 후에 이르러 비로소 그 부족한 보수를 구함이 신의칙에 반한다고 할 수 없다.(대법 92.2.11. 선고 91다12202)

- 근로자의 임금에 관하여 사용주와 근로자가 합의함으로써 이를 안 받기로 하거나 또는 이를 포기하는 일은 근로기준법에 정하여진 근로조건을 어기는 것이 되므로 무효라고 보아야 될 것이다.(대법 76.9.28. 선고 75다801)

- 이미 구체적으로 그 지급청구권이 발생한 임금(상여금 포함)이나 퇴직금은 근로자의 사적 재산영역으로 옮겨져 근로자의 처분에 맡겨진 것이기 때문에 노동조합이 근로자들로부터 개별적인 동의나 수권을 받지 않는 이상, 사용자와 사이의 단체협약만으로 이에 대한 포기나 지급유예와 같은 처분행위를 할 수는 없다. 그러나 그 지급사유에 해당하는 일정기간의 근무를 시작하기 이전에 그에 따른 상여금을 지급하지 않기로 한 합의는 근로기준법에서 정하고 있는 임금의 통화지급, 직접지급, 전액지급, 정기지급 원칙에 위반된다고 볼 수 없다.(대법 2000.9.29. 선고 99다67536)

- 근로자가 임금의 일종인 상여금을 포기함에 있어서는 명백한 의사표시를 요하는 데, 회사가 경영위기상황을 극복하기 위하여 직원을 대폭 감축하면서 회사에 잔류한 직원들에 대하여 일방적으로 상여금 지급을 중지하였고, 회사에 잔류한 근로자들이 그와 같은 조치에 관하여 별다른 이의 없이 근무하여 왔다는 사정만으로는 근로자들이 장래에 발생할 상여금청구권을 포기하였다고 볼 수 없다.(대법 99.6.11. 선고 98다22185)

- 퇴직금 규정에 의하여 계산된 금액이 근기법의 규정에 의하여 계산된 금액에 미달될 때 그 미달금액범위 내에서만 근기법에 위반되어 무효라고 할 것이다.(대법 92.2.28. 선고 91다30828)

- 퇴직금은 사용자가 일정기간을 계속근로하고 퇴직하는 근로자에게 그 계속근로에 대한 대가로써 지급하는 후불적 임금의 성질을 띤 금원으로써 구체적인 퇴직금청구권은 계속근로가 끝나는 퇴직이라는 사실을 요건으로 하여 발생되는 것인바, 최종 퇴직 시 발생하는 퇴직금청구권을 사전에 포기하거나 사전에 그에 관한 민사상 소송을 제기하지 않겠다는 부제소특약을 하는 것은 강행법규인 구 근로기준법(97.3.13. 법률 제5305호로 폐지되기 전의 법률)에 위반되어 무효이다.(대법 98.3.27. 선고 97다49732)

- 노사 간의 합의에 따라 성질상 통상임금에 산입되어야 할 각종 수당을 통상임금에서 제외하기로 하는 합의의 효력을 인정한다면 시간외, 야간 및 휴일근로에 대하여 가산수당을 지급하고, 해고근로자에게 일정기간 통상적으로 지급받을 급료를 지급하도록 규정한 취지는 몰각될 것이므로 성질상 동법 소정의 통상임금에 산입될 수당을 통상임금에서 제외하기로 하는 노사 간의 합의는 동법 제20조 제1항 소정의 동법이 정한 기준에 달하지 못하는 근로조건을 정한 계약으로서 무효라고 보아야 할 것이다.(대법 94.5.24. 선고 93다5697; 같은 취지의 판례로 대법 93.5.11. 선고 93다4816, 대법 93.5.27. 선고 92다20316, 대법 93.11.9.선고 93다8658 등이 있다.)

- 법정수당의 산정 방법에 관한 취업규칙 등의 규정이 근로기준법에 정한 기준의 최하 한에 미달하여 무효라면, 그 취업규칙 등의 산정 방법에 따라 계산하여 지급한 금액이 정당하게 산정한 법정수당을 초과하는 경우에도 그 초과부분은 잘못 지급된 것이고, 그것이 취업규칙 등에 따라 지급되었다 해서 그 지급이 정당하게 되는 것은 아니다.(대법 98.6.26. 선고 97다14200)

- 근로자가 업무상 부상 또는 질병에 의하여 근로기준법상의 요양보상 또는 휴업보상금 또는 민사상의 손해배상금 또는 민사상의 손해배상금의 일부를 받고 앞으로 그에 관한 청구를 하지 아니하기로 하는 약정은 근로계약 자체

와는 아무 관련이 없는 것으로써 구 근로기준법 제20조에 저촉된다고 할 수 없다.(대법 76.2.10. 선고 75다359)

3. 근로조건위반의 경우 구제 방안

1) 관련 법조문

■ **제29조**(조사 등)

① 노동위원회는 제28조에 따른 구제신청을 받으면 지체 없이 필요한 조사를 하여야 하며 관계 당사자를 심문하여야 한다.

② 노동위원회는 제1항에 따라 심문을 할 때에는 관계 당사자의 신청이나 직권으로 증인을 출석하게 하여 필요한 사항을 질문할 수 있다.

③ 노동위원회는 제1항에 따라 심문을 할 때에는 관계 당사자에게 증거 제출과 증인에 대한 반대심문을 할 수 있는 충분한 기회를 주어야 한다.

④ 제1항에 따른 노동위원회의 조사와 심문에 관한 세부절차는 「노동위원회법」에 따른 중앙노동위원회(이하 "중앙노동위원회"라 한다)가 정하는 바에 따른다.

■ **제30조**(구제명령 등)

① 노동위원회는 제29조에 따른 심문을 끝내고 부당해고등이 성립한다고 판정하면 사용자에게 구제명령을 하여야 하며, 부당해고등이 성립하지 아니한다고 판정하면 구제신청을 기각하는 결정을 하여야 한다.

② 제1항에 따른 판정, 구제명령 및 기각결정은 사용자와 근로자에게 각각 서면으로 통지하여야 한다.

③ 노동위원회는 제1항에 따른 구제명령(해고에 대한 구제명령만을 말한다)을 할 때에 근로자가 원직복직(原職復職)을 원하지 아니하면 원직복직을 명하는 대신 근로자가 해고기간 동안 근로를 제공하였더라면 받을 수 있었던 임금 상당액 이상의 금품을 근로자에게 지급하도록 명할 수 있다.

■ **제31조**(구제명령 등의 확정)

① 「노동위원회법」에 따른 지방노동위원회의 구제명령이나 기각결정에 불복하는 사용자나 근로자는 구제명령서나 기각결정서를 통지받은 날부터 10일 이내에 중앙노동위원회에 재심을 신청할 수 있다.

② 제1항에 따른 중앙노동위원회의 재심판정에 대하여 사용자나 근로자는 재심판정서를 송달받은 날부터 15일 이내에 「행정소송법」의 규정에 따라 소(訴)를 제기할 수 있다.

③ 제1항과 제2항에 따른 기간 이내에 재심을 신청하지 아니하거나 행정소송을 제기하지 아니하면 그 구제명령, 기각결정 또는 재심판정은 확정된다.

■ **제32조**(구제명령 등의 효력)

노동위원회의 구제명령, 기각결정 또는 재심판정은 제31조에 따른 중앙노동위원회에 대한 재심 신청이나 행정소송 제기에 의하여 그 효력이 정지되지 아니한다.

■ **제33조**(이행강제금)

① 노동위원회는 구제명령(구제명령을 내용으로 하는 재심판정을 포함한다. 이하 이 조에서 같다)을 받은 후 이행기한까지 구제명령을 이행하지 아니한 사용자에게 2천만 원 이하의 이행강제금을 부과한다.

② 노동위원회는 제1항에 따른 이행강제금을 부과하기 30일 전까지 이행강제금을 부과 · 징수한다는 뜻을 사용자에게 미리 문서로써 알려 주어야 한다.

③ 제1항에 따른 이행강제금을 부과할 때에는 이행강제금의 액수, 부과 사유, 납부기한, 수납기관, 이의제기방법 및 이의제기기관 등을 명시한 문서로써 하여야 한다.

④ 제1항에 따라 이행강제금을 부과하는 위반행위의 종류와 위반 정도에 따른 금액, 부과 · 징수된 이행강제금의 반환절차, 그 밖에 필요한 사항은 대통령령으로 정한다.

⑤ 노동위원회는 최초의 구제명령을 한 날을 기준으로 매년 2회의 범위에서 구제명령이 이행될 때까지 반복하여 제1항에 따른 이행강제금을 부과 · 징수할 수 있다. 이 경우 이행강제금은 2년을 초과하여 부과 · 징수하지 못한다.

⑥ 노동위원회는 구제명령을 받은 자가 구제명령을 이행하면 새로운 이행강제금을 부과하지 아니하되, 구제명령을 이행하기 전에 이미 부과된 이행강제금

은 징수하여야 한다.

⑦ 노동위원회는 이행강제금 납부의무자가 납부기한까지 이행강제금을 내지 아니하면 기간을 정하여 독촉을 하고 지정된 기간에 제1항에 따른 이행강제금을 내지 아니하면 국세 체납처분의 예에 따라 징수할 수 있다.

⑧ 근로자는 구제명령을 받은 사용자가 이행기한까지 구제명령을 이행하지 아니하면 이행기한이 지난 때부터 15일 이내에 그 사실을 노동위원회에 알려줄 수 있다.

2) 근로조건 위반의 실질적 구제 절차

(1) 해고된 날로부터 3개월 이내에 지방 노동위원회에 부당해고 구제신청(노동위원회는 부당 해고에 대해 지체 없이 조사하고, 당사자 심문을 진행)
단. 상시근로자 5인 이상의 사업장에서의 부당해고만이 구제 신청 가능.

(2) 상담 후 바로 구제신청서를 작성해도 되고 팩스나 우편으로 신청 서류를 지방 노동위원회로 송부

(3) 부당해고 구제신청서에는 신청자 및 해고 통보한 사업자 성명과 신청 이유와 피해사항을 사실대로 기술

(4) 신청 후 구제신청 서류가 해당 사업주에게도 통보되며 사업주는 부당해고 사유에 대한 답변서를 제출

(5) 노동위원회가 양 측의 신청서와 답변서를 통해 정당성을 판단하고 판단

(6) 부당해고로 인정이 되면 원직에 복직할 수 있고, 해고된 날로부터 복직할 때까지의 임금이나 손해 배상은 별도의 민사 소송을 제기해서 청구 가능함

4. 임금과 관련한 법적 쟁점

1) 법조문

■ **제34조**(퇴직급여 제도)

사용자가 퇴직하는 근로자에게 지급하는 퇴직급여 제도에 관하여는 「근로자퇴직급여 보장법」이 정하는 대로 따른다.

■ **제36조**(금품 청산)

사용자는 근로자가 사망 또는 퇴직한 경우에는 그 지급 사유가 발생한 때부터 14일 이내에 임금, 보상금, 그 밖의 모든 금품을 지급하여야 한다. 다만, 특별한 사정이 있을 경우에는 당사자 사이의 합의에 의하여 기일을 연장할 수 있다. 〈개정 2020. 5. 26.〉

■ **제37조**(미지급 임금에 대한 지연이자)

① 사용자는 제36조에 따라 지급하여야 하는 임금 및 「근로자퇴직급여 보장법」 제2조제5호에 따른 급여(일시금만 해당된다)의 전부 또는 일부를 그 지급 사유가 발생한 날부터 14일 이내에 지급하지 아니한 경우 그 다음 날부터 지급하는 날까지의 지연 일수에 대하여 연 100분의 40 이내의 범위에서 「은행법」에 따른 은행이 적용하는 연체금리 등 경제 여건을 고려하여 대통령령으로 정하는 이율에 따른 지연이자를 지급하여야 한다. 〈개정 2010. 5. 17.〉

② 제1항은 사용자가 천재·사변, 그 밖에 대통령령으로 정하는 사유에 따라 임금 지급을 지연하는 경우 그 사유가 존속하는 기간에 대하여는 적용하지 아니한다.

■ **제38조**(임금채권의 우선변제)

① 임금, 재해보상금, 그 밖에 근로 관계로 인한 채권은 사용자의 총재산에 대하여 질권(質權)·저당권 또는 「동산·채권 등의 담보에 관한 법률」에 따른 담보권에 따라 담보된 채권 외에는 조세·공과금 및 다른 채권에 우선하여 변제되어야 한다. 다만, 질권·저당권 또는 「동산·채권 등의 담보에 관한 법률」에 따른 담보권에 우선하는 조세·공과금에 대하여는 그러하지 아니하다. 〈개정 2010. 6. 10.〉

② 제1항에도 불구하고 다음 각 호의 어느 하나에 해당하는 채권은 사용자의 총재산에 대하여 질권·저당권 또는 「동산·채권 등의 담보에 관한 법률」에 따른 담보권에 따라 담보된 채권, 조세·공과금 및 다른 채권에 우선하여 변제되어야 한다. 〈개정 2010. 6. 10.〉

1. 최종 3개월분의 임금
2. 재해보상금

■ **제39조**(사용증명서)

① 사용자는 근로자가 퇴직한 후라도 사용 기간, 업무 종류, 지위와 임금, 그 밖에 필요한 사항에 관한 증명서를 청구하면 사실대로 적은 증명서를 즉시 내주어야 한다.

② 제1항의 증명서에는 근로자가 요구한 사항만을 적어야 한다.

■ **제43조**(임금 지급)

① 임금은 통화(通貨)로 직접 근로자에게 그 전액을 지급하여야 한다. 다만, 법령 또는 단체협약에 특별한 규정이 있는 경우에는 임금의 일부를 공제하거나 통화 이외의 것으로 지급할 수 있다.

② 임금은 매월 1회 이상 일정한 날짜를 정하여 지급하여야 한다. 다만, 임시로 지급하는 임금, 수당, 그 밖에 이에 준하는 것 또는 대통령령으로 정하는 임금에 대하여는 그러하지 아니하다.

■ **제43조의2**(체불사업주 명단 공개)

① 고용노동부장관은 제36조, 제43조, 제56조에 따른 임금, 보상금, 수당, 그 밖의 모든 금품(이하 "임금등"이라 한다)을 지급하지 아니한 사업주(법인인 경우에는 그 대표자를 포함한다. 이하 "체불사업주"라 한다)가 명단 공개 기준일 이전 3년 이내 임금등을 체불하여 2회 이상 유죄가 확정된 자로서 명단 공개 기준일 이전 1년 이내 임금등의 체불총액이 3천만 원 이상인 경우에는 그 인적사항 등을 공개할 수 있다. 다만, 체불사업주의 사망 · 폐업으로 명단 공개의 실효성이 없는 경우 등 대통령령으로 정하는 사유가 있는 경우에는 그러하지 아니하다. 〈개정 2020. 5. 26.〉

② 고용노동부장관은 제1항에 따라 명단 공개를 할 경우에 체불사업주에게 3개월 이상의 기간을 정하여 소명 기회를 주어야 한다.

③ 제1항에 따른 체불사업주의 인적사항 등에 대한 공개 여부를 심의하기 위하여 고용노동부에 임금체불정보심의위원회(이하 이 조에서 "위원회"라 한다)를 둔다. 이 경우 위원회의 구성 · 운영 등 필요한 사항은 고용노동부령으로 정한다.

④ 제1항에 따른 명단 공개의 구체적인 내용, 기간 및 방법 등 명단 공개에 필요한 사항은 대통령령으로 정한다.

■ **제43조의3**(임금등 체불자료의 제공)

① 고용노동부장관은 「신용정보의 이용 및 보호에 관한 법률」 제25조제2항제1호에 따른 종합신용정보집중기관이 임금등 체불자료 제공일 이전 3년 이내 임금등을 체불하여 2회 이상 유죄가 확정된 자로서 임금등 체불자료 제공일 이전 1년 이내 임금등의 체불총액이 2천만 원 이상인 체불사업주의 인적사항과 체불액 등에 관한 자료(이하 "임금등 체불자료"라 한다)를 요구할 때에는 임금등의 체불을 예방하기 위하여 필요하다고 인정하는 경우에 그 자료를 제공할 수 있다. 다만, 체불사업주의 사망 · 폐업으로 임금등 체불자료 제공의 실효성이 없는 경우 등 대통령령으로 정하는 사유가 있는 경우에는 그러하지 아니하다.

② 제1항에 따라 임금등 체불자료를 받은 자는 이를 체불사업주의 신용도 · 신용거래능력 판단과 관련한 업무 외의 목적으로 이용하거나 누설하여서는 아니 된다.

③ 제1항에 따른 임금등 체불자료의 제공 절차 및 방법 등 임금등 체불자료의 제공에 필요한 사항은 대통령령으로 정한다.

■ **제44조**(도급 사업에 대한 임금 지급)

① 사업이 한 차례 이상의 도급에 따라 행하여지는 경우에 하수급인(下受給人)(도급이 한 차례에 걸쳐 행하여진 경우에는 수급인을 말한다)이 직상(直上) 수급인(도급이 한 차례에 걸쳐 행하여진 경우에는 도급인을 말한다)의 귀책사유로 근로자에게 임금을 지급하지 못한 경우에는 그 직상 수급인은 그 하수급인과 연대하여 책임을 진다. 다만, 직상 수급인의 귀책사유가 그 상위 수급인의 귀책사유에 의하여 발생한 경우에는 그 상위 수급인도 연대하여 책임을 진다. 〈개정 2012. 2. 1., 2020. 3. 31.〉

② 제1항의 귀책사유 범위는 대통령령으로 정한다. 〈개정 2012. 2. 1.〉

■ **제44조의2**(건설업에서의 임금 지급 연대책임)

① 건설업에서 사업이 2차례 이상 「건설산업기본법」 제2조제11호에 따른 도급(이하 "공사도급"이라 한다)이 이루어진 경우에 같은 법 제2조제7호에 따른 건설사업자가 아닌 하수급인이 그가 사용한 근로자에게 임금(해당 건설공사에서 발생한 임금으로 한정한다)을 지급하지 못한 경우에는 그 직상 수급인은 하

수급인과 연대하여 하수급인이 사용한 근로자의 임금을 지급할 책임을 진다. 〈개정 2011. 5. 24., 2019. 4. 30.〉

② 제1항의 직상 수급인이 「건설산업기본법」 제2조제7호에 따른 건설사업자가 아닌 때에는 그 상위 수급인 중에서 최하위의 같은 호에 따른 건설사업자를 직상 수급인으로 본다. 〈개정 2011. 5. 24., 2019. 4. 30.〉

[본조신설 2007. 7. 27.]

■ **제44조의3**(건설업의 공사도급에 있어서의 임금에 관한 특례)

① 공사도급이 이루어진 경우로서 다음 각 호의 어느 하나에 해당하는 때에는 직상 수급인은 하수급인에게 지급하여야 하는 하도급 대금 채무의 부담 범위에서 그 하수급인이 사용한 근로자가 청구하면 하수급인이 지급하여야 하는 임금(해당 건설공사에서 발생한 임금으로 한정한다)에 해당하는 금액을 근로자에게 직접 지급하여야 한다.

1. 직상 수급인이 하수급인을 대신하여 하수급인이 사용한 근로자에게 지급하여야 하는 임금을 직접 지급할 수 있다는 뜻과 그 지급방법 및 절차에 관하여 직상 수급인과 하수급인이 합의한 경우
2. 「민사집행법」 제56조제3호에 따른 확정된 지급명령, 하수급인의 근로자에게 하수급인에 대하여 임금채권이 있음을 증명하는 같은 법 제56조제4호에 따른 집행증서, 「소액사건심판법」 제5조의7에 따라 확정된 이행권고결정, 그 밖에 이에 준하는 집행권원이 있는 경우
3. 하수급인이 그가 사용한 근로자에 대하여 지급하여야 할 임금채무가 있음을 직상 수급인에게 알려주고, 직상 수급인이 파산 등의 사유로 하수급인이 임금을 지급할 수 없는 명백한 사유가 있다고 인정하는 경우

② 「건설산업기본법」 제2조제10호에 따른 발주자의 수급인(이하 "원수급인"이라 한다)으로부터 공사도급이 2차례 이상 이루어진 경우로서 하수급인(도급받은 하수급인으로부터 재하도급 받은 하수급인을 포함한다. 이하 이 항에서 같다)이 사용한 근로자에게 그 하수급인에 대한 제1항제2호에 따른 집행권원이 있는 경우에는 근로자는 하수급인이 지급하여야 하는 임금(해당 건설공사에서 발생한 임금으로 한정한다)에 해당하는 금액을 원수급인에게 직접 지급할 것을 요구할 수 있다. 원수급인은 근로자가 자신에 대하여 「민법」 제404조에 따른 채권자대위권을 행사할 수 있는 금액의 범위에서 이에 따라야 한다. 〈개정

2011. 5. 24.〉

③ 직상 수급인 또는 원수급인이 제1항 및 제2항에 따라 하수급인이 사용한 근로자에게 임금에 해당하는 금액을 지급한 경우에는 하수급인에 대한 하도급 대금 채무는 그 범위에서 소멸한 것으로 본다.

[본조신설 2007. 7. 27.]

■ **제45조**(비상시 지급)

사용자는 근로자가 출산, 질병, 재해, 그 밖에 대통령령으로 정하는 비상(非常)한 경우의 비용에 충당하기 위하여 임금 지급을 청구하면 지급기일 전이라도 이미 제공한 근로에 대한 임금을 지급하여야 한다.

■ **제46조**(휴업수당)

① 사용자의 귀책사유로 휴업하는 경우에 사용자는 휴업기간 동안 그 근로자에게 평균임금의 100분의 70 이상의 수당을 지급하여야 한다. 다만, 평균임금의 100분의 70에 해당하는 금액이 통상임금을 초과하는 경우에는 통상임금을 휴업수당으로 지급할 수 있다.

② 제1항에도 불구하고 부득이한 사유로 사업을 계속하는 것이 불가능하여 노동위원회의 승인을 받은 경우에는 제1항의 기준에 못 미치는 휴업수당을 지급할 수 있다.

■ **제47조**(도급 근로자)

사용자는 도급이나 그 밖에 이에 준하는 제도로 사용하는 근로자에게 근로시간에 따라 일정액의 임금을 보장하여야 한다.

■ **제48조**(임금대장)

사용자는 각 사업장별로 임금대장을 작성하고 임금과 가족수당 계산의 기초가 되는 사항, 임금액, 그 밖에 대통령령으로 정하는 사항을 임금을 지급할 때마다 적어야 한다.

■ **제49조**(임금의 시효)

이 법에 따른 임금채권은 3년간 행사하지 아니하면 시효로 소멸한다.

2) 임금과 관련한 사례 및 법적 분쟁

(1) 근로 기준법만으로는 실질적인 구제는 한계가 있음

(2) 현실적으로 민사적인 방법을 통해 해결

민사적인 방법을 통해 해결한다는 의미는 첫째, 노동부로부터 발급받은 체불임금확인서를 첨부하여 법원에 노임등에 관한 소장을 제출하여 판결문을 받는 것과 둘째, 판결문의 내용을 강제집행하기 위해 압류절차를 진행하는 방법이 있음.

그 상대방에게서 압류할만한 재산(개인회사인 경우 회사재산은 물론 사장개인재산까지, 법인회사인 경우 회사재산만)이 있는 경우라면 소장을 제출하여 소송을 밟을 필요가 있겠지만 재산이 없는 경우라면 판결문은 한낱 종이 조각에 불과하기 때문에 먼저 압류할 만한 재산이 있나 살펴보고 소장 제출여부를 결정해야함.

5. 근로시간과 휴가에 관한 문제

1) 관련 법조문

■ **제50조**(근로시간)

① 1주 간의 근로시간은 휴게시간을 제외하고 40시간을 초과할 수 없다.

② 1일의 근로시간은 휴게시간을 제외하고 8시간을 초과할 수 없다.

③ 제1항 및 제2항에 따라 근로시간을 산정하는 경우 작업을 위하여 근로자가 사용자의 지휘 · 감독 아래에 있는 대기시간 등은 근로시간으로 본다. 〈신설 2012. 2. 1., 2020. 5. 26.〉

■ **제51조**(탄력적 근로시간제)

① 사용자는 취업규칙(취업규칙에 준하는 것을 포함한다)에서 정하는 바에 따라 2주 이내의 일정한 단위기간을 평균하여 1주 간의 근로시간이 제50조제1항의 근로시간을 초과하지 아니하는 범위에서 특정한 주에 제50조제1항의 근로

시간을, 특정한 날에 제50조제2항의 근로시간을 초과하여 근로하게 할 수 있다. 다만, 특정한 주의 근로시간은 48시간을 초과할 수 없다.

② 사용자는 근로자대표와의 서면 합의에 따라 다음 각 호의 사항을 정하면 3개월 이내의 단위기간을 평균하여 1주 간의 근로시간이 제50조제1항의 근로시간을 초과하지 아니하는 범위에서 특정한 주에 제50조제1항의 근로시간을, 특정한 날에 제50조제2항의 근로시간을 초과하여 근로하게 할 수 있다. 다만, 특정한 주의 근로시간은 52시간을, 특정한 날의 근로시간은 12시간을 초과할 수 없다.

1. 대상 근로자의 범위
2. 단위기간(3개월 이내의 일정한 기간으로 정하여야 한다)
3. 단위기간의 근로일과 그 근로일별 근로시간
4. 그 밖에 대통령령으로 정하는 사항

③ 제1항과 제2항은 15세 이상 18세 미만의 근로자와 임신 중인 여성 근로자에 대하여는 적용하지 아니한다.

④ 사용자는 제1항 및 제2항에 따라 근로자를 근로시킬 경우에는 기존의 임금 수준이 낮아지지 아니하도록 임금보전방안(賃金補塡方案)을 강구하여야 한다.

■ **제52조**(선택적 근로시간제)

사용자는 취업규칙(취업규칙에 준하는 것을 포함한다)에 따라 업무의 시작 및 종료 시각을 근로자의 결정에 맡기기로 한 근로자에 대하여 근로자대표와의 서면 합의에 따라 다음 각 호의 사항을 정하면 1개월 이내의 정산기간을 평균하여 1주 간의 근로시간이 제50조제1항의 근로시간을 초과하지 아니하는 범위에서 1주 간에 제50조제1항의 근로시간을, 1일에 제50조제2항의 근로시간을 초과하여 근로하게 할 수 있다.

1. 대상 근로자의 범위(15세 이상 18세 미만의 근로자는 제외한다)
2. 정산기간(1개월 이내의 일정한 기간으로 정하여야 한다)
3. 정산기간의 총 근로시간
4. 반드시 근로하여야 할 시간대를 정하는 경우에는 그 시작 및 종료 시각
5. 근로자가 그의 결정에 따라 근로할 수 있는 시간대를 정하는 경우에는 그 시작 및 종료 시각
6. 그 밖에 대통령령으로 정하는 사항

■ **제53조**(연장 근로의 제한)

① 당사자 간에 합의하면 1주 간에 12시간을 한도로 제50조의 근로시간을 연장할 수 있다.

② 당사자 간에 합의하면 1주 간에 12시간을 한도로 제51조의 근로시간을 연장할 수 있고, 제52조제2호의 정산기간을 평균하여 1주 간에 12시간을 초과하지 아니하는 범위에서 제52조의 근로시간을 연장할 수 있다.

③ 상시 30명 미만의 근로자를 사용하는 사용자는 다음 각 호에 대하여 근로자대표와 서면으로 합의한 경우 제1항 또는 제2항에 따라 연장된 근로시간에 더하여 1주 간에 8시간을 초과하지 아니하는 범위에서 근로시간을 연장할 수 있다. 〈신설 2018. 3. 20.〉

1. 제1항 또는 제2항에 따라 연장된 근로시간을 초과할 필요가 있는 사유 및 그 기간
2. 대상 근로자의 범위

④ 사용자는 특별한 사정이 있으면 고용노동부장관의 인가와 근로자의 동의를 받아 제1항과 제2항의 근로시간을 연장할 수 있다. 다만, 사태가 급박하여 고용노동부장관의 인가를 받을 시간이 없는 경우에는 사후에 지체 없이 승인을 받아야 한다. 〈개정 2010. 6. 4., 2018. 3. 20.〉

⑤ 고용노동부장관은 제4항에 따른 근로시간의 연장이 부적당하다고 인정하면 그 후 연장시간에 상당하는 휴게시간이나 휴일을 줄 것을 명할 수 있다. 〈개정 2010. 6. 4., 2018. 3. 20.〉

⑥ 제3항은 15세 이상 18세 미만의 근로자에 대하여는 적용하지 아니한다. 〈신설 2018. 3. 20.〉

[법률 제15513호(2018. 3. 20.) 부칙 제2조의 규정에 의하여 이 조 제3항 및 제6항은 2022년 12월 31일까지 유효함.]

[시행일:2021. 7. 1.] 제53조제3항, 제53조제6항

■ **제54조**(휴게)

① 사용자는 근로시간이 4시간인 경우에는 30분 이상, 8시간인 경우에는 1시간 이상의 휴게시간을 근로시간 도중에 주어야 한다.

② 휴게시간은 근로자가 자유롭게 이용할 수 있다.

■ **제55조**(휴일)

① 사용자는 근로자에게 1주에 평균 1회 이상의 유급휴일을 보장하여야 한다. 〈개정 2018. 3. 20.〉

② 사용자는 근로자에게 대통령령으로 정하는 휴일을 유급으로 보장하여야 한다. 다만, 근로자대표와 서면으로 합의한 경우 특정한 근로일로 대체할 수 있다. 〈신설 2018. 3. 20.〉

[시행일] 제55조제2항의 개정규정은 다음 각 호의 구분에 따른 날부터 시행한다.

1. 상시 300명 이상의 근로자를 사용하는 사업 또는 사업장, 「공공기관의 운영에 관한 법률」 제4조에 따른 공공기관, 「지방공기업법」 제49조 및 같은 법 제76조에 따른 지방공사 및 지방공단, 국가 · 지방자치단체 또는 정부투자기관이 자본금의 2분의 1 이상을 출자하거나 기본재산의 2분의 1 이상을 출연한 기관 · 단체와 그 기관 · 단체가 자본금의 2분의 1 이상을 출자하거나 기본재산의 2분의 1 이상을 출연한 기관 · 단체, 국가 및 지방자치단체의 기관: 2020년 1월 1일
2. 상시 30명 이상 300명 미만의 근로자를 사용하는 사업 또는 사업장: 2021년 1월 1일
3. 상시 5인 이상 30명 미만의 근로자를 사용하는 사업 또는 사업장: 2022년 1월 1일

■ **제56조**(연장 · 야간 및 휴일 근로)

① 사용자는 연장근로(제53조 · 제59조 및 제69조 단서에 따라 연장된 시간의 근로를 말한다)에 대하여는 통상임금의 100분의 50 이상을 가산하여 근로자에게 지급하여야 한다. 〈개정 2018. 3. 20.〉

② 제1항에도 불구하고 사용자는 휴일근로에 대하여는 다음 각 호의 기준에 따른 금액 이상을 가산하여 근로자에게 지급하여야 한다. 〈신설 2018. 3. 20.〉

1. 8시간 이내의 휴일근로: 통상임금의 100분의 50
2. 8시간을 초과한 휴일근로: 통상임금의 100분의 100

③ 사용자는 야간근로(오후 10시부터 다음 날 오전 6시 사이의 근로를 말한다)에 대하여는 통상임금의 100분의 50 이상을 가산하여 근로자에게 지급하여야 한다. 〈신설 2018. 3. 20.〉

■ **제57조**(보상 휴가제)

사용자는 근로자대표와의 서면 합의에 따라 제56조에 따른 연장근로 · 야간근로 및 휴일근로에 대하여 임금을 지급하는 것을 갈음하여 휴가를 줄 수 있다.

■ **제58조**(근로시간 계산의 특례)

① 근로자가 출장이나 그 밖의 사유로 근로시간의 전부 또는 일부를 사업장 밖에서 근로하여 근로시간을 산정하기 어려운 경우에는 소정근로시간을 근로한 것으로 본다. 다만, 그 업무를 수행하기 위하여 통상적으로 소정근로시간을 초과하여 근로할 필요가 있는 경우에는 그 업무의 수행에 통상 필요한 시간을 근로한 것으로 본다.

② 제1항 단서에도 불구하고 그 업무에 관하여 근로자대표와의 서면 합의를 한 경우에는 그 합의에서 정하는 시간을 그 업무의 수행에 통상 필요한 시간으로 본다.

③ 업무의 성질에 비추어 업무 수행 방법을 근로자의 재량에 위임할 필요가 있는 업무로서 대통령령으로 정하는 업무는 사용자가 근로자대표와 서면 합의로 정한 시간을 근로한 것으로 본다. 이 경우 그 서면 합의에는 다음 각 호의 사항을 명시하여야 한다.

1. 대상 업무
2. 사용자가 업무의 수행 수단 및 시간 배분 등에 관하여 근로자에게 구체적인 지시를 하지 아니한다는 내용
3. 근로시간의 산정은 그 서면 합의로 정하는 바에 따른다는 내용

④ 제1항과 제3항의 시행에 필요한 사항은 대통령령으로 정한다.

■ **제59조**(근로시간 및 휴게시간의 특례)

① 「통계법」 제22조제1항에 따라 통계청장이 고시하는 산업에 관한 표준의 중분류 또는 소분류 중 다음 각 호의 어느 하나에 해당하는 사업에 대하여 사용자가 근로자대표와 서면으로 합의한 경우에는 제53조제1항에 따른 주(週) 12시간을 초과하여 연장근로를 하게 하거나 제54조에 따른 휴게시간을 변경할 수 있다.

1. 육상운송 및 파이프라인 운송업. 다만, 「여객자동차 운수사업법」 제3조제1항제1호에 따른 노선(路線) 여객자동차운송사업은 제외한다.

2. 수상운송업
3. 항공운송업
4. 기타 운송관련 서비스업
5. 보건업

② 제1항의 경우 사용자는 근로일 종료 후 다음 근로일 개시 전까지 근로자에게 연속하여 11시간 이상의 휴식 시간을 주어야 한다.

[전문개정 2018. 3. 20.]

[시행일:2018. 7. 1.] 제59조

[시행일:2018. 9. 1.] 제59조제2항

■ **제60조**(연차 유급휴가)

① 사용자는 1년간 80퍼센트 이상 출근한 근로자에게 15일의 유급휴가를 주어야 한다. 〈개정 2012. 2. 1.〉

② 사용자는 계속하여 근로한 기간이 1년 미만인 근로자 또는 1년간 80퍼센트 미만 출근한 근로자에게 1개월 개근 시 1일의 유급휴가를 주어야 한다. 〈개정 2012. 2. 1.〉

③ 삭제 〈2017. 11. 28.〉

④ 사용자는 3년 이상 계속하여 근로한 근로자에게는 제1항에 따른 휴가에 최초 1년을 초과하는 계속 근로 연수 매 2년에 대하여 1일을 가산한 유급휴가를 주어야 한다. 이 경우 가산휴가를 포함한 총 휴가 일수는 25일을 한도로 한다.

⑤ 사용자는 제1항부터 제4항까지의 규정에 따른 휴가를 근로자가 청구한 시기에 주어야 하고, 그 기간에 대하여는 취업규칙 등에서 정하는 통상임금 또는 평균임금을 지급하여야 한다. 다만, 근로자가 청구한 시기에 휴가를 주는 것이 사업 운영에 막대한 지장이 있는 경우에는 그 시기를 변경할 수 있다.

⑥ 제1항 및 제2항을 적용하는 경우 다음 각 호의 어느 하나에 해당하는 기간은 출근한 것으로 본다. 〈개정 2012. 2. 1., 2017. 11. 28.〉

1. 근로자가 업무상의 부상 또는 질병으로 휴업한 기간
2. 임신 중의 여성이 제74조제1항부터 제3항까지의 규정에 따른 휴가로 휴업한 기간
3. 「남녀고용평등과 일 · 가정 양립 지원에 관한 법률」 제19조제1항에 따른 육아휴직으로 휴업한 기간

⑦ 제1항 · 제2항 및 제4항에 따른 휴가는 1년간(계속하여 근로한 기간이 1년 미만인 근로자의 제2항에 따른 유급휴가는 최초 1년의 근로가 끝날 때까지의 기간을 말한다) 행사하지 아니하면 소멸된다. 다만, 사용자의 귀책사유로 사용하지 못한 경우에는 그러하지 아니하다. 〈개정 2020. 3. 31.〉

■ **제61조**(연차 유급휴가의 사용 촉진)

① 사용자가 제60조제1항 · 제2항 및 제4항에 따른 유급휴가(계속하여 근로한 기간이 1년 미만인 근로자의 제60조제2항에 따른 유급휴가는 제외한다)의 사용을 촉진하기 위하여 다음 각 호의 조치를 하였음에도 불구하고 근로자가 휴가를 사용하지 아니하여 제60조제7항 본문에 따라 소멸된 경우에는 사용자는 그 사용하지 아니한 휴가에 대하여 보상할 의무가 없고, 제60조제7항 단서에 따른 사용자의 귀책사유에 해당하지 아니하는 것으로 본다. 〈개정 2012. 2. 1., 2017. 11. 28., 2020. 3. 31.〉

1. 제60조제7항 본문에 따른 기간이 끝나기 6개월 전을 기준으로 10일 이내에 사용자가 근로자별로 사용하지 아니한 휴가 일수를 알려주고, 근로자가 그 사용 시기를 정하여 사용자에게 통보하도록 서면으로 촉구할 것
2. 제1호에 따른 촉구에도 불구하고 근로자가 촉구를 받은 때부터 10일 이내에 사용하지 아니한 휴가의 전부 또는 일부의 사용 시기를 정하여 사용자에게 통보하지 아니하면 제60조제7항 본문에 따른 기간이 끝나기 2개월 전까지 사용자가 사용하지 아니한 휴가의 사용 시기를 정하여 근로자에게 서면으로 통보할 것

② 사용자가 계속하여 근로한 기간이 1년 미만인 근로자의 제60조제2항에 따른 유급휴가의 사용을 촉진하기 위하여 다음 각 호의 조치를 하였음에도 불구하고 근로자가 휴가를 사용하지 아니하여 제60조제7항 본문에 따라 소멸된 경우에는 사용자는 그 사용하지 아니한 휴가에 대하여 보상할 의무가 없고, 같은 항 단서에 따른 사용자의 귀책사유에 해당하지 아니하는 것으로 본다. 〈신설 2020. 3. 31.〉

1. 최초 1년의 근로기간이 끝나기 3개월 전을 기준으로 10일 이내에 사용자가 근로자별로 사용하지 아니한 휴가 일수를 알려주고, 근로자가 그 사용 시기를 정하여 사용자에게 통보하도록 서면으로 촉구할 것. 다만, 사용자가 서면 촉구한 후 발생한 휴가에 대해서는 최초 1년의 근로기간이 끝나

기 1개월 전을 기준으로 5일 이내에 촉구하여야 한다.

2. 제1호에 따른 촉구에도 불구하고 근로자가 촉구를 받은 때부터 10일 이내에 사용하지 아니한 휴가의 전부 또는 일부의 사용 시기를 정하여 사용자에게 통보하지 아니하면 최초 1년의 근로기간이 끝나기 1개월 전까지 사용자가 사용하지 아니한 휴가의 사용 시기를 정하여 근로자에게 서면으로 통보할 것. 다만, 제1호 단서에 따라 촉구한 휴가에 대해서는 최초 1년의 근로기간이 끝나기 10일 전까지 서면으로 통보하여야 한다.

■ **제62조**(유급휴가의 대체)

사용자는 근로자대표와의 서면 합의에 따라 제60조에 따른 연차 유급휴가일을 갈음하여 특정한 근로일에 근로자를 휴무시킬 수 있다.

■ **제63조**(적용의 제외)

이 장과 제5장에서 정한 근로시간, 휴게와 휴일에 관한 규정은 다음 각 호의 어느 하나에 해당하는 근로자에 대하여는 적용하지 아니한다. 〈개정 2010. 6. 4., 2020. 5. 26.〉

1. 토지의 경작 · 개간, 식물의 재식(栽植) · 재배 · 채취 사업, 그 밖의 농림 사업
2. 동물의 사육, 수산 동식물의 채포(採捕) · 양식 사업, 그 밖의 축산, 양잠, 수산 사업
3. 감시(監視) 또는 단속적(斷續的)으로 근로에 종사하는 사람으로서 사용자가 고용노동부장관의 승인을 받은 사람
4. 대통령령으로 정하는 업무에 종사하는 근로자

2) 법정근로 시간의 핵심 쟁점

(1) 근로시간

근로시간이란 근로자의 실제 업무 시간 및 근로자가 사용자의 지휘감독 아래 있는 시간을 의미 하고 휴게시간을 제외한 작업 개시부터 작업 종료까지의 시간을 정의한다.

고객 응대를 위한 대기시간, 교육시간, 업무 수행 목적의 워크숍이나 세미나,

사용자의 승인이 있는 업무 목적으로 제3자를 접대하는 시간 모두 근로시간에 해당한다.
다만 근로자의 사기를 돋우고 친목 등을 위해 열리는 회식의 경우는 근로시간에 해당하지 않는다.

(2) 연장근무시간

법정근로시간을 초과하는 근무시간이 연장근무시간에 해당되며 일주일에 12시간을 초과하지 못하게 규정함.
여기에서 4인 이하 사업장에서 반드시 알아두어야 할 법령은 근로기준법 제53조(연장 근로의 제한)이 적용되지 않는다는 것. 즉, 사용자와 근로자가 서로 합의하면 일주일에 12시간 초과하여 연장 근무가 가능(단, 연소자와 임산부는 4인 이하 사업장이더라도 제한적임).

(3) 휴게시간

사용자는 근로자의 1일 근로시간 중에 휴게시간을 보장해야 하는 의무

근로시간이 4시간인 경우 30분 이상, 8시간 이상인 경우 1시간 이상의 휴게시간을 근로시간 중에 주어야 하고 휴게시간은 근로자가 자유롭게 이용할 수 있도록 해야 함(출/퇴근 시간에 맞물려서 적용하면 안 됨).
휴게시간은 근로시간에 포함되지 않고 임금 산정에 포함되지 않음 근로자가 휴게시간 이용 중에는 사용자의 지휘명령에서 완전히 해방된 자유로운 이용이 보장.

(4) 유급휴일

유급휴일은 1주일간 소정근로일수를 개근한 근로자에게 1주에 1회 이상의 유급휴일을 보장 1주간 개근하지 못한 경우라도 무급휴일은 보장해야 함 보통의 서비스 업종 사업장은 월요일을 유급휴일로 부여하는 것이 관행 요일은 상관없지만 매주 같은 요일로 하는 것이 바람직함(단, 1주에 15시간 미만 근로자는 유급휴일 부여 대상에서 제외).

6. 임금 문제 및 부당해고 관련 사례 및 판례 요약 정리

임금등[사무장 병원의 운영과 관련하여 근로기준법상 임금 및 퇴직금 지급의 주체가 문제된 사건]

[대법원 2020. 4. 29., 선고, 2018다263519, 판결]

판시사항

의료인이 아닌 사람이 의료인을 고용하여 그 명의를 이용하여 의료기관을 개설한 경우, 의료인 명의로 근로자와 근로계약이 체결되었더라도 의료인 아닌 사람과 근로자 사이에 실질적인 근로관계가 성립하면 의료인 아닌 사람이 근로자에 대하여 임금 및 퇴직금의 지급의무를 부담하는지 여부(적극) 및 이는 위와 같은 의료기관의 운영 및 손익 등이 의료인 아닌 사람에게 귀속되도록 하는 내용의 약정이 의료법 제33조 제2항 위반으로 무효인 경우에도 마찬가지인지 여부(적극)

판결요지

근로기준법상 근로자에 해당하는지는 계약의 형식과는 관계없이 실질에 있어서 임금을 목적으로 종속적인 관계에서 사용자에게 근로를 제공하였는지에 따라 판단하여야 하고, 반대로 어떤 근로자에 대하여 누가 임금 및 퇴직금의 지급의무를 부담하는 사용자인가를 판단함에 있어서도 계약의 형식이나 관련 법규의 내용에 관계없이 실질적인 근로관계를 기준으로 하여야 한다.
의료인이 아닌 사람이 월급을 지급하기로 하고 의료인을 고용해 그 명의를 이용하여 개설한 의료기관인 이른바 '사무장 병원'에 있어서 비록 의료인 명의로 근로자와 근로계약이 체결되었더라도 의료인 아닌 사람과 근로자 사이에 실질적인 근로관계가 성립할 경우에는 의료인 아닌 사람이 근로자에 대하여 임금 및 퇴직금의 지급의무를 부담한다고 보아야 한다. 이는 이른바 사무장 병원의 운영 및 손익 등이 의료인 아닌 사람에게 귀속되도록 하는 내용의 의료인과 의료인 아닌 사람 사이의 약정이 강행법규인 의료법 제33조 제2항 위반으로 무효가 된다고 하여 달리 볼 것은 아니다.

근로자지위확인등의소

[대법원 2020. 4. 9., 선고, 2017다17955, 판결]

판시사항

[1] 원고용주가 근로자로 하여금 제3자를 위한 업무를 수행하도록 하는 경우, 파견근로자 보호 등에 관한 법률의 적용을 받는 '근로자파견'에 해당하는지 판단하는 기준
[2] 한국전력공사로부터 분사하여 설립된 甲 주식회사가 원자력발전소의 방사선안전팀 소관 업무인 방사선방호분야 등을 용역업체에 위탁 운영하여 왔는데, 용역업체에 고용되어 방사선관리구역 출입·작업관리업무 중 보건물리실 출입·작업관리업무를 수행한 乙 등이 甲 회사를 상대로 근로자 지위 확인 등을 구한 사안에서, 제반 사정에 비추어 乙 등을 고용한 용역업체들이 乙 등으로 하여금 甲 회사의 지휘·명령을 받아 甲 회사를 위한 근로에 종사하게 하였다고 보기 어려우므로 甲 회사와 乙 등은 근로자파견관계에 해당하지 않는다고 본 원심판단을 수긍한 사례

판결요지

[1] 파견근로자 보호 등에 관한 법률(이하 '파견법'이라고 한다) 제2조 제1호에 의하면, 근로자파견이란 파견사업주가 근로자를 고용한 후 고용관계를 유지하면서 근로자파견계약의 내용에 따라 사용사업주의 지휘·명령을 받아 사용사업주를 위한 근로에 종사하게 하는 것을 말한다. 원고용주가 어느 근로자로 하여금 제3자를 위한 업무를 수행하도록 하는 경우 그 법률관계가 위와 같이 파견법의 적용을 받는 근로자파견에 해당하는지는 당사자가 붙인 계약의 명칭이나 형식에 구애될 것이 아니라, 제3자가 당해 근로자에 대하여 직간접적으로 업무수행 자체에 관한 구속력 있는 지시를 하는 등 상당한 지휘·명령을 하는지, 당해 근로자가 제3자 소속 근로자와 하나의 작업집단으로 구성되어 직접 공동 작업을 하는 등 제3자의 사업에 실질적으로 편입되었다고 볼 수 있는지, 원고용주가 작업에 투입될 근로자의 선발이나 근로자의 수, 교육 및 훈련, 작업·휴게시간, 휴가, 근무태도 점검 등에 관한 결정 권한을 독자적으로 행사하는지, 계약의 목적이 구체적으로 범위가 한정된 업무의 이행으로 확정되고 당해 근로자가 맡은 업무가 제3자 소속 근로자의 업무와 구별되며 그러한 업무에 전문성·기술성이 있는지, 원고용주가 계약의 목적을 달성하기 위하여 필요한 독립적 기업조직이나 설비를 갖추고 있는지 등의 요소를 바탕으로 근로관계의 실질에 따라 판단하여야 한다.
[2] 한국전력공사로부터 분사하여 설립된 甲 주식회사가 원자력발전소의 방사선안전팀 소관 업무인 방사선방호분야 등을 용역업체에 위탁 운영하여 왔는데, 용역업체에 고용되어 방사선관리구역 출입·작업관리업무 중 보건물리실 출입·작업관리업무를 수행한 乙 등이 甲 회사를 상대로 근로자 지위 확인 등을 구한 사안에서, 甲 회사와 용역업체가 체결한 위탁계약 중 乙 등이 수행하는 업무에 해당하는 부분은 그 목적이 구체적으로 범위가 한정된 업무의 이행으로 확정되고, 乙 등은 그러한 업무에

전문성과 기술력이 있는 점, 용역업체 소속 근로자가 맡은 업무와 甲 회사 소속 근로자의 업무는 서로 구별되는 점, 乙 등이 甲 회사의 사업에 실질적으로 편입되었다고 보기 어려운 점, 乙 등의 원고용주인 용역업체들이 작업에 투입될 근로자의 선발이나 근로자의 수, 교육 및 훈련, 작업·휴게시간, 휴가, 근무태도 점검 등에 관한 결정 권한을 독자적으로 행사한다고 봄이 타당한 점, 甲 회사가 乙 등에 대하여 업무수행 자체에 관한 구속력 있는 지시를 하는 등 상당한 지휘·명령을 하였다고 인정할 증거가 없는 점, 乙 등의 원고용주인 용역업체들이 계약의 목적을 달성하기 위하여 필요한 독립적 기업조직이나 설비를 갖추고 있다고 보이는 점 등에 비추어, 乙 등을 고용한 용역업체들이 乙 등으로 하여금 甲 회사의 지휘·명령을 받아 甲 회사를 위한 근로에 종사하게 하였다고 보기 어려우므로 甲 회사와 乙 등은 근로자파견관계에 해당하지 않는다고 본 원심판단을 수긍한 사례

공무원지위확인(국가정보원 소속 계약직공무원으로 계약기간이 만료된 원고들에 대한 퇴직처리가 남녀고용평등과 일·가정 양립 지원에 관한 법률에 위반되는지 여부 등이 문제된 사건)

[대법원 2019. 10. 31., 선고, 2013두20011, 판결]

판시사항

[1] 남녀고용평등과 일·가정 양립 지원에 관한 법률 제11조 제1항, 근로기준법 제6조에서 말하는 '남녀의 차별'의 의미 및 사업주나 사용자가 근로자를 합리적인 이유 없이 성별을 이유로 부당하게 차별대우를 하도록 정한 규정의 효력(무효)
[2] 국가기관과 공무원 간의 공법상 근무관계에도 고용관계에서 양성평등을 규정한 남녀고용평등과 일·가정 양립 지원에 관한 법률 제11조 제1항과 근로기준법 제6조가 적용되는지 여부(원칙적 적극)
[3] 여성 근로자들이 전부 또는 다수를 차지하는 분야의 정년을 다른 분야의 정년보다 낮게 정한 것이 여성에 대한 불합리한 차별에 해당하는지 판단하는 방법
[4] 상급행정기관이 소속 공무원이나 하급행정기관에 대하여 세부적인 업무처리절차나 법령의 해석·적용 기준을 정해 주는 '행정규칙'이 대외적으로 국민이나 법원을 구속하는 효력이 있는지 여부(원칙적 소극) 및 행정기관의 재량에 속하는 사항에 관한 행정규칙의 경우, 법원은 이를 존중해야 하는지 여부(원칙적 적극) / 상위법령을 위반한 행정규칙의 효력(당연무효) 및 이 경우 법원이 위 행정규칙에 따라 행정기관이 한 조치의 당부를 판단하는 방법

판결요지

[1] 남녀고용평등과 일·가정 양립 지원에 관한 법률(이하 "남녀고용평등법"이라 한다) 제11조 제1항, 근로기준법 제6조에서 말하는 '남녀의 차별'은 합리적인 이유 없이 남성 또는 여성이라는 이유만으로 부당하게 차별대우하는 것을 의미한다. 사업주나 사용자가 근로자를 합리적인 이유 없이 성별을 이유로 부당하게 차별대우를 하도록 정한 규정은, 규정의 형식을 불문하고 강행규정인 남녀고용평등법 제11조 제1항과 근로기준법 제6조에 위반되어 무효라고 보아야 한다.
[2] 국가나 국가기관 또는 국가조직의 일부는 기본권의 수범자로서 국민의 기본권을 보호하고 실현해야 할 책임과 의무를 지니고 있는 점, 공무원도 임금을 목적으로 근로를 제공하는 근로기준법상의 근로자인 점 등을 고려하면, 공무원 관련 법률에 특별한 규정이 없는 한, 고용관계에서 양성평등을 규정한 남녀고용평등과 일·가정 양립 지원에 관한 법률 제11조 제1항과 근로기준법 제6조는 국가기관과 공무원 간의 공법상 근무관계에도 적용된다.
[3] 여성 근로자들이 전부 또는 다수를 차지하는 분야의 정년을 다른 분야의 정년보다 낮게 정한 것이 여성에 대한 불합리한 차별에 해당하는지는, 헌법 제11조 제1항에서 규정한 평등의 원칙 외에도 헌법 제32조 제4항에서 규정한 '여성근로에 대한 부당한 차별 금지'라는 헌법적 가치를 염두에 두고, 해당 분야 근로자의 근로 내용, 그들이 갖추어야 하는 능력, 근로시간, 해당 분야에서 특별한 복무규율이 필요한지 여부나 인력수급사정 등 여러 사정들을 종합적으로 고려하여 판단하여야 한다.
[4] 상급행정기관이 소속 공무원이나 하급행정기관에 대하여 세부적인 업무처리절차나 법령의 해석·적용 기준을 정해 주는 '행정규칙'은 상위법령의 구체적 위임이 있지 않는 한 행정조직 내부에서만 효력을 가질 뿐 대외적으로 국민이나 법원을 구속하는 효력이 없다. 다만 행정규칙이 이를 정한 행정기관의 재량에 속하는 사항에 관한 것인 때에는 그 규정 내용이 객관적 합리성을 결여하였다는 등의 특별한 사정이 없는 한 법원은 이를 존중하는 것이 바람직하다.
그러나 행정규칙의 내용이 상위법령에 반하는 것이라면 법치국가원리에서 파생되는 법질서의 통일성과 모순금지 원칙에 따라 그것은 법질서 상 당연 무효이고, 행정 내부적 효력도 인정될 수 없다. 이러한 경우 법원은 해당 행정규칙이 법질서 상 부존재하는 것으로 취급하여 행정기관이 한 조치의 당부를 상위법령의 규정과 입법 목적 등에 따라서 판단하여야 한다.

부당이득금(해고의 유효 여부와 해고예고수당 지급의무의 성립)

[대법원 2018. 9. 13., 선고, 2017다16778, 판결]

판시사항 

[1] 소액사건에 관하여 상고이유로 할 수 있는 '대법원의 판례에 상반되는 판단을 한 때'의 요건을 갖추지 않았지만 대법원이 실체법 해석적용의 잘못에 관하여 직권으로 판단할 수 있는 경우
[2] 사용자가 근로자를 해고하면서 30일 전에 예고를 하지 아니한 경우, 해고가 유효한지와 관계없이 근로자에게 해고예고수당을 지급하여야 하는지 여부(적극) 및 해고가 부당해고에 해당하여 효력이 없는 경우, 근로자가 해고예고수당 상당액을 부당이득으로 반환하여야 하는지 여부(소극)

판결요지

[1] 소액사건에서 구체적 사건에 적용할 법령의 해석에 관한 대법원판례가 아직 없고 같은 법령의 해석이 쟁점으로 되어 있는 다수의 소액사건들이 하급심에 계속되어 있을 뿐 아니라 재판부에 따라 엇갈리는 판단을 하는 사례가 나타나고 있는 경우, 소액사건이라는 이유로 대법원이 법령의 해석에 관하여 판단을 하지 아니한 채 사건을 종결한다면 국민생활의 법적 안전성을 해칠 것이 우려된다. 이와 같은 특별한 사정이 있는 경우에는 소액사건에 관하여 상고이유로 할 수 있는 '대법원의 판례에 상반되는 판단을 한 때'의 요건을 갖추지 아니하였다고 하더라도 법령해석의 통일이라는 대법원의 본질적 기능을 수행하는 차원에서 실체법 해석적용의 잘못에 관하여 판단할 수 있다고 보아야 한다.
[2] 근로기준법 제26조 본문에 따라 사용자가 근로자를 해고하면서 30일 전에 예고를 하지 아니하였을 때 근로자에게 지급하는 해고예고수당은 해고가 유효한지와 관계없이 지급되어야 하는 돈이고, 해고가 부당해고에 해당하여 효력이 없다고 하더라도 근로자가 해고예고수당을 지급받을 법률상 원인이 없다고 볼 수 없다. 근거는 다음과 같다.
① 근로기준법 제26조 본문은 "사용자는 근로자를 해고(경영상 이유에 의한 해고를 포함한다)하려면 적어도 30일 전에 예고를 하여야 하고, 30일 전에 예고를 하지 아니하였을 때에는 30일분 이상의 통상임금을 지급하여야 한다."라고 규정하고 있을 뿐이고, 위 규정상 해고가 유효한 경우에만 해고예고 의무나 해고예고수당 지급 의무가 성립한다고 해석할 근거가 없다.
② 근로기준법 제26조에서 규정하는 해고예고제도는 근로자로 하여금 해고에 대비하여 새로운 직장을 구할 수 있는 시간적·경제적 여유를 주려는 것으로, 해고의 효력 자체와는 관계가 없는 제도이다. 해고가 무효인 경우에도 해고가 유효한 경우에 비해 해고예고제도를 통해 근로자에게 위와 같은 시간적·경제적 여유를 보장할 필요성이 작다고 할 수 없다.
③ 사용자가 근로자를 해고하면서 해고예고를 하지 않고 해고예고수당도 지급하지 않은 경우, 그 후 해고가 무효로 판정되어 근로자가 복직을 하고 미지급 임금을 지급받더라도 그것만으로는 해고예고제도

를 통하여 해고 과정에서 근로자를 보호하고자 하는 근로기준법 제26조의 입법 목적이 충분히 달성된다고 보기 어렵다. 해고예고 여부나 해고예고수당 지급 여부가 해고의 사법상(私法上) 효력에 영향을 미치지 않는다는 점을 고려하면, 해고예고제도 자체를 통해 근로자를 보호할 필요성은 더욱 커진다.

손해배상(기)

[대법원 2017. 12. 22., 선고, 2016다202947, 판결]

판시사항

[1] 사업주가 '직장 내 성희롱과 관련하여 피해를 입은 근로자 또는 성희롱 피해 발생을 주장하는 근로자'에게 해고나 그 밖의 불리한 조치를 한 경우, 민법 제750조의 불법행위가 성립하는지 여부(원칙적 적극) 및 사업주의 조치가 피해근로자 등에 대한 불리한 조치로서 위법한 것인지 판단하는 기준 / 피해근로자 등에 대한 불리한 조치가 성희롱과 관련성이 없거나 정당한 사유가 있다는 점에 대한 증명책임의 소재(=사업주)

[2] 사업주가 '직장 내 성희롱과 관련하여 피해를 입은 근로자 또는 성희롱 피해 발생을 주장하는 근로자'를 도와준 동료 근로자에게 부당한 내용의 불리한 조치를 함으로써 피해근로자 등에게 정신적 고통을 입힌 경우, 피해근로자 등이 사업주에게 민법 제750조에 따라 불법행위책임을 물을 수 있는지 여부(적극) / 이 경우 사업주가 피해근로자 등의 손해를 알았거나 알 수 있었을 경우에 한하여 배상책임이 있는지 여부(적극) 및 이때 예견가능성이 있는지 판단하는 기준

[3] 직장 내 성희롱 사건에 대한 조사가 진행되는 경우, 조사참여자에게 비밀누설 금지의무가 있는지 여부(적극) 및 사용자가 조사참여자에게 위 의무를 준수하도록 하여야 하는지 여부(적극) / 피용자가 고의로 다른 사람에게 성희롱 등 가해행위를 한 경우, 사용자책임의 성립요건인 '사무집행에 관하여'에 해당한다고 보기 위한 요건

판결요지

[1] 남녀고용평등과 일·가정 양립 지원에 관한 법률(2017. 11. 28. 법률 제15109호로 개정되기 전의 것, 이하 "남녀고용평등법"이라 한다)은 직장 내 성희롱이 법적으로 금지되는 행위임을 명확히 하고 사업주에게 직장 내 성희롱에 관한 사전 예방의무와 사후 조치의무를 부과하고 있다. 특히 사업주는 직장 내 성희롱과 관련하여 피해를 입은 근로자뿐만 아니라 성희롱 발생을 주장하는 근로자에게도 불리한 조치를 해서는 안 되고, 그 위반자는 형사처벌을 받는다는 명문의 규정을 두고 있다.

직장 내 성희롱이 발생한 경우 사업주는 피해자를 적극적으로 보호하여 피해를 구제할 의무를 부담하

는데도 오히려 불리한 조치나 대우를 하기도 한다. 이러한 행위는 피해자가 피해를 감내하고 문제를 덮어버리도록 하는 부작용을 초래할 뿐만 아니라, 피해자에게 성희롱을 당한 것 이상의 또 다른 정신적 고통을 줄 수 있다. 위 규정은 직장 내 성희롱 피해를 신속하고 적정하게 구제할 뿐만 아니라 직장 내 성희롱을 예방하기 위한 것으로, 피해자가 직장 내 성희롱에 대하여 문제를 제기할 때 2차적 피해를 염려하지 않고 사업주가 가해자를 징계하는 등 적절한 조치를 하리라고 신뢰하도록 하는 기능을 한다.

사업주가 직장 내 성희롱과 관련하여 피해를 입은 근로자 또는 성희롱 피해 발생을 주장하는 근로자(이하 "피해근로자 등"이라 한다)에게 해고나 그 밖의 불리한 조치를 한 경우에는 남녀고용평등법 제14조 제2항을 위반한 것으로서 민법 제750조의 불법행위가 성립한다. 그러나 사업주의 피해근로자 등에 대한 조치가 직장 내 성희롱 피해나 그와 관련된 문제 제기와 무관하다면 위 제14조 제2항을 위반한 것이 아니다. 또한 사업주의 조치가 직장 내 성희롱과 별도의 정당한 사유가 있는 경우에도 위 조항 위반으로 볼 수 없다.

사업주의 조치가 피해근로자 등에 대한 불리한 조치로서 위법한 것인지 여부는 불리한 조치가 직장 내 성희롱에 대한 문제 제기 등과 근접한 시기에 있었는지, 불리한 조치를 한 경위와 과정, 불리한 조치를 하면서 사업주가 내세운 사유가 피해근로자 등의 문제 제기 이전부터 존재하였던 것인지, 피해근로자 등의 행위로 인한 타인의 권리나 이익 침해 정도와 불리한 조치로 피해근로자 등이 입은 불이익 정도, 불리한 조치가 종전 관행이나 동종 사안과 비교하여 이례적이거나 차별적인 취급인지 여부, 불리한 조치에 대하여 피해근로자 등이 구제신청 등을 한 경우에는 그 경과 등을 종합적으로 고려하여 판단해야 한다.

남녀고용평등법은 관련 분쟁의 해결에서 사업주가 증명책임을 부담한다는 규정을 두고 있는데(제30조), 이는 직장 내 성희롱에 관한 분쟁에도 적용된다. 따라서 직장 내 성희롱으로 인한 분쟁이 발생한 경우에 피해근로자 등에 대한 불리한 조치가 성희롱과 관련성이 없거나 정당한 사유가 있다는 점에 대하여 사업주가 증명을 하여야 한다.

[2] 남녀고용평등과 일·가정 양립 지원에 관한 법률(2017. 11. 28. 법률 제15109호로 개정되기 전의 것, 이하 "남녀고용평등법"이라 한다) 제14조 제2항은 사업주가 직장 내 성희롱과 관련하여 피해를 입은 근로자 또는 성희롱 피해 발생을 주장하는 근로자(이하 "피해근로자 등"이라 한다)에게 해고나 그 밖의 불리한 조치를 하여서는 안 된다고 규정하고 있을 뿐이다. 따라서 사업주가 피해근로자 등이 아니라 그에게 도움을 준 동료 근로자에게 불리한 조치를 한 경우에 남녀고용평등법 제14조 제2항을 직접 위반하였다고 보기는 어렵다.

그러나 사업주가 피해근로자 등을 가까이에서 도와준 동료 근로자에게 불리한 조치를 한 경우에 그 조치의 내용이 부당하고 그로 말미암아 피해근로자 등에게 정신적 고통을 입혔다면, 피해근로자 등은 불리한 조치의 직접 상대방이 아니더라도 사업주에게 민법 제750조에 따라 불법행위책임을 물을 수 있다.

사업주는 직장 내 성희롱 발생 시 남녀고용평등법령에 따라 신속하고 적절한 근로환경 개선책을 실시하고, 피해근로자 등이 후속 피해를 입지 않도록 적정한 근로여건을 조성하여 근로자의 인격을 존중하고 보호할 의무가 있다. 그런데도 사업주가 피해근로자 등을 도와준 동료 근로자에게 부당한 징계처분 등을 하였다면, 특별한 사정이 없는 한 사업주가 피해근로자 등에 대한 보호 의무를 위반한 것으로 볼 수 있다.

한편 피해근로자 등을 도와준 동료 근로자에 대한 징계처분 등으로 말미암아 피해근로자 등에게 손해가 발생한 경우 이러한 손해는 특별한 사정으로 인한 손해에 해당한다. 따라서 사업주는 민법 제763조, 제393조에 따라 이러한 손해를 알았거나 알 수 있었을 경우에 한하여 손해배상책임이 있다고 보아야 한다. 이때 예견가능성이 있는지 여부는 사업주가 도움을 준 동료 근로자에 대한 징계처분 등을 한 경위와 동기, 피해근로자 등이 성희롱 피해에 대한 이의제기나 권리를 구제받기 위한 행위를 한 시점과 사업주가 징계처분 등을 한 시점 사이의 근접성, 사업주의 행위로 피해근로자 등에게 발생할 것으로 예견되는 불이익 등 여러 사정을 고려하여 판단하여야 한다. 특히 사업주가 피해근로자 등의 권리 행사에 도움을 준 근로자가 누구인지 알게 된 직후 도움을 준 근로자에게 정당한 사유 없이 차별적으로 부당한 징계처분 등을 하는 경우에는, 그로 말미암아 피해근로자 등에게도 정신적 고통이 발생하리라는 사정을 예견할 수 있다고 볼 여지가 크다.

[3] 현행 남녀고용평등과 일·가정 양립 지원에 관한 법률(2017. 11. 28. 법률 제15109호로 개정되기 전의 것, 이하 "남녀고용평등법"이라 한다)에는 명문의 규정이 없지만, 개정 남녀고용평등법 제14조 제7항 본문은 직장 내 성희롱 발생 사실을 조사한 사람, 조사 내용을 보고 받은 사람 또는 그 밖에 조사 과정에 참여한 사람(이하 '조사참여자'라 한다)은 해당 조사 과정에서 알게 된 비밀을 직장 내 성희롱과 관련하여 피해를 입은 근로자 또는 성희롱 피해 발생을 주장하는 근로자(이하 "피해근로자 등"이라 한다)의 의사에 반하여 다른 사람에게 누설해서는 안 된다고 정하여 조사참여자의 비밀누설 금지의무를 명시하고 있다.

위 개정 법률이 시행되기 전에도 개인의 인격권, 사생활의 비밀과 자유를 보장하는 헌법 제10조, 제17조, 직장 내 성희롱의 예방과 피해근로자 등을 보호하고자 하는 남녀고용평등법의 입법 취지와 직장 내 성희롱의 특성 등에 비추어, 직장 내 성희롱 사건에 대한 조사가 진행되는 경우 조사참여자는 특별한 사정이 없는 한 비밀을 엄격하게 지키고 공정성을 잃지 않아야 한다. 조사참여자가 직장 내 성희롱 사건을 조사하면서 알게 된 비밀을 누설하거나 가해자와 피해자의 사회적 가치나 평가를 침해할 수 있는 언동을 공공연하게 하는 것은 위법하다고 보아야 한다. 위와 같은 언동으로 말미암아 피해근로자 등에게 추가적인 2차 피해가 발생할 수 있고, 이는 결국 피해근로자 등으로 하여금 직장 내 성희롱을 신고하는 것조차 단념하도록 할 수 있기 때문에, 사용자는 조사참여자에게 위와 같은 의무를 준수하도록 하여야 한다.

한편 민법 제756조에 규정된 사용자책임의 요건인 '사무집행에 관하여'라 함은 피용자의 불법행위가 외형상 객관적으로 사용자의 사업 활동, 사무집행행위 또는 그와 관련된 것이라고 보일 때에는 행위자의 주관적 사정을 고려하지 않고 사무집행에 관하여 한 행위로 본다는 것이다. 피용자가 고의로 다른 사람에게 성희롱 등 가해행위를 한 경우 그 행위가 피용자의 사무집행 그 자체는 아니더라도 사용자의 사업과 시간적·장소적으로 근접하고 피용자의 사무의 전부 또는 일부를 수행하는 과정에서 이루어지거나 가해행위의 동기가 업무처리와 관련된 것이라면 외형적·객관적으로 사용자의 사무집행행위와 관련된 것이라고 보아 사용자책임이 성립한다. 이때 사용자가 위험발생을 방지하기 위한 조치를 취하였는지 여부도 손해의 공평한 부담을 위하여 부가적으로 고려할 수 있다.

부당해고및부당노동행위구제재심판정취소

[대법원 2017. 11. 14., 선고, 2017두52924, 판결]

판시사항

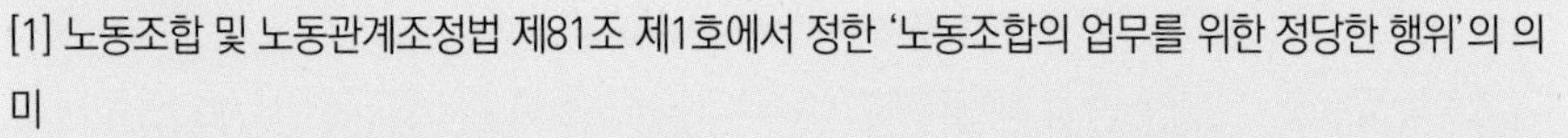

[1] 노동조합 및 노동관계조정법 제81조 제1호에서 정한 '노동조합의 업무를 위한 정당한 행위'의 의미
[2] 노동조합활동으로 배포된 문서에 의하여 타인의 인격 등이 훼손 또는 실추되고, 문서에 기재된 사실 관계 일부가 허위 등이더라도, 문서 배포 목적이 노동조합원들의 단결이나 근로조건의 유지 개선과 근로자의 복지증진 등의 향상을 도모하기 위한 것이고 문서 내용도 전체적으로 진실한 경우, 문서 배포행위가 노동조합의 정당한 활동범위에 속하는지 여부(적극) 및 그와 같은 행위를 한 것을 이유로 문서를 작성·배포한 근로자를 해고하거나 불이익을 주는 행위를 할 수 있는지 여부(소극)
[3] 근로자가 직장의 내부사실을 외부에 공표하는 것이 사용자의 비밀, 명예, 신용 등을 훼손하는 행위로서 징계사유가 되는지 판단하는 방법
[4] 사용자가 근로자를 해고하면서 표면적으로 내세우는 해고사유와 달리 실질적으로 근로자의 정당한 조합 활동을 이유로 해고한 것으로 인정되는 경우, 해고가 부당노동행위인지 여부(적극) 및 정당한 해고사유가 있어 해고한 경우, 사용자가 근로자의 조합 활동을 못마땅하게 여기거나 사용자에게 반노동조합 의사가 추정된다고 하여 부당노동행위에 해당한다고 할 수 있는지 여부(소극)

부당정직구제재심판정취소

[대법원 2016. 12. 29., 선고, 2015두776, 판결]

판시사항

근로자에 대하여 여러 징계사유를 들어 징계처분을 한 경우, 부당해고 등 구제재심판정 취소소송에서 징계처분이 정당한지는 중앙노동위원회가 재심판정에서 징계사유로 인정한 것 이외에 징계위원회 등에서 들었던 징계사유 전부를 심리하여 판단하여야 하는지 여부(적극)

부당해고구제재심판정취소

[대법원 2015. 11. 27., 선고, 2015두48136, 판결]

판시사항

근로기준법 제27조에서 사용자가 근로자를 해고하려면 해고사유와 해고시기를 서면으로 통지하여야 효력이 있다고 규정한 취지 및 서면에 해고사유를 기재하는 방법 / 사용자가 시용기간 만료 시 본 근로계약 체결을 거부하기 위한 요건 및 이때 구체적·실질적인 거부사유를 서면으로 통지하여야 하는지 여부(적극)

판결요지

근로기준법 제27조는 사용자가 근로자를 해고하려면 해고사유와 해고시기를 서면으로 통지하여야 효력이 있다고 규정하고 있는데, 이는 해고사유 등의 서면통지를 통하여 사용자에게 근로자를 해고하는 데 신중을 기하게 함과 아울러, 해고의 존부 및 시기와 사유를 명확하게 하여 사후에 이를 둘러싼 분쟁이 적정하고 용이하게 해결될 수 있도록 하고, 근로자에게도 해고에 적절히 대응할 수 있게 하기 위한 취지이므로, 사용자가 해고사유 등을 서면으로 통지할 때에는 근로자의 처지에서 해고사유가 무엇인지를 구체적으로 알 수 있어야 한다.
한편 근로자의 직업적 능력, 자질, 인품, 성실성 등 업무적격성을 관찰·판단하고 평가하려는 시용제도의 취지·목적에 비추어 볼 때, 사용자가 시용기간 만료 시 본 근로계약 체결을 거부하는 것은 일반적인 해고보다 넓게 인정될 수 있으나, 그 경우에도 객관적으로 합리적인 이유가 존재하여 사회통념상 상당성이 있어야 한다.
위와 같은 근로기준법 규정의 내용과 취지, 시용기간 만료 시 본 근로계약 체결 거부의 정당성 요건 등을 종합하면, 시용근로관계에서 사용자가 본 근로계약 체결을 거부하는 경우에는 근로자에게 거부사유를 파악하여 대처할 수 있도록 구체적·실질적인 거부사유를 서면으로 통지하여야 한다.

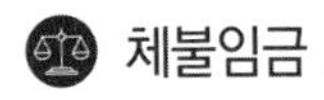

체불임금

[대법원 2014. 10. 27., 선고, 2013다36347, 판결]

판시사항

[1] 원천징수대상 소득의 지급자가 소득금액의 지급시기 전에 원천세액을 징수·공제할 수 있는지 여부(원칙적 소극) / 소득 지급의 의제 등으로 원천징수의무자의 납부의무가 성립한 후 소득금액 지급 전에 지급자가 원천세액을 납부한 경우, 이를 지급할 소득금액에서 미리 공제할 수 있는지 여부(적극)
[2] 甲 등이 乙 주식회사를 상대로 퇴직금의 지급을 구하자 乙 회사가 甲 등에게 지급할 퇴직소득금액은 원래의 퇴직소득금액에서 이미 납부한 원천세액을 공제하여 산정하여야 한다고 주장한 사안에서, 乙 회사의 원천세액 공제 주장을 배척한 원심판결에 법리오해의 위법이 있다고 한 사례

판결요지

[1] 국세기본법 제21조 제2항 제1호에 의하여 원천징수하는 소득세 등에 대한 징수의무자의 납부의무는 원칙적으로 소득금액을 지급하는 때에 성립하고, 이에 대응하는 수급자의 수인의무의 성립시기도 이와 같으므로, 지급자가 소득금액의 지급시기 전에 미리 원천세액을 징수·공제할 수는 없다. 그러나 소득의 지급이 의제되는 등으로 원천징수의무자의 납부의무가 성립한 후 소득금액 지급 전에 원천징수해야 할 소득세 등을 지급자가 실제 납부하였다면, 그와 같이 실제로 납부한 정당한 세액은 지급할 소득금액에서 미리 공제할 수 있다.
[2] 甲 등이 乙 주식회사를 상대로 퇴직금의 지급을 구하자 乙 회사가 甲 등에게 지급할 퇴직소득금액은 원래의 퇴직소득금액에서 이미 납부한 원천세액을 공제하여 산정하여야 한다고 주장한 사안에서, 구 소득세법(2009. 12. 31. 법률 제9897호로 개정되기 전의 것) 제146조 제1항, 제147조 제1항에 따라 甲 등에 대한 퇴직소득의 지급이 의제됨으로써 소득세 등에 대한 乙 회사의 원천징수의무가 성립하고 이에 기초하여 乙 회사가 소득세 등을 실제 납부한 이상, 乙 회사가 甲 등에게 지급할 의무를 지는 퇴직소득금액은 원래의 퇴직소득금액에서 이미 납부한 정당한 세액을 공제하여 산정하여야 하는데도, 이와 달리 보아 乙 회사의 원천세액 공제 주장을 배척한 원심판결에 법리오해의 위법이 있다고 한 사례

임금등

[대법원 2011. 8. 25., 선고, 2010다63393, 판결]

판시사항

[1] 어떤 임금이 '통상임금'에 해당한다고 판단하기 위한 요건
[2] 어느 사업장의 취업규칙이나 단체협약 등에서 퇴직금 산정의 기초가 되는 '평균임금'이 근로기준법상의 평균임금인지 또는 어떤 급여가 거기에 포함되는지 여부에 관한 판단 방법
[3] 甲 지방자치단체가 乙 등이 소속된 노동조합과 단체협약을 체결하면서 퇴직금 산정의 기초로 사용한 '평균임금'이라는 용어가 근로기준법 등에서 규정하는 평균임금인지 문제된 사안에서, 제반 사정에 비추어보면 위 단체협약 및 임금협정이 퇴직금 산정의 기초로 규정한 '평균임금'은 근로기준법 또는 근로자퇴직급여 보장법이 규정하고 있는 평균임금이 아니라 단체협약 및 임금협정으로 근로기준법보다 제한된 통상임금에 따라 각종 수당을 산정하여 乙 등에게 지급하기로 합의한 임금의 평균액만을 의미한다고 해석함이 타당함에도, 이와 달리 본 원심판결에는 법리오해의 위법이 있다고 한 사례

[대법원 2020. 2. 13., 선고, 2015다73043, 판결]

판시사항

[1] 구 근로기준법 제56조에 따라 휴일근로수당을 지급하여야 하는 휴일근로에 단체협약이나 취업규칙 등에 의하여 휴일로 정하여진 날의 근로가 포함되는지 여부(적극) 및 휴일로 정하였는지 판단하는 기준
[2] 여객자동차 운수업을 영위하는 甲 주식회사의 소속 운전기사인 乙 등이 甲 회사를 상대로 월 16일인 만근일을 초과한 근무일에 대하여 휴일근로 가산분의 지급을 구한 사안에서, 만근초과 근로가 근로기준법 또는 단체협약상 정해진 유급휴일 또는 무급휴일에 이루어졌다는 점에 관하여 乙 등이 아무런 주장·증명을 하지 않을 뿐 아니라, 단체협약에서 별도로 유급휴일과 무급휴일을 명시하고 있는 점에 비추어 보면 乙 등에게 근로제공의무가 없는 모든 날을 단체협약상 무급휴일로 확대해석할 수 없다는 이유로, 乙 등의 주장을 배척한 원심판단을 수긍한 사례

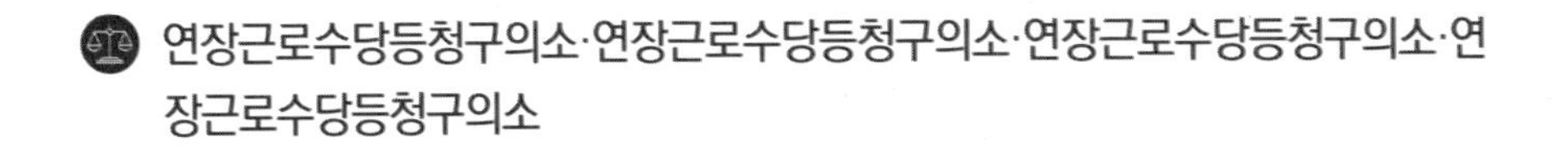

연장근로수당등청구의소·연장근로수당등청구의소·연장근로수당등청구의소·연장근로수당등청구의소

[대법원 2018. 9. 28., 선고, 2016다212869, 212876, 212883, 212890, 판결]

판시사항

[1] 통상임금의 개념적 징표로서 '일률성'의 의미
[2] 甲 주식회사가 소속 근로자들의 근무형태를 3조 3교대에서 4조 3교대로 변경하면서 근무형태 변경에 따른 연장근로수당 감소분을 보전하기 위하여 교대 조 근로자 전원에게 매월 기본일급의 3배에 해당하는 금액을 4/3조 수당으로 지급한 사안에서, 수당의 지급기준, 지급형태, 지급금액 등에 비추어 4/3조 수당은 교대제 근로자의 소정근로 자체에 대한 대가로써 지급된 것으로 보이고, 4/3조 수당의 지급조건인 교대 조 근무는 일시적, 유동적 조건이 아니라 고정적 조건에 해당한다고 보아야 하므로, 4/3조 수당은 일률성을 갖추었다고 봄이 타당한데도, 이와 달리 본 원심판단에 법리오해 등의 위법이 있다고 한 사례
[3] 구 근로기준법 제56조에 따라 휴일근로수당을 지급하여야 하는 휴일근로에 단체협약이나 취업규칙에 의하여 휴일로 정하여진 법정공휴일 등의 근로가 포함되는지 여부(적극)
[4] 근로기준법상 아무런 기준을 정한 바 없는 수당을 산정하면서 노사 간 합의로 근로기준법상의 개념이나 범위와 다른 통상임금을 수당 산정을 위한 수단으로 삼은 경우, 그와 같은 합의가 유효한지 여부(적극)
[5] 휴일근로시간이 구 근로기준법 제50조 제1항의 '1주간 기준근로시간 40시간' 및 제53조 제1항의 '1주간 연장근로시간 12시간'에 포함되는지 여부(소극) / 1주간 기준근로시간을 초과하여 이루어진 휴일근로에 대해 휴일근로에 따른 가산임금 외에 연장근로에 따른 가산임금이 중복하여 지급될 수 있는지 여부(소극)

7. 여성과 청소년 보호

1) 관련 법조문

■ **제64조**(최저 연령과 취직인허증)

① 15세 미만인 사람(「초ㆍ중등교육법」에 따른 중학교에 재학 중인 18세 미만인 사람을 포함한다)은 근로자로 사용하지 못한다. 다만, 대통령령으로 정하는 기준에 따라 고용노동부장관이 발급한 취직인허증(就職認許證)을 지닌 사람은 근로자로 사용할 수 있다. 〈개정 2010. 6. 4., 2020. 5. 26.〉

② 제1항의 취직인허증은 본인의 신청에 따라 의무교육에 지장이 없는 경우에는 직종(職種)을 지정하여서만 발행할 수 있다.

③ 고용노동부장관은 거짓이나 그 밖의 부정한 방법으로 제1항 단서의 취직인허증을 발급받은 사람에게는 그 인허를 취소하여야 한다. 〈개정 2010. 6. 4., 2020. 5. 26.〉

■ **제65조**(사용 금지)

① 사용자는 임신 중이거나 산후 1년이 지나지 아니한 여성(이하 "임산부"라 한다)과 18세 미만자를 도덕상 또는 보건 상 유해ㆍ위험한 사업에 사용하지 못한다.

② 사용자는 임산부가 아닌 18세 이상의 여성을 제1항에 따른 보건 상 유해ㆍ위험한 사업 중 임신 또는 출산에 관한 기능에 유해ㆍ위험한 사업에 사용하지 못한다.

③ 제1항 및 제2항에 따른 금지 직종은 대통령령으로 정한다.

■ **제66조**(연소자 증명서)

사용자는 18세 미만인 사람에 대하여는 그 연령을 증명하는 가족관계기록사항에 관한 증명서와 친권자 또는 후견인의 동의서를 사업장에 갖추어 두어야 한다. 〈개정 2007. 5. 17., 2020. 5. 26.〉

■ **제67조**(근로계약)

① 친권자나 후견인은 미성년자의 근로계약을 대리할 수 없다.

② 친권자, 후견인 또는 고용노동부장관은 근로계약이 미성년자에게 불리하다고 인정하는 경우에는 이를 해지할 수 있다. 〈개정 2010. 6. 4.〉

③ 사용자는 18세 미만인 사람과 근로계약을 체결하는 경우에는 제17조에 따른 근로조건을 서면으로 명시하여 교부하여야 한다. 〈신설 2007. 7. 27., 2020. 5. 26.〉

■ **제68조**(임금의 청구)

미성년자는 독자적으로 임금을 청구할 수 있다.

■ **제69조**(근로시간)

15세 이상 18세 미만인 사람의 근로시간은 1일에 7시간, 1주에 35시간을 초과하지 못한다. 다만, 당사자 사이의 합의에 따라 1일에 1시간, 1주에 5시간을 한도로 연장할 수 있다. 〈개정 2018. 3. 20., 2020. 5. 26.〉

■ **제70조**(야간근로와 휴일근로의 제한)

① 사용자는 18세 이상의 여성을 오후 10시부터 오전 6시까지의 시간 및 휴일에 근로시키려면 그 근로자의 동의를 받아야 한다.

② 사용자는 임산부와 18세 미만자를 오후 10시부터 오전 6시까지의 시간 및 휴일에 근로시키지 못한다. 다만, 다음 각 호의 어느 하나에 해당하는 경우로서 고용노동부장관의 인가를 받으면 그러하지 아니하다. 〈개정 2010. 6. 4.〉

1. 18세 미만자의 동의가 있는 경우
2. 산후 1년이 지나지 아니한 여성의 동의가 있는 경우
3. 임신 중의 여성이 명시적으로 청구하는 경우

③ 사용자는 제2항의 경우 고용노동부장관의 인가를 받기 전에 근로자의 건강 및 모성 보호를 위하여 그 시행 여부와 방법 등에 관하여 그 사업 또는 사업장의 근로자대표와 성실하게 협의하여야 한다. 〈개정 2010. 6. 4.〉

■ **제71조**(시간외근로)

사용자는 산후 1년이 지나지 아니한 여성에 대하여는 단체협약이 있는 경우라도 1일에 2시간, 1주에 6시간, 1년에 150시간을 초과하는 시간외근로를 시키지 못한다. 〈개정 2018. 3. 20.〉

■ **제72조**(갱내근로의 금지)

사용자는 여성과 18세 미만인 사람을 갱내(坑內)에서 근로시키지 못한다. 다만, 보건 · 의료, 보도 · 취재 등 대통령령으로 정하는 업무를 수행하기 위하여 일시적으로 필요한 경우에는 그러하지 아니하다. 〈개정 2020. 5. 26.〉

■ **제73조**(생리휴가)

사용자는 여성 근로자가 청구하면 월 1일의 생리휴가를 주어야 한다.

■ **제74조**(임산부의 보호)

① 사용자는 임신 중의 여성에게 출산 전과 출산 후를 통하여 90일(한 번에 둘 이상 자녀를 임신한 경우에는 120일)의 출산전후휴가를 주어야 한다. 이 경우 휴가 기간의 배정은 출산 후에 45일(한 번에 둘 이상 자녀를 임신한 경우에는 60일) 이상이 되어야 한다. 〈개정 2012. 2. 1., 2014. 1. 21.〉

② 사용자는 임신 중인 여성 근로자가 유산의 경험 등 대통령령으로 정하는 사유로 제1항의 휴가를 청구하는 경우 출산 전 어느 때 라도 휴가를 나누어 사용할 수 있도록 하여야 한다. 이 경우 출산 후의 휴가 기간은 연속하여 45일(한 번에 둘 이상 자녀를 임신한 경우에는 60일) 이상이 되어야 한다. 〈신설 2012. 2. 1., 2014. 1. 21.〉

③ 사용자는 임신 중인 여성이 유산 또는 사산한 경우로서 그 근로자가 청구하면 대통령령으로 정하는 바에 따라 유산 · 사산 휴가를 주어야 한다. 다만, 인공 임신중절 수술(「모자보건법」 제14조제1항에 따른 경우는 제외한다)에 따른 유산의 경우는 그러하지 아니하다. 〈개정 2012. 2. 1.〉

④ 제1항부터 제3항까지의 규정에 따른 휴가 중 최초 60일(한 번에 둘 이상 자녀를 임신한 경우에는 75일)은 유급으로 한다. 다만, 「남녀고용평등과 일 · 가정 양립 지원에 관한 법률」 제18조에 따라 출산전후휴가급여 등이 지급된 경우에는 그 금액의 한도에서 지급의 책임을 면한다. 〈개정 2007. 12. 21., 2012. 2. 1., 2014. 1. 21.〉

⑤ 사용자는 임신 중의 여성 근로자에게 시간외근로를 하게 하여서는 아니 되며, 그 근로자의 요구가 있는 경우에는 쉬운 종류의 근로로 전환하여야 한다. 〈개정 2012. 2. 1.〉

⑥ 사업주는 제1항에 따른 출산전후휴가 종료 후에는 휴가 전과 동일한 업무 또

는 동등한 수준의 임금을 지급하는 직무에 복귀시켜야 한다. 〈신설 2008. 3. 28., 2012. 2. 1.〉

⑦ 사용자는 임신 후 12주 이내 또는 36주 이후에 있는 여성 근로자가 1일 2시간의 근로시간 단축을 신청하는 경우 이를 허용하여야 한다. 다만, 1일 근로시간이 8시간 미만인 근로자에 대하여는 1일 근로시간이 6시간이 되도록 근로시간 단축을 허용할 수 있다. 〈신설 2014. 3. 24.〉

⑧ 사용자는 제7항에 따른 근로시간 단축을 이유로 해당 근로자의 임금을 삭감하여서는 아니 된다. 〈신설 2014. 3. 24.〉

⑨ 제7항에 따른 근로시간 단축의 신청방법 및 절차 등에 필요한 사항은 대통령령으로 정한다. 〈신설 2014. 3. 24.〉

[시행일] 제74조제7항, 제74조제8항, 제74조제9항의 개정규정은 다음 각 호의 구분에 따른 날

1. 상시 300명 이상의 근로자를 사용하는 사업 또는 사업장: 공포 후 6개월이 경과한 날
2. 상시 300명 미만의 근로자를 사용하는 사업 또는 사업장: 공포 후 2년이 경과한 날

■ **제74조의2**(태아검진 시간의 허용 등)

① 사용자는 임신한 여성근로자가 「모자보건법」 제10조에 따른 임산부 정기건강진단을 받는데 필요한 시간을 청구하는 경우 이를 허용하여 주어야 한다.

② 사용자는 제1항에 따른 건강진단 시간을 이유로 그 근로자의 임금을 삭감하여서는 아니 된다.

[본조신설 2008. 3. 21.]

■ **제75조**(육아 시간)

생후 1년 미만의 유아(乳兒)를 가진 여성 근로자가 청구하면 1일 2회 각각 30분 이상의 유급 수유 시간을 주어야 한다.

2) 여성 보호에 관련한 사례 및 판례

육아휴직급여부지급처분취소

[광주고법 2020. 5. 8., 선고, 2019누12509, 판결 : 상고]

판시사항

甲이 동일한 자녀에 대하여 약 20일의 간격을 두고 총 30일의 육아휴직을 1회 분할하여 사용한 후 육아휴직급여를 신청하였는데, 지방고용노동청장이 육아휴직을 30일 이상 부여받지 못하였다는 이유로 육아휴직급여 부지급 결정을 한 사안에서, 육아휴직을 부여받은 기간이 합산하여 30일 이상인 근로자는 육아휴직을 연속해서 30일 이상 부여받은 경우가 아니더라도 육아휴직급여를 신청할 수 있으므로, 위 처분이 위법하다고 한 사례

판결요지

甲이 동일한 자녀에 대하여 약 20일의 간격을 두고 총 30일의 육아휴직을 1회 분할하여 사용한 후 육아휴직급여를 신청하였는데, 지방고용노동청장이 육아휴직을 30일 이상 부여받지 못하였다는 이유로 육아휴직급여 부지급 결정을 한 사안이다.
육아휴직급여 제도의 입법 취지와 목적, 제·개정 연혁 및 다른 법률과의 관계, 육아휴직급여의 성격 등을 종합하여 볼 때, 구 고용보험법(2019. 8. 27. 법률 제16557호로 개정되기 전의 것, 이하 같다) 제70조 제1항이 문언에 육아휴직을 '연속하여' 30일 이상 부여받을 것을 요건으로 하고 있지 않은 이상, 육아휴직을 부여받은 기간이 합산하여 30일 이상인 근로자는 육아휴직을 연속해서 30일 이상 부여받은 경우가 아니더라도 육아휴직급여를 신청할 수 있다고 봄이 타당한바, 甲의 각 육아휴직은 위 자녀의 입원 치료와 병원 진료를 위한 것으로 보이므로, 육아휴직 대상 자녀를 진정으로 양육하기 위한 목적으로 사용된 점, 甲에게 육아휴직으로 감소한 소득을 보전해주는 것이 육아휴직급여 제도의 취지에 맞는 것으로 보이는 점, 甲은 앞의 육아휴직이 끝난 날로부터 기산하더라도 12개월 이내에 육아휴직급여를 신청하여서 甲의 육아휴직급여 신청이 신청기간 규정인 구 고용보험법 제70조 제2항의 취지에 반한다고 볼 수도 없는 점에 비추어, 甲은 육아휴직을 30일 이상 부여받은 피보험자에 해당하므로, 위 처분이 위법하다고 한 사례이다.

[1] 임신한 여성 근로자에게 업무에 기인하여 발생한 '태아의 건강손상'이 산업재해보상보험법 제5조 제1호에서 정한 근로자의 '업무상 재해'에 포함되는지 여부(적극)
[2] 임신한 여성 근로자에게 업무에 기인하여 모체의 일부인 태아의 건강이 손상되는 업무상 재해가 발생하여 산업재해보상보험법에 따른 요양급여 수급관계가 성립한 후 출산으로 모체와 단일체를 이루던 태아가 분리된 경우, 이미 성립한 요양급여 수급관계가 소멸되는지 여부(소극)

판결요지

[1] 산재보험제도와 요양급여제도의 취지, 성격 및 내용 등을 종합하면, 산업재해보상보험법(이하 "산재보험법"이라 한다)의 해석상 임신한 여성 근로자에게 그 업무에 기인하여 발생한 '태아의 건강손상'은 여성 근로자의 노동능력에 미치는 영향 정도와 관계없이 산재보험법 제5조 제1호에서 정한 근로자의 '업무상 재해'에 포함된다.
[2] 임신한 여성 근로자에게 업무에 기인하여 모체의 일부인 태아의 건강이 손상되는 업무상 재해가 발생하여 산업재해보상보험법에 따른 요양급여 수급관계가 성립하게 되었다면, 이후 출산으로 모체와 단일체를 이루던 태아가 분리되었다 하더라도 이미 성립한 요양급여 수급관계가 소멸된다고 볼 것은 아니다. 따라서 여성 근로자는 출산 이후에도 모체에서 분리되어 태어난 출산아의 선천성 질병 등에 관하여 요양급여를 수급할 수 있는 권리를 상실하지 않는다.

임금

[광주고법 2019. 6. 19., 선고, 2018나23307, 판결 : 상고]

판시사항

아이돌봄 지원법에 따라 甲 지방자치단체의 각 구청장이 관할 구역에 지정한 서비스제공기관을 통하여 아이돌봄서비스를 제공하였던 아이돌보미인 乙 등이 근로기준법상의 근로자에 해당하는지 문제된 사안에서, 제반 사정에 비추어 乙 등을 비롯한 아이돌보미가 서비스제공기관에 임금을 목적으로 종속적인 관계에서 근로를 제공하였다고 볼 수 없으므로 근로기준법상의 근로자에 해당하지 않는다고 한 사례

판결요지

아이돌봄 지원법에 따라 甲 지방자치단체의 각 구청장이 관할 구역에 지정한 서비스제공기관(이하 "서비스기관"이라 한다)을 통하여 아이돌봄서비스를 제공하였던 아이돌보미인 乙 등이 근로기준법상의 근로자에 해당하는지 문제 된 사안이다.

소속 아이돌보미를 선택하는 것에 관하여 서비스기관에 실질적인 재량이 있었다고 보기 어려운 점, 아이돌보미와 서비스기관 사이에 '아이돌봄 지원사업 아이돌보미 근로계약서'라는 명칭의 표준계약서가 작성되었다는 것만으로 근로관계를 성립시키려는 의사가 있었다고 단정하기 어려운 점, 아이돌보미는 서비스 신청 가정과 연계된 경우에 한하여 아이돌봄서비스를 제공할 의무를 부담하는데 서비스 신청 가정과의 연계 여부에 대한 선택권이 아이돌보미에게 있는 점, 아이돌보미는 서비스기관에 출퇴근할 의무가 없고 본인의 의사에 반하여 근로를 제공할 의무도 없으므로 서비스기관에 의하여 근무시간과 근무장소가 지정되고 이에 구속을 받는 것도 아닌 점, 아이돌보미에게 적용되는 취업규칙, 인사규정 등이 없는 점, 서비스기관이 아이돌보미에 대해 징계나 제재조치를 할 권한이 없는 점, 아이돌보미는 서비스기관으로부터 돌봄서비스 제공 시간당 정해진 수당을 지급받았을 뿐 별도로 기본급 내지 고정급, 상여금을 지급받지 않은 점 등에 비추어, 乙 등을 비롯한 아이돌보미가 서비스기관에 임금을 목적으로 종속적인 관계에서 근로를 제공하였다고 볼 수 없으므로 근로기준법상의 근로자에 해당하지 않는다고 한 사례이다.

부당해고구제재심판정취소

[서울행법 2019. 3. 21., 선고, 2018구합50376, 판결 : 항소]

판시사항

순환도로의 관리 회사로부터 순환도로 중 일부 구간 유지관리용역을 수급한 甲 주식회사가 乙과 3개월의 수습기간을 거쳐 수습평가 결과에 따라 본채용을 결정하기로 하는 근로계약을 체결하였는데, 수습기간 종료 후 乙에게 '수습기간 동안 무단결근을 하고 근무지시를 위반하는 등의 사유로 수습기간 평가결과가 70점 미만으로 정식채용 부적격 대상'이라는 이유로 '수습기간 종료에 따른 정식채용 부적격 결정 통보'를 한 사안에서, 위 본채용 거부통보가 사회통념상 타당하다고 볼 합리적인 이유를 인정할 수 없어 효력이 없다고 한 사례

순환도로의 관리 회사로부터 순환도로 중 일부 구간 유지관리용역을 수급한 甲 주식회사가 乙과 3개월의 수습기간을 거쳐 수습평가 결과에 따라 본채용을 결정하기로 하는 근로계약을 체결하였는데, 수습기간 종료 후 乙에게 '수습기간 동안 무단결근을 하고 근무지시를 위반하는 등의 사유로 수습기간 평가결과가 70점 미만으로 정식채용 부적격 대상'이라는 이유로 '수습기간 종료에 따른 정식채용 부적격 결정 통보'를 한 사안이다.

甲 회사가 초번 근무나 공휴일 근무를 지시한 것은 외관상으로는 취업규칙 및 복무규정에 따른 적법한 것이고, 본채용 거부통보의 전제가 되는 수습평가 결과 또한 '초번 근무 불이행' 및 '공휴일 무단결근'이라는 객관적 사실에 근거한 것이나, 乙에 대한 수습평가 결과에 따른 본채용 거부는 오직 공휴일 무단결근과 초번 근무지시를 거부한 것에 따른 근태 평가 때문인데, 乙의 초번 근무지시 거부나 공휴일 무단결근은 자녀 양육과 충돌되는 상황 때문이었던 점, 甲 회사는 남녀고용평등과 일·가정 양립 지원에 관한 법률 제19조의5의 규정 취지에 비추어 乙이 6세와 1세의 어린 자녀 양육 때문에 '무단결근' 또는 '초번 근무지시 거부'에 이른 사정을 헤아려 乙에게 일·가정 양립을 위하여 필요한 조치를 하도록 노력할 의무가 있는 등의 사정을 종합하면, 甲 회사는 乙의 수습기간 및 수습평가 과정에서 일·가정 양립을 위한 배려나 노력을 기울이지 아니하고 형식적으로 관련 규정을 적용하여 실질적으로 乙이 '근로자로서의 근무'와 '어린 자녀의 양육' 중 하나를 택일하도록 강제되는 상황에 처하게 하였고, 그 결과 乙이 '초번 근무'와 '공휴일 근무'를 수행하지 못하여 수습평가의 근태 항목에서 전체 점수의 절반을 감점당하는 결과를 가져왔으므로, 위 본채용 거부통보가 사회통념상 타당하다고 볼 합리적인 이유를 인정할 수 없어 효력이 없다고 한 사례이다.

육아휴직급여제한및반환 · 추가징수처분취소(육아휴직 중 해외 체류 등을 원인으로 한 육아휴직 급여 제한 및 반환처분 등이 적법한지 여부가 다투어진 사건)

[대법원 2017. 8. 23., 선고, 2015두51651, 판결]

판시사항

[1] 구 고용보험법상 육아휴직 급여를 지급받기 위해서는 '육아휴직 대상 자녀를 양육하기 위한 것'이 전제되어야 하는지 여부(원칙적 적극) 및 이때 양육의 의미 / 육아휴직 중인 근로자가 육아휴직 대상 자녀를 국내에 두고 해외에 체류한 경우, 육아휴직 대상인 자녀를 양육한 때에 해당하는지 판단하는 기준

[2] 구 고용보험법 제73조 제3항 및 제74조 제1항, 제62조 제1항이 정하고 있는 육아휴직 급여의 지급 제한, 반환명령 및 추가징수 요건으로서 '거짓이나 그 밖의 부정한 방법'의 의미 및 육아휴직 급여가 부정수급에 해당하는지는 엄격하게 해석·적용하여야 하는지 여부(적극) / '거짓이나 그 밖의 부정한 방법으로 급여를 지급받은 경우'에 해당한다고 보기 위한 요건 / 육아휴직 중인 근로자가 육아휴직 급여 신청서의 모든 사항을 사실대로 기재하고 제출서류도 모두 제대로 제출한 경우, 실질적인 육아휴직 급여 수급요건을 갖추지 못하였다고 하여 곧바로 은폐 등 소극적 행위에 의한 부정수급에 해당한다고 할 수 있는지 여부(소극)

판결요지

[1] 구 남녀고용평등과 일·가정 양립 지원에 관한 법률(2014. 1. 14. 법률 제12244호로 개정되기 전의 것) 제19조 제1항, 구 고용보험법(2014. 1. 21. 법률 제12323호로 개정되기 전의 것, 이하 "고용보험법"이라 한다) 제70조 제1항, 제73조 제3항, 제74조 제1항의 체계·문언·취지를 종합하여 보면, 고용보험법상 육아휴직 급여를 지급받기 위해서는 원칙적으로 '육아휴직 대상 자녀를 양육하기 위한 것'임이 전제되어야 한다.

일반적으로 양육(養育)은 '아이를 보살펴서 자라게 함'을 말하는데, 부모는 자녀의 양육에 적합한 방식을 적절하게 선택할 수 있으므로 육아휴직 기간 동안에도 해당 육아휴직 중인 근로자(이하 '육아휴직자'라 한다) 및 육아휴직 대상 자녀의 사정에 따라 다양한 방식으로 양육이 이루어질 수 있다.

육아휴직자가 육아휴직 대상 자녀를 국내에 두고 해외에 체류한 경우에도 그것이 육아휴직 대상인 자녀를 양육한 때에 해당하는지는 육아휴직자의 양육의사, 체류장소, 체류기간, 체류목적·경위, 육아휴직 전후의 양육의 형태와 방법 및 정도 등 여러 사정을 종합하여 사회통념에 따라 판단하여야 한다.

[2] 구 고용보험법(2014. 1. 21. 법률 제12323호로 개정되기 전의 것, 이하 "고용보험법"이라 한다) 제73조 제3항 및 제74조 제1항, 제62조 제1항이 정하고 있는 육아휴직 급여의 지급 제한, 반환명령

및 추가징수 요건으로서 '거짓이나 그 밖의 부정한 방법'이란 육아휴직 급여를 지급받을 수 없음에도 지급받을 자격을 가장하거나 지급받을 자격이 없다는 점 등을 감추기 위하여 행하는 일체의 부정행위로서 육아휴직 급여 지급에 관한 의사결정에 영향을 미칠 수 있는 적극적 및 소극적 행위를 뜻한다.

그런데 거짓이나 그 밖의 부정한 방법으로 육아휴직 급여를 지급받는 자는 침익적 처분인 육아휴직 급여 지급 제한, 반환명령 및 추가징수의 대상이 될 뿐 아니라, 고용보험법 제116조 제2항에 따라 형사처벌의 대상이 되는 점, 고용보험법 제74조 제1항에서 제62조 제3항을 준용하여, 수급자격자 또는 수급자격이 있었던 자에게 '잘못 지급된' 육아휴직 급여가 있으면 그 지급금액을 징수할 수 있도록 하는 별도의 반환명령에 관한 규정을 두고 있는 점 등에 비추어 볼 때, 육아휴직 급여가 부정수급에 해당하는지는 엄격하게 해석·적용하여야 한다.

따라서 '거짓이나 그 밖의 부정한 방법으로 급여를 지급받은 경우'에 해당한다고 보기 위해서는 허위, 기만, 은폐 등 사회통념상 부정이라고 인정되는 행위가 있어야 하고, 단순히 요건이 갖추어지지 아니하였음에도 급여를 수령한 경우까지 이에 해당한다고 볼 수는 없다. 그리고 육아휴직 중인 근로자가 관련 법령 및 행정관청에서 요구하는 육아휴직 급여 신청서 서식에 기재되어 있는 모든 사항을 사실대로 기재하고, 요청되는 제출서류도 모두 제대로 제출한 경우라면, 실질적인 육아휴직 급여 수급요건을 갖추지 못하였다고 하여 섣불리 은폐 등 소극적 행위에 의한 부정수급에 해당한다고 인정할 수는 없다.

생리휴가근로수당

[서울고법 2007. 5. 4., 선고, 2006나60054, 판결 : 확정]

판시사항

[1] 생리휴가의 법적 성질
[2] 여성근로자가 생리휴가를 사용하지 아니하고 근로한 경우, 사용자는 생리휴가근로수당을 지급하여야 하는지 여부(적극)
[3] 여성근로자가 자유의사로 생리휴가를 사용하지 않은 경우, 수당청구권까지 포기한 것으로 볼 것인지 여부(소극)

판결요지

[1] 생리휴가는 남성과 다른 생리적 특성을 가진 여성근로자의 건강뿐만 아니라 모성보호의 취지에서 우리나라 근로기준법의 '제5장 여성과 소년'란에 특별히 둔 보호규정이므로, 생리휴가는 철저하게 보장되어야 한다. 또한, 생리휴가와 연·월차휴가 모두 "사용자는 … 유급…휴가를 주어야 한다."고 규정하여 사용자에게 동일한 유급휴가 지급의무를 부과하고 있는 점에서 규정내용이 같고, 생리휴가가 제5장 여성과 소년란에 위치하고 있다고 하더라도 사용자에게 보장의무를 지우고 있는 '법정휴가'라는 점에서는 그 법적 성질이 같다.
[2] 여성인 근로자가 생리휴가기일에 휴가를 사용하지 아니하고 근로한 경우에는 근로의무가 면제된 특정일에 추가로 근로를 제공한 것이므로 사용자는 당연히 그 근로의 대가로서 이에 상응하는 생리휴가근로수당도 지급하여야 한다. 연·월차휴가의 경우에도 지급하는 휴가근로수당을, 단지 입법 취지, 목적 및 조문의 위치가 다르다는 점만으로 생리휴가의 경우에 지급하지 않는다면, 이는 여성의 모성을 특별히 보호하기 위한 구 근로기준법(2003. 9. 15. 법률 제6974호로 개정되기 전의 것) 제71조의 취지에 반한다.
[3] 생리휴가근로수당은 휴가일에 제공한 근로에 대한 추가 임금의 성질을 갖는 것으로서, 단지 근로자가 생리휴가를 미 사용하였다는 점만으로 사후에 발생한 수당청구권까지 포기하였다고 보기 어렵다.

직업안정법위반(인정된 죄명 : 파견근로자보호등에관한법률위반)

[대법원 2000. 9. 29., 선고, 2000도3051, 판결]

판시사항

[1] 회사의 대표이사 외에 실제 사주로서 근로자공급사업을 한 자가 파견근로자보호등에관한법률 제43조 제1호의 처벌대상자인 '제7조 제1항의 규정을 위반하여 근로자파견사업을 행한 자'에 해당하는지 여부(적극)
[2] 법률의 착오에 관한 형법 제16조의 규정 취지
[3] 파견근로자보호등에관한법률이 적용되는 파견근로자의 범위에 외국 국적의 근로자가 포함되는지 여부(적극)

[1] 주식회사의 대표이사만이 파견근로자보호등에관한법률 제43조 제1호의 처벌대상자인 "제7조 제1항의 규정을 위반하여 근로자파견사업을 행한 자"에 해당하는 것이 아니고 주식회사의 실 사주로서 실제 근로자공급사업을 한 자도 여기에 해당한다.

[2] 형법 제16조에 자기가 행한 행위가 법령에 의하여 죄가 되지 아니한 것으로 오인한 행위는 그 오인에 정당한 이유가 있는 때에 한하여 벌하지 아니한다고 규정하고 있는 것은 단순한 법률의 부지를 말하는 것이 아니고 일반적으로 범죄가 되는 경우이지만 자기의 특수한 경우에는 법령에 의하여 허용된 행위로서 죄가 되지 아니한다고 그릇 인식하고 그와 같이 그릇 인식함에 정당한 이유가 있는 경우에는 벌하지 않는다는 취지이다.

[3] 파견근로자보호등에관한법률은 파견근로자의 고용안정과 복지증진에 이바지하고 인력수급을 원활하게 함을 목적으로 하는 법률임이 명백하고, 근로자의 지위는 근로기준법 제5조에서 명시하고 있듯이 국적을 불문하고 차별적 대우를 받지 않게 되어 있으며, 근로자파견사업에 대하여 노동부장관의 허가를 받도록 하고 있는 입법취지 역시 무분별한 근로자파견으로 인해서 근로자가 입게 될 피해 등을 막기 위하여 정부가 파견사업주를 감독하고자 하는 것으로서 그 주된 목적이 근로자를 보호하기 위한 것이므로, 외국 국적의 근로자라고 하여 파견근로자보호등에관한법률이 적용되는 파견근로자의 범위에서 제외된다고 할 수 없다.

8. 직장 내 괴롭힘 관련 문제 및 조치 방안

1) 관련 법조문

■ **제76조의2**(직장 내 괴롭힘의 금지)

사용자 또는 근로자는 직장에서의 지위 또는 관계 등의 우위를 이용하여 업무상 적정범위를 넘어 다른 근로자에게 신체적 · 정신적 고통을 주거나 근무환경을 악화시키는 행위(이하 "직장 내 괴롭힘"이라 한다)를 하여서는 아니 된다.

[본조신설 2019. 1. 15.]

■ **제76조의3**(직장 내 괴롭힘 발생 시 조치)

① 누구든지 직장 내 괴롭힘 발생 사실을 알게 된 경우 그 사실을 사용자에게 신고할 수 있다.

② 사용자는 제1항에 따른 신고를 접수하거나 직장 내 괴롭힘 발생 사실을 인지

한 경우에는 지체 없이 그 사실 확인을 위한 조사를 실시하여야 한다.

③ 사용자는 제2항에 따른 조사 기간 동안 직장 내 괴롭힘과 관련하여 피해를 입은 근로자 또는 피해를 입었다고 주장하는 근로자(이하 "피해근로자등"이라 한다)를 보호하기 위하여 필요한 경우 해당 피해근로자등에 대하여 근무장소의 변경, 유급휴가 명령 등 적절한 조치를 하여야 한다. 이 경우 사용자는 피해근로자등의 의사에 반하는 조치를 하여서는 아니 된다.

④ 사용자는 제2항에 따른 조사 결과 직장 내 괴롭힘 발생 사실이 확인된 때에는 피해근로자가 요청하면 근무장소의 변경, 배치전환, 유급휴가 명령 등 적절한 조치를 하여야 한다.

⑤ 사용자는 제2항에 따른 조사 결과 직장 내 괴롭힘 발생 사실이 확인된 때에는 지체 없이 행위자에 대하여 징계, 근무장소의 변경 등 필요한 조치를 하여야 한다. 이 경우 사용자는 징계 등의 조치를 하기 전에 그 조치에 대하여 피해근로자의 의견을 들어야 한다.

⑥ 사용자는 직장 내 괴롭힘 발생 사실을 신고한 근로자 및 피해근로자등에게 해고나 그 밖의 불리한 처우를 하여서는 아니 된다.

[본조신설 2019. 1. 15.]

2) 직장 내 괴롭힘 중 성희롱 관련 위법성 판결 기준

손해배상(기)

[서울고법 1995. 7. 25., 선고, 94나15358, 판결 : 상고]

판시사항

[1] 새로운 불법행위유형의 인정 시 고려할 사항
[2] '성적 괴롭힘'의 보호법익과 보호 한계
[3] '성적 괴롭힘'의 요건
[4] '성적 괴롭힘'에 관한 위법성 판단
[5] '성적 괴롭힘'에 의한 손해의 입증책임
[6] '성적 괴롭힘'에 의한 손해배상청구가 배척된 사례

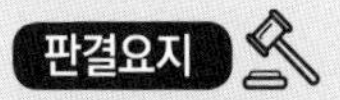

[1] 이른바 개방적 구성요건의 형태를 취하는 우리 민법 제750조의 체제하에서 법원은 변화하는 현실에 부응하여 새로운 유형의 불법행위를 인정할 수 있으나, 과거에는 인정되지 못했던 새로운 유형의 불법행위를 인정함에는 신중하여야 하며 그렇게 하는 경우에도 법적 안정성과 예측가능성이라고 하는 법치주의의 법 원리를 담보하기 위하여 불법행위로써 법의 제재를 받는 행위의 유형과 범위가 그 수범자로 하여금 쉽게 인식될 수 있도록 명확히 규정됨을 요한다.
[2] 이른바 '성적 괴롭힘'은 헌법상 보장되는 개인의 존엄성과 행복추구권으로부터 연역되는 일반적 인격권의 내용의 하나로서 이른바 성적 자주결정권을 침해할 뿐만 아니라 근로자로서는 성적인 차별을 당함이 없는 근로환경 하에서 성적 불쾌감을 받지 않고 일할 수 있는 근로자로서의 인격적 이익을 침해하는 것이라고 할 수 있다. 이러한 개인의 권리는 타인과 더불어 공동사회생활을 하는 시민의 한 사람으로서 사회적으로 제한받게 될 뿐 아니라 이러한 개인의 권리가 타인의 권리와 충돌하는 때에는 상호간의 권리 이익이 조화적으로 해결될 수 있도록 타협과 양보를 양해하지 않으면 안 되고, 그러한 조화적 해결을 위해서는 이익형량의 법리가 적용된다. 특히 하나의 공동목적을 위하여 직장이라고 하는 공동의 장에 자신을 입장시킨 개개인은 그 구체적 고용관계 내에서 스스로 개인적 자주결정권이 제한되며, 타인과의 관계에서는 타인의 행동의 자유가 반대이익으로 등장하게 됨을 인식하여야 한다. 한 직장에서 근로자의 인격권에 대한 침해가 그 침해하는 자 측에서 보아 업무수행을 위하여 필요한 것이거나 불가피한 것인 때에는 그 근로자는 그 직장을 떠나지 않으려면 또는 그가 그의 업무를 충실히 수행하려면 그 침해를 수인할 의무가 있는 경우도 있다.
[3] 성적 괴롭힘은 직장 내에서 여성의 인간의 존엄에 대한 공격행위를 모두 포괄한다고 할 수 있고 그 위법성의 여부를 판단함에는 당해 성적 언동의 성질이나 그것이 행해진 배경적 제 상황 등을 종합적으로 고려하여야 할 것이지만 새로이 성적 괴롭힘으로서 법적인 보호를 베풀어야 하는 행위는 다음과 같다. 첫째로 '성적 괴롭힘'은 고용관계와 관련하여 행해진 행위이어야 한다. 둘째로 '성적 괴롭힘'은 성적 행위, 즉 불쾌한 성적 접근에 응하기를 요구하는 행위 기타 성적인 성격을 가지는 일체의 언동을 포함하지만, 그 성적인 성격이 노골적이고 성적인 의도가 분명히 간취될 수 있어야 하며(교육상 또는 직업수행상의 필요에 의하여 행해지는 신체적 접촉 또는 친밀감의 표시나 사회 관습상 의례적으로 이루어지는 언동은 이에 해당될 수 없다), 그 행위의 태양은 중대하고 철저한 것이어야 한다. 셋째로 '성적 괴롭힘'은 그 행위 상대방이 원하지 않은 행위이며 그 판단에는 피해자가 실제로 가진 심리적 태도뿐 아니라 행위를 둘러싼 객관적인 정황을 고려하되 현존하는 사회적 편견으로 인하여 피해자가 입게 될 심리적·사회적 피해를 고려하여야 한다. 따라서 진지한 목적을 가진 호소나 권유는 이에 해당하지 않으며, 또 동의를 하였다고 하여 모두 원해진 행위라고 단정될 수 없다. 넷째로 '성적 괴롭힘'에는 고용조건이나 근로환경에 관하여 성을 이유로 한 차별적 취급이 있어야 한다. 여기에는 위와 같은 성적 행위에 대한 수용 여부에 따라 피해자의 고용관계에 대한 이익이나 불이익이 주어지는 경우(이른바 조건적 성적 괴롭힘)와 성적 행위 자체가 피해자로 하여금 굴욕감이나 혐오감을 갖게 하여 그의 업무수행이나 근로환경에 부당하고 심각한 불이익을 가져오는 경우(이른바 환경형 성적 괴롭힘)가 있을 수 있다. 성적 행위가 단순한 발언이나 일회적인 거동에 그치는 것으로서 피해자의 고용상의 지위 기타 노동조건에 구체적인 불이익을 가져오지 않는 경우에는 위법성이 부인된다.

[4] 성적 괴롭힘의 위법성 여부를 판단함에 있어서는 현재 피해자의 시각보다 가해자의 시각이 우세하고 여성에 대한 차별적 관행이 만연하고 있는 우리의 사회 사정을 고려하여 사회와 함께 살아가는 남녀의 관계를 공동적 화합관계로 이해하는 건전한 품위와 예의를 지닌 일반 평균인의 입장에서 이를 판단하여야 하며 남녀 간의 관계를 투쟁적·대립적 관계로 평가하는 여성주의적 관점만을 표준으로 하는 입장은 배척된다.
[5] 성적 괴롭힘을 원인으로 손해배상을 구함에는 불법행위의 일반원칙에 따라 그로 인하여 피해자가 입은 손해를 주장·입증하여야 한다. 조건적 성적 괴롭힘에 있어서 해고되었다거나 또는 사직하지 않을 수 없었음이 보복에 기인한 것임을 주장·입증하는 경우에는 손해의 발생이 입증되는 것이지만 이른바 환경형의 성적 괴롭힘에 있어서는 그 자체가 피해자의 업무수행에 부당히 간섭하고 적대적·굴욕적 근로환경을 조성함으로써 실제상 피해자가 업무능력을 저해 당하였다거나 정신적 안정에 중대한 영향을 미친 점을 주장·입증하여야 한다.
[6] 대학교 화학과 실험기기 담당 조교가 담당 교수로부터 환경형 또는 조건적 성적 괴롭힘을 당하였음을 이유로 한 손해배상청구를 인정하지 않은 사례

[대법원 1998. 2. 10., 선고, 95다39533, 판결]

판시사항

[1] 성적 표현행위의 위법성 판단 기준
[2] 대학교수의 조교에 대한 성적인 언동이 불법행위를 구성한다고 본 사례
[3] 이른바 성희롱의 불법행위 성립 여부를 판단함에 있어 이를 고용관계에 한정하거나 조건적 성희롱과 환경형 성희롱으로 구분하여 판단하는 방법의 합리성 여부(소극)
[4] 사용자 책임의 요건인 '사무집행에 관하여'의 의미와 그 판단 기준
[5] 직장 내에서 발생한 성희롱 행위가 직무관련성 없이 은밀하고 개인적으로 이루어진 경우, 사용자에게 고용계약상 보호의무 위반을 이유로 한 손해배상책임이 있는지 여부(소극)

판결요지

[1] 성적 표현행위의 위법성 여부는, 쌍방 당사자의 연령이나 관계, 행위가 행해진 장소 및 상황, 성적 동기나 의도의 유무, 행위에 대한 상대방의 명시적 또는 추정적인 반응의 내용, 행위의 내용 및 정도, 행위가 일회적 또는 단기간의 것인지 아니면 계속적인 것인지 여부 등의 구체적 사정을 종합하여, 그것이 사회공동체의 건전한 상식과 관행에 비추어 볼 때 용인될 수 있는 정도의 것인지 여부 즉 선량한 풍속 또는 사회질서에 위반되는 것인지 여부에 따라 결정되어야 하고, 상대방의 성적 표현행위로 인하여 인격권의 침해를 당한 자가 정신적 고통을 입는다는 것은 경험칙 상 명백하다.

[2] 피해자가 엔엠알기기 담당 유급조교로서 정식 임용되기 전후 2, 3개월 동안, 가해자가 기기의 조작 방법을 지도하는 과정에서 피해자의 어깨, 등, 손 등을 가해자의 손이나 팔로 무수히 접촉하였고, 복도 등에서 피해자와 마주칠 때면 피해자의 등에 손을 대거나 어깨를 잡았고, 실험실에서 "요즘 누가 시골 처녀처럼 이렇게 머리를 땋고 다니느냐."고 말하면서 피해자의 머리를 만지기도 하였으며, 피해자가 정식 임용된 후에는 단둘이서 입방식을 하자고 제의하기도 하고, 교수연구실에서 피해자를 심부름 기타 명목으로 수시로 불러들여 위아래로 훑어 보면서 몸매를 감상하는 듯한 태도를 취하여 피해자가 불쾌하고 곤혹스러운 느낌을 가졌다면, 화학과 교수 겸 엔엠알기기의 총책임자로서 사실상 피해자에 대하여 지휘·감독관계에 있는 가해자의 위와 같은 언동은 분명한 성적인 동기와 의도를 가진 것으로 보여 지고, 그러한 성적인 언동은 비록 일정 기간 동안에 한하는 것이지만 그 기간 동안만큼은 집요하고 계속적인 까닭에 사회통념상 일상생활에서 허용되는 단순한 농담 또는 호의적이고 권유적인 언동으로 볼 수 없고, 오히려 피해자로 하여금 성적 굴욕감이나 혐오감을 느끼게 하는 것으로서 피해자의 인격권을 침해한 것이며, 이러한 침해행위는 선량한 풍속 또는 사회질서에 위반하는 위법한 행위이고, 이로써 피해자가 정신적으로 고통을 입었음은 경험칙 상 명백하다고 한 사례.
[3] 이른바 성희롱의 위법성의 문제는 종전에는 법적 문제로 노출되지 아니한 채 묵인되거나 당사자 간에 해결되었던 것이나 앞으로는 빈번히 문제될 소지가 많다는 점에서는 새로운 유형의 불법행위이기는 하나, 이를 논함에 있어서는 이를 일반 불법행위의 한 유형으로 파악하여 행위의 위법성 여부에 따라 불법행위의 성부를 가리면 족한 것이지, 불법행위를 구성하는 성희롱을 고용관계에 한정하여, 조건적 성희롱과 환경형 성희롱으로 구분하고, 특히 환경형의 성희롱의 경우, 그 성희롱의 태양이 중대하고 철저한 정도에 이르러야 하며, 불법행위가 성립하기 위해서는 가해자의 성적 언동 자체가 피해자의 업무수행을 부당히 간섭하고 적대적 굴욕적 근무환경을 조성함으로써 실제상 피해자가 업무능력을 저해 당하였다거나 정신적인 안정에 중대한 영향을 입을 것을 요건으로 하는 것이므로 불법행위에 기한 손해배상을 청구하는 피해자로서는 가해자의 성희롱으로 말미암아 단순한 분노, 슬픔, 울화, 놀람을 초과하는 정신적 고통을 받았다는 점을 주장·입증하여야 한다는 견해는 이를 채택할 수 없다. 또한 피해자가 가해자의 성희롱을 거부하였다는 이유로 보복적으로 해고를 당하였든지 아니면 근로환경에 부당한 간섭을 당하였다든지 하는 사정은 위자료를 산정하는 데에 참작사유가 되는 것에 불과할 뿐 불법행위의 성립 여부를 좌우하는 요소는 아니다.
[4] 민법 제756조에 규정된 사용자 책임의 요건인 '사무집행에 관하여'라는 뜻은 피용자의 불법행위가 외형상 객관적으로 사용자의 사업 활동 내지 사무집행 행위 또는 그와 관련된 것이라고 보여 질 때에는 행위자의 주관적 사정을 고려함이 없이 이를 사무집행에 관하여 한 행위로 본다는 것이고, 외형상 객관적으로 사용자의 사무집행에 관련된 것인지의 여부는 피용자의 본래 직무와 불법행위와의 관련 정도 및 사용자에게 손해 발생에 대한 위험 창출과 방지조치 결여의 책임이 어느 정도 있는지를 고려하여 판단하여야 한다.

[5] 고용관계 또는 근로관계는 이른바 계속적 채권관계로서 인적 신뢰관계를 기초로 하는 것이므로, 고용계약에 있어 피용자가 신의칙상 성실하게 노무를 제공할 의무를 부담함에 대하여, 사용자로서는 피용자에 대한 보수지급의무 외에도 피용자의 인격을 존중하고 보호하며 피용자가 그 의무를 이행하는 데 있어서 손해를 받지 아니하도록 필요한 조치를 강구하고 피용자의 생명, 건강, 풍기 등에 관한 보호시설을 하는 등 쾌적한 근로환경을 제공함으로써 피용자를 보호하고 부조할 의무를 부담하는 것은 당연한 것이지만, 어느 피용자의 다른 피용자에 대한 성희롱 행위가 그의 사무집행과는 아무런 관련이 없을 뿐만 아니라, 가해자의 성희롱 행위가 은밀하고 개인적으로 이루어지고 피해자로서도 이를 공개하지 아니하여 사용자로서는 이를 알거나 알 수 있었다고 보여 지지도 아니하다면, 이러한 경우에서까지 사용자가 피해자에 대하여 고용계약상의 보호 의무를 다하지 아니하였다고 할 수는 없다.

3) 근로 기준법의 실효성 문제

지난해 7월 직장 내 괴롭힘 금지 제도가 시행된 이후 고용노동부에 직장 내 괴롭힘 신고로 접수된 건이 3000건을 넘은 것으로 집계됐다. 이 가운데 검찰에 송치된 사건은 22건이었다.

26일 고용노동부에 따르면 직장 내 괴롭힘을 금지한 개정 근로기준법이 시행된 지난해 7월 16일부터 올해 3월 31일까지 8개월여 동안 노동부에 접수된 직장 내 괴롭힘 진정 사건은 모두 3347건이었다.

이 가운데 노동부가 처리를 완료한 사건은 2739건으로, 당사자 합의 등으로 진정을 취하한 사건이 1312건으로 가장 많았다. 노동부의 시정 지시 등을 포함한 개선지도 495건으로 뒤를 이었다.

형사 처벌을 위해 검찰에 송치된 사건은 22건으로 0.8%에 불과했다. 나머지는 직장 내 괴롭힘 금지 조항이 적용되지 않는 5인 미만 사업장 사건 등으로 분류돼 행정 종결 처리됐다.

노동부에 접수된 직장 내 괴롭힘 사건을 유형별로 보면 폭언이 1638건으로 가장 많았다.

이어 부당 인사 912건, 따돌림 · 험담 456건, 업무 미부여 115건, 강요 113건, 차별 78건, 폭행 75건, 감시 42건, 사적 용무 지시 29건 순이었다. 한 사건이 여러 유형의 괴롭힘에 동시에 해당하는 경우도 많았다.

진정이 제기된 사업장은 제조업 607건이 가장 많았고 경비 · 청소를 포함한 사업시설관리업 492건과 보건 · 사회복지서비스업 472건도 많았다. 규모별로는 50인 미만 사업장 1923건이 절반을 넘었다.

[미디어펜=온라인뉴스팀] 출처

기출 문제

01 다음 중 성희롱 관련하여 판례 지문 중 옳지 않은 것은?

① 성적 표현행위의 위법성 여부는, 쌍방 당사자의 연령이나 관계, 행위가 행해진 장소 및 상황, 성적 동기나 의도의 유무, 행위에 대한 상대방의 명시적 또는 추정적인 반응의 내용, 행위의 내용 및 정도, 행위가 일회적 또는 단기간의 것인지 아니면 계속적인 것인지 여부 등의 구체적 사정을 종합하여, 그것이 사회공동체의 건전한 상식과 관행에 비추어 볼 때 용인될 수 있는 정도의 것인지 여부 즉 선량한 풍속 또는 사회질서에 위반되는 것인지 여부에 따라 결정되어야 하고, 상대방의 성적 표현행위로 인하여 인격권의 침해를 당한 자가 정신적 고통을 입는다는 것은 경험칙 상 명백하다.

(O)

---

② 피해자가 엔엠알기기 담당 유급조교로서 정식 임용되기 전후 2, 3개월 동안 가해자가 기기의 조작 방법을 지도하는 과정에서 피해자의 어깨, 등, 손 등을 가해자의 손이나 팔로 무수히 접촉하였고, 복도 등에서 피해자와 마주칠 때면 피해자의 등에 손을 대거나 어깨를 잡았고, 실험실에서 "요즘 누가 시골 처녀처럼 이렇게 머리를 땋고 다니느냐."고 말하면서 피해자의 머리를 만지기도 하였으며, 피해자가 정식 임용된 후에는 단둘이서 입방식을 하자고 제의하기도 하고, 교수연구실에서 피해자를 심부름 기타 명목으로 수시로 불러들여 위아래로 훑어 보면서 몸매를 감상하는 듯한 태도를 취하여 피해자가 불쾌하고 곤혹스러운 느낌을 가졌다면, 화학과 교수 겸 엔엠알기기의 총책임자로서 사실상 피해자에 대하여 지휘・감독관계에 있는 가해자의 위와 같은 언동은 분명한 성적인 동기와 의도를 가진 것으로 보여 진다.

(O)

기출 문제

③ 민법 제756조에 규정된 사용자 책임의 요건인 '사무집행에 관하여'라는 뜻은 피용자의 불법행위가 외형상 객관적으로 사용자의 사업 활동 내지 사무집행 행위 또는 그와 관련된 것이라고 보여 질 때에는 행위자의 주관적 사정을 고려함이 없이 이를 사무집행에 관하여 한 행위로 본다는 것이고, 외형상 객관적으로 사용자의 사무집행에 관련된 것인지의 여부는 피용자의 본래 직무와 불법행위와의 관련 정도 및 사용자에게 손해 발생에 대한 위험 창출과 방지조치 결여의 책임이 어느 정도 있는지를 고려하여 판단하여야 한다.

(O)

---

④ 고용관계 또는 근로관계는 이른바 계속적 채권관계로서 인적 신뢰관계를 기초로 하는 것이므로, 고용계약에 있어 피용자가 신의칙상 성실하게 노무를 제공할 의무를 부담함에 대하여 사용자로서는 피용자에 대한 보수지급의무 외에도 피용자의 인격을 존중하고 보호하며 피용자가 그 의무를 이행하는 데 있어서 손해를 받지 아니하도록 필요한 조치를 강구하여야 한다.

(O)

---

⑤ "요즘 누가 시골 처녀처럼 이렇게 머리를 땋고 다니느냐."고 말하면서 피해자의 머리를 만지기도 하였으며, 피해자가 정식 임용된 후에는 단둘이서 입방식을 하자고 제의하기도 하고, 교수연구실에서 피해자를 심부름 기타 명목으로 수시로 불러들여 위아래로 훑어보면서 몸매를 감상하는 듯한 태도를 취한 것은 위법행위로 볼 수 없다.

(X)

CHAPTER 3

민법

Dental Management Officer

민법

Dental Management Officer

03

1. 법률행위

1) 법률행위의 요건 및 종류

(1) 법률행위

채권계약: 매매계약, 임대차계약

물권계약: 전세권설정, 저당권설정

단독행위: 계약의 취소, 계약의 해제

(2) 법률행위의 요건(법률행위가 유효하기 위한 필수요소)

당사자: 권리능력, 의사능력, 행위능력을 가질 것

목적: 확정성, 가능성, 적법성, 타당성, 공정성을 가질 것

의사표시: 의사와 표시가 일치하고 하자가 없을 것

(3) 당사자 관련 법률 쟁점

① 판례법리

- 判例는 이러한 경우 대출계약에서는 당사자의 구체적인 특징(외모, 성격 등)보다는 신용이 중시되기 때문에 원칙적으로 명의대여자(형식적 주채무자)가 계약의 당사자이고, 명의차용자(실질적 주채무자)는 당사자가 아니라고 한다. 다만 명의차용자는 명의대여자와의 관계에 있어서만 자신의 권리를 주장할 수 있는 것이라고 보고 있다. 그런데 이러한 명의대여행위에 기하여 체결된 계약은, 특히 그 계약의 상대방이 이러한 명의대여 사실을 알고 있었다면 허위표시 또는 진의 아닌 의사표시로 무효가 아닌지 문제된다.

② 통정허위표시나 비진의표시가 아니라고 본 判例(원칙)

- 법률상 또는 사실상의 장애로 자기 명의로 대출받을 수 없는 자를 위하여

대 출금채무자로서의 명의를 빌려준 자에게 그와 같은 채무부담의 의사가 없는 것이라고는 할 수 없으므로 그 의사표시를 비진의표시에 해당한다고 볼 수 없고, 설령 명의대여자의 의사표시가 비진의표시에 해당한다고 하더라도 그 의사표시의 상대방인 상호신용금고로서는 명의대여자가 전혀 채무를 부담할 의사 없이 진의에 반한 의사표시를 하였다는 것까지 알았다거나 알 수 있었다고 볼 수도 없으므로, 그 명의대여자는 표시행위에 나타난 대로 대출금채무를 부담한다.(대판 1996.9.10. 96다18182).

- 통정허위표시가 성립하기 위해서는 의사표시의 진의와 표시가 일치하지 아니하고 그 불일치에 관하여 상대방과 사이에 합의가 있어야 하는데, 제3자가 금전소비대차약정서 등 대출관련서류에 주채무자 또는 연대 보증인으로써 직접 서명・날인하였다면 제3자는 자신이 그 소비대차계약의 채무자임을 금융기관에 대하여 표시한 셈이고, 제3자가 금융기관이 정한 여신제한 등의 규정을 회피하여 타인으로 하여금 제3자 명의로 대출을 받아 이를 사용하도록 할 의사가 있었다거나 그 원리금을 타인의 부담으로 상환하기로 하였더라도, 특별한 사정이 없는 한 이는 소비대차계약에 따른 경제적 효과를 타인에게 귀속시키려는 의사에 불과할 뿐, 그 법률상의 효과까지도 타인에게 귀속시키려는 의사로 볼 수는 없으므로 제3자의 진의와 표시에 불일치가 있다고 보기는 어렵다 할 것이다.(대판 1998.9.4. 98다17909, 대판 2007.6.14. 2006다53290)
- 구체적 사안에 있어서 위와 같은 특별한 사정의 존재를 인정하기 위해서는, 실제 차주와 명의대여자의 이해관계의 일치 여부, 대출금의 실제 지급 여부 및 직접 수령자, 대출서류 작성과정에 있어서 명의대여자의 관여 정도, 대출의 실행이 명의대여자의 신용에 근거하여 이루어진 것인지 혹은 실제 차주의 담보제공이 있었는지 여부, 명의대여자에 대한 신용조사의 실시 여부 및 조사의 정도, 대출 원리금의 연체에 따라 명의대여자에게 채무이행의 독촉이 있었는지 여부 및 그 독촉 시점 기타 명의대여의 경위와 명의대여자의 직업, 신분 등의 모든 사정을 종합하여, 금융기관이 명의대여자와 사이에 당해 대출에 따르는 법률상의 효과까지 실제 차주에게 귀속시키고 명의대여자에게는 그 채무부담을 지우지 않기로 약정 내지 양해하였음이 적극적으로 입증되어야 할 것이다.(대판 2008.6.12. 2008다7772,7789)

③ 통정허위표시로서 무효로 본 判例

- 동일인에 대한 대출액 한도를 제한한 법령이나 금융기관 내부규정의 적용을 회피하기 위하여 실질적인 주채무자가 실제 대출받고자 하는 채무액에 대하여 제3자를 형식상의 주채무자로 내세우고, 금융기관도 「이를 '양해'하여 제3자에 대하여는 채무자로서의 책임을 지우지 않을 의도」 하에 제3자 명의로 대출관계서류를 작성 받은 경우, 제3자는 형식상의 명의만을 빌려 준 자에 불과하고 그 대출계약의 실질적인 당사자는 금융기관과 실질적 주채무자이므로, 제3자 명의로 되어 있는 대출약정은 그 금융기관의 '양해'하에 그에 따른 채무부담의 의사 없이 형식적으로 이루어진 것에 불과하여 통정허위표시에 해당하는 무효의 법률행위이다.(대판 2007.11.29. 2007다53013, 대판 2002.10.11. 2001다7445, 대판 2001.5.29. 2001다11765, 대판 1996.8.23. 96다18076, 대판 1999.3.12. 98다48989 등)

④ 관련 판례

- 대출절차상의 편의를 위하여 명의만을 대여한 것이 통정허위표시가 되어 명의대여자를 채무자로 볼 수 없는 경우, 그 형식상 주채무자(명의대여자)가 실질적인 주채무자를 위하여 보증인이 될 의사가 있었다는 등의 특별한 사정이 없는 한 그 형식상의 주채무자에게 실질적 주채무자에 대한 보증의 의사가 있는 것으로 볼 수는 없다.(대판 2005.5.12. 2004다68366)

(4) 특별성립요건

① 토지 거래의 허가에서의 법률쟁점

- 본래 법률행위의 무효는 확정적인 것이어서 타인의 일정한 행위나 기타 유효요건이 후에 충족된다고 하여 유효하게 될 수는 없다. 그러나 이와는 달리 법률행위의 효력이 현재로서는 발생하지 않지만 추후에 허가 내지 인가를 받거나, 추인을 얻거나, 정지조건이 성취되거나, 시기가 도래함으로써 유효로 확정될 수 있는 법적 상태를 '유동적(불확정적) 무효'라고 한다.
- 특히 判例는 토지거래계약의 목적물이 '국토의 계획 및 이용에 관한 법률상 토지거래허가구역 내의 토지'인 경우에, 관청의 허가를 얻어야 비로소 계약의 효력이 발생한다고 하는 '유동적 무효'의 법리를 전개하고 있다. 다만 토지투기를 방지하기 위한 목적이므로 '유상계약'에 한정되어 적용되며(대판 2009.5.14. 2009도926), 허가의 법적 성질은 허가 전의 유동

적 무효 상태에 있는 법률행위의 효력을 완성시켜 주는 '인가'이다.(대판 1991.12.24. 90다12243)

② 허가 없이 체결한 토지거래계약의 효력 – 유동적 무효

● 허가를 전제로 한 계약은 허가를 받을 때까지는 미완성의 법률행위(유동적 무효상태)로서 확정적 무효(물권적 효력, 채권적 효력 발생하지 아니함)의 경우와 별반 다를 것이 없지만, 일단 허가를 받으면 「소급」하여 유효한 계약이 되어 다시 새로운 계약을 체결할 필요가 없다.(대판 1991.12.24. 90다12243)

(5) 법률행위의 종류

① 단독행위(일방행위)

- 상대방이 있는 단독행위: 취소, 해제, 해지, 추인, 철회, 채무면제, 임차권 양도 시 임대인동의
- 상대방이 없는 단독행위: 소유권포기(유언), 재단법인의 설립

② 계약(쌍방): 매매, 임대차, 증여, 매매의 일방예약, 합의에 따른 해제 및 해지

③ 불요식행위와 요식행위 - 필요한 방식이 있는지의 여부

④ 출연행위와 비출연행위 - 자신의 재산은 감소, 타인의 재산은 증가 여부
(매매, 증여, 교환 등 vs 소유권포기, 대리권수여)

⑤ 유상행위와 무상행위- 대가적 출연이 있는 행위의 여부
(매매, 교환, 임대차 vs 증여, 사용대차, 무이자소비대차)

⑥ 채권행위 - 당사자사이 채권, 채무관계를 발생시키는 것

⑦ 처분행위 - 권리의 변동을 초래하는 법률행위(이행 의무가 남아있지 않음)
- 물권행위(저당권, 전세권설정), 준물권행위(채권양도, 채무면제)

2) 법률행위의 목적 및 해석

(1) 법률행위의 목적

① 확정성 확정할 수 있는 기준이 있을 것

② 가능성과 불능

A. 가능성 - 법률행위 성립 당시 사회통념 상 가능한 것

B. 불능 - 원시적불능, 후발적불능, 객관적불능(어느 누구도 실현할 수 없는 것), 주관적불능(매매 시 타인부동산)

③ 적법성

A. 강행규정(물권법)

- 효력규정: 법 규정을 위반한 경우 효력무효(확정적 무효로 스스로 무효주장도 가능)(명의신탁, 주무관청 허가 요하는 규정, 토지거래허가규정, 초과중개수수료 금지규정, 최고이자율제한규정)
- 단속규정: 법 규정을 위반한 경우 처벌만 받고 효력은 유효(중간생략등기, 전매제한, 무허가음식물판매, 중개사와 의뢰인간의 직접거래 금지규정)

B. 임의규정(계약법): 당사자 간의 특약이 법률규정보다 우선

④ 사회적타당성

A. 반사회적 법률행위

- 절대적무효로 선의 제3자에게도 대항(주장)할 수 있고 추인하여도 유효가 될 수 없다.
- 누구든지, 누구에게도 무효를 주장할 수 있다.
- 부당이득 반환청구를 할 수 없다.

⑤ 불공정한 법률행위(폭리행위)

- 객관적 요건: 법률행위 성립당시의 급부와 반대급부의 현저한 불균형(객관적판단)
- 주관적요건: 폭리자의 악의를 갖추어야 폭리행위가 성립한다.

⑥ 관련 사례 및 판례 정리

[대법원 1995. 12. 8., 선고, 95다3282, 판결]

판시사항

[1] 치료비 청구액이 과다하여 불공정한 법률행위로서 무효가 되는 경우
[2] 치료비 청구액이 과다하여 신의칙 및 형평의 원칙에 반함으로써 그 과다 부분에 대한 지급을 청구할 수 없는 경우

판결요지

[1] 의료기관 또는 의사가 환자를 치료하고 그 치료비를 청구함에 있어서 그 치료행위와 그에 대한

일반의료수가 사이에 현저한 불균형이 존재하고 그와 같은 불균형이 피해 당사자의 궁박, 경솔 또는 무경험에 의하여 이루어진 경우에는 민법 제104조의 불공정한 법률행위에 해당하여 무효이므로 그 지급을 청구할 수 없다.
[2] 의료기관 또는 의사가 의료보험환자 아닌 일반 환자를 치료하고 그 치료비를 청구함에 있어서 그 치료를 마친 의사 또는 의료기관은 그 치료비에 관하여 의료보험수가가 아닌 일반의료수가를 기준으로 계산한 치료비 전액의 지급을 청구할 수 있다 할 것이지만, 치료계약에 이르게 된 경위, 수술·처치 등 치료의 경과와 난이도, 기타 변론에 나타난 제반 사정에 비추어 그 일반의료수가가 부당하게 과다하여 신의성실의 원칙이나 형평의 원칙에 반하는 특별한 사정이 있는 경우에는 예외적으로 그와 같은 제반 사정을 고려하여 상당하다고 인정되는 범위를 초과하는 금액에 대하여는 그 지급을 청구할 수 없다.

(2) 법률행위의 해석

① 자연적해석(내심의 의사, 오표시 무해의 원칙)

② 규범적해석(표의자의 의사표시를 알 수 없을 때 상대방의 시각에서 외부표시(서류) 대로 판단)

③ 보충적해석: 제3자의 시각에서 보충함

④ 법률행위의 해석 순서: 당사자의 의사(목적) → 사실인관습 → 임의법규 → 신의칙

⑤ 관련 사례 및 판례 정리

퇴직금·부당이득금반환

[대법원 2018. 7. 12., 선고, 2018다21821, 25502, 판결]

판시사항

[1] 퇴직금청구권을 미리 포기하기로 하는 약정의 효력(무효) 및 근로자가 퇴직하여 더 이상 근로계약관계에 있지 않은 상황에서 퇴직 시 발생한 퇴직금청구권을 나중에 포기하는 것이 허용되는지 여부(적극)
[2] 당사자가 표시한 문언에서 의미가 명확하게 드러나지 않는 경우, 법률행위의 해석 방법
[3] 甲이 乙 주식회사에 고용되어 근무하다가 퇴직한 후 약 10개월에 걸쳐 미지급 급여와 퇴직금 등 명목으로 돈을 지급받으면서 '본인은 귀사에 밀린 급료(퇴직금 포함)를 모두 정리하였으므로 더 이상의 추가 금액을 요구하지 않을 것을 약속합니다.'라는 각서를 작성·교부한 사안에서, 甲이 각서를 통해서 퇴직으로 발생한 퇴직금청구권을 사후에 포기한 것으로 보아야 하므로 乙 회사가 甲에게 퇴직금을 지급할 의무가 없다고 본 원심판단이 정당하다고 한 사례

판결요지

[1] 퇴직금은 사용자가 일정 기간을 계속근로하고 퇴직하는 근로자에게 계속근로에 대한 대가로서 지급하는 후불적 임금의 성질을 띤 금원으로서 구체적인 퇴직금청구권은 근로관계가 끝나는 퇴직이라는 사실을 요건으로 발생한다. 최종 퇴직 시 발생하는 퇴직금청구권을 미리 포기하는 것은 강행법규인 근로기준법, 근로자퇴직급여 보장법에 위반되어 무효이다. 그러나 근로자가 퇴직하여 더 이상 근로계약관계에 있지 않은 상황에서 퇴직 시 발생한 퇴직금청구권을 나중에 포기하는 것은 허용되고, 이러한 약정이 강행법규에 위반된다고 볼 수 없다.
[2] 법률행위의 해석은 당사자가 표시행위에 부여한 의미를 명백하게 확정하는 것으로서, 당사자가 표시한 문언에서 의미가 명확하게 드러나지 않는 경우에는 문언의 내용, 법률행위가 이루어진 동기와 경위, 당사자가 법률행위로 달성하려는 목적과 진정한 의사, 거래의 관행 등을 종합적으로 고려하여 논리와 경험의 법칙, 그리고 사회일반의 상식과 거래의 통념에 따라 합리적으로 해석하여야 한다.
[3] 甲이 乙 주식회사에 고용되어 근무하다가 퇴직한 후 약 10개월에 걸쳐 미지급 급여와 퇴직금 등 명목으로 돈을 지급받으면서 '본인은 귀사에 밀린 급료(퇴직금 포함)를 모두 정리하였으므로 더 이상의 추가 금액을 요구하지 않을 것을 약속합니다.'라는 각서를 작성·교부한 사안에서, 甲이 퇴직일부터 수개월이 지난 후 각서를 작성한 것을 비롯하여 각서의 작성경위와 문언 등에 비추어 甲이 각서를 통해서 퇴직금청구권을 미리 포기하였음을 확인한 것이 아니라 퇴직으로 발생한 퇴직금청구권을 사후에 포기한 것으로 보아야 하므로, 乙 회사가 甲에게 퇴직금을 지급할 의무가 없다고 본 원심판단이 정당하다고 한 사례.

3) 법률행위의 대리의 내용 및 대리권 범위 제한

(1) 대리의 의의와 종류

대리인이 본인을 위하여 의사표시를 하는 것. 본인에게 효과 귀속되는 것이며 대리의 종류에는 임의 대리와 법정대리가 있는바 임의대리는 본인의 수권행위에 의해 임명, 법정대리는 법률규정에 의해 임명되는 것이다.

(2) 대리권의 범위에 관한 법조문

■ **제118조 [대리권의 범위]**

권한을 정하지 아니한 대리인은 다음 각 호의 행위만을 할 수 있다.

1. 보존행위
2. 대리의 목적인 물건이나 권리의 성질을 변하지 아니하는 범위에서 그 이용 또는 개량하는 행위

■ **제124조 [자기계약, 쌍방대리]**

대리인은 본인의 허락이 없으면 본인을 위하여 자기와 법률행위를 하거나 동일한 법률행위에 관하여 당사자 쌍방을 대리하지 못한다.

■ **제127조 [대리권의 소멸사유]**

대리권은 다음 각 호의 어느 하나에 해당하는 사유가 있으면 소멸한다.

1. 본인의 사망
2. 대리인의 사망
3. 성년후견의 개시 또는 파산

■ **제128조 [임의대리의 종료]**

법률행위에 의하여 수여된 대리권은 전조의 경우 외에 그 원인된 법률관계의 종료에 의하여 소멸한다. 법률관계의 종료 전에 본인이 수권행위를 철회한 경우에도 같다.

(3) 대리행위의 효과

① 본인에게 귀속되는 법률효과

계약이 유효하게 해제되었다면, 해제로 인한 원상회복의무는 대리인이 아니라 계약의 당사자인 본인이 부담한다.

② 관련 사례 및 판례

손해배상(기)

[서울고법 1995. 7. 25., 선고, 94나15358, 판결 : 상고]

판시사항

甲은 乙과 사실혼 관계에 있었고, 乙은 丙 주식회사의 이사로 등재되어 있지 않으면서 운영에 관여해 왔는데, 甲과 乙이, 甲과 丙 회사 명의로 丙 회사가 甲에게 丙 회사의 부동산을 분양하기로 하는 내용의 분양계약서를 작성한 후 乙이 丙 회사의 인장을 날인한 사안에서, 위 분양계약 체결 행위는 무권대리행위로서 무효이고, 丙 회사가 이를 추인하였다고 인정하기에 부족하므로, 결국 甲과 丙 회사 명의로 체결된 분양계약은 무효라고 한 사례

판결요지

甲은 乙과 사실혼 관계에 있었고, 乙은 丙 주식회사의 이사로 등재되어 있지 않으면서 운영에 관여해 왔는데, 甲과 乙이, 甲과 丙 회사 명의로 丙 회사가 甲에게 丙 회사의 부동산을 분양하기로 하는 내용의 분양계약서를 작성한 후 乙이 丙 회사의 인장을 날인한 사안이다.

乙이 丙 회사의 대표자이거나 丙 회사로부터 분양계약서 작성 등에 관한 권한을 개별적·구체적으로 위임 또는 승낙을 받았다고 인정하기에 부족하므로, 乙이 丙 회사 명의로 한 분양계약 체결 행위는 무권대리행위로서 무효이고, 乙과 丙 회사의 명의로 乙의 채권자인 甲에게 채무변제에 갈음하여 부동산을 무상분양하기로 하는 내용의 합의각서가 작성되기는 하였으나 제반 사정 등에 비추어, 丙 회사가 乙의 무권대리행위가 있음을 알고 그 행위의 효과를 자기에게 귀속시키도록 하기 위하여 위 분양계약서 작성 행위를 추인하였다고 인정하기에 부족하므로, 결국 甲과 丙 회사 명의로 체결된 분양계약은 무효라고 한 사례이다.

무의미한연명치료장치제거등

[대법원 2009. 5. 21. 선고, 2009다17417, 전원합의체 판결]

판시사항

[1] 의료계약에 따른 진료의무의 내용
[2] 연명치료 중단의 허용 기준
[3] 연명치료 중단의 요건으로서 환자가 회복 불가능한 사망의 단계에 진입하였고 연명치료 중단을 구하는 환자의 의사를 추정할 수 있다고 한 사례

판결요지

[1] 환자가 의사 또는 의료기관(이하 '의료인'이라 한다)에게 진료를 의뢰하고 의료인이 그 요청에 응하여 치료행위를 개시하는 경우에 의료인과 환자 사이에는 의료계약이 성립된다. 의료계약에 따라 의료인은 질병의 치료 등을 위하여 모든 의료지식과 의료기술을 동원하여 환자를 진찰하고 치료할 의무를 부담하며 이에 대하여 환자 측은 보수를 지급할 의무를 부담한다. 질병의 진행과 환자 상태의 변화에 대응하여 이루어지는 가변적인 의료의 성질로 인하여 계약 당시에는 진료의 내용 및 범위가 개괄적이고 추상적이지만, 이후 질병의 확인, 환자의 상태와 자연적 변화, 진료행위에 의한 생체반응 등에 따라 제공되는 진료의 내용이 구체화되므로 의료인은 환자의 건강상태 등과 당시의 의료수준 그리고 자기의 지식경험에 따라 적절하다고 판단되는 진료방법을 선택할 수 있는 상당한 범위의 재

량을 가진다. 그렇지만 환자의 수술과 같이 신체를 침해하는 진료행위를 하는 경우에는 질병의 증상, 치료방법의 내용 및 필요성, 발생이 예상되는 위험 등에 관하여 당시의 의료수준에 비추어 상당하다고 생각되는 사항을 설명하여, 당해 환자가 그 필요성이나 위험성을 충분히 비교해 보고 그 진료행위를 받을 것인지의 여부를 선택하도록 함으로써 그 진료행위에 대한 동의를 받아야 한다. 환자의 동의는 헌법 제10조에서 규정한 개인의 인격권과 행복추구권에 의하여 보호되는 자기결정권을 보장하기 위한 것으로서, 환자가 생명과 신체의 기능을 어떻게 유지할 것인지에 대하여 스스로 결정하고 진료행위를 선택하게 되므로 의료계약에 의하여 제공되는 진료의 내용은 의료인의 설명과 환자의 동의에 의하여 구체화된다.

[2] [다수의견] (가) 의학적으로 환자가 의식의 회복가능성이 없고 생명과 관련된 중요한 생체기능의 상실을 회복할 수 없으며 환자의 신체 상태에 비추어 짧은 시간 내에 사망에 이를 수 있음이 명백한 경우(이하 '회복 불가능한 사망의 단계'라 한다)에 이루어지는 진료행위(이하 '연명치료'라 한다)는 원인이 되는 질병의 호전을 목적으로 하는 것이 아니라 질병의 호전을 사실상 포기한 상태에서 오로지 현 상태를 유지하기 위하여 이루어지는 치료에 불과하므로, 그에 이르지 아니한 경우와는 다른 기준으로 진료중단 허용 가능성을 판단하여야 한다. 이미 의식의 회복가능성을 상실하여 더 이상 인격체로서의 활동을 기대할 수 없고 자연적으로는 이미 죽음의 과정이 시작되었다고 볼 수 있는 회복 불가능한 사망의 단계에 이른 후에는 의학적으로 무의미한 신체 침해 행위에 해당하는 연명치료를 환자에게 강요하는 것이 오히려 인간의 존엄과 가치를 해하게 되므로, 이와 같은 예외적인 상황에서 죽음을 맞이하려는 환자의 의사결정을 존중하여 환자의 인간으로서의 존엄과 가치 및 행복추구권을 보호하는 것이 사회상규에 부합되고 헌법정신에도 어긋나지 아니한다. 그러므로 회복 불가능한 사망의 단계에 이른 후에 환자가 인간으로서의 존엄과 가치 및 행복추구권에 기초하여 자기결정권을 행사하는 것으로 인정되는 경우에는 특별한 사정이 없는 한 연명치료의 중단이 허용될 수 있다. 한편, 환자가 회복 불가능한 사망의 단계에 이르렀는지 여부는 주치의의 소견뿐 아니라 사실조회, 진료기록 감정 등에 나타난 다른 전문의사의 의학적 소견을 종합하여 신중하게 판단하여야 한다.
(나) 환자가 회복 불가능한 사망의 단계에 이르렀을 경우에 대비하여 미리 의료인에게 자신의 연명치료 거부 내지 중단에 관한 의사를 밝힌 경우(이하 '사전의료지시'라 한다)에는, 비록 진료 중단 시점에서 자기결정권을 행사한 것은 아니지만 사전의료지시를 한 후 환자의 의사가 바뀌었다고 볼 만한 특별한 사정이 없는 한 사전의료지시에 의하여 자기결정권을 행사한 것으로 인정할 수 있다. 다만, 이러한 사전의료지시는 진정한 자기결정권 행사로 볼 수 있을 정도의 요건을 갖추어야 하므로 의사결정능력이 있는 환자가 의료인으로부터 직접 충분한 의학적 정보를 제공받은 후 그 의학적 정보를 바탕으로 자신의 고유한 가치관에 따라 진지하게 구체적인 진료행위에 관한 의사를 결정하여야 하며, 이와 같은 의사결정 과정이 환자 자신이 직접 의료인을 상대방으로 하여 작성한 서면이나 의료인이 환자를 진료하는 과정에서 위와 같은 의사결정 내용을 기재한 진료기록 등에 의하여 진료 중단 시점에서 명확하게 입증될 수 있어야 비로소 사전의료지시로서의 효력을 인정할 수 있다.
(다) 한편, 환자의 사전의료지시가 없는 상태에서 회복 불가능한 사망의 단계에 진입한 경우에는 환자에게 의식의 회복가능성이 없으므로 더 이상 환자 자신이 자기결정권을 행사하여 진료행위의 내용 변경이나 중단을 요구하는 의사를 표시할 것을 기대할 수 없다. 그러나 환자의 평소 가치관이나 신념

등에 비추어 연명치료를 중단하는 것이 객관적으로 환자의 최선의 이익에 부합한다고 인정되어 환자에게 자기결정권을 행사할 수 있는 기회가 주어지더라도 연명치료의 중단을 선택하였을 것이라고 볼 수 있는 경우에는, 그 연명치료 중단에 관한 환자의 의사를 추정할 수 있다고 인정하는 것이 합리적이고 사회상규에 부합된다. 이러한 환자의 의사 추정은 객관적으로 이루어져야 한다. 따라서 환자의 의사를 확인할 수 있는 객관적인 자료가 있는 경우에는 반드시 이를 참고하여야 하고, 환자가 평소 일상생활을 통하여 가족, 친구 등에 대하여 한 의사표현, 타인에 대한 치료를 보고 환자가 보인 반응, 환자의 종교, 평소의 생활 태도 등을 환자의 나이, 치료의 부작용, 환자가 고통을 겪을 가능성, 회복 불가능한 사망의 단계에 이르기까지의 치료 과정, 질병의 정도, 현재의 환자 상태 등 객관적인 사정과 종합하여 환자가 현재의 신체 상태에서 의학적으로 충분한 정보를 제공받는 경우 연명치료 중단을 선택하였을 것이라고 인정되는 경우라야 그 의사를 추정할 수 있다.
(라) 환자 측이 직접 법원에 소를 제기한 경우가 아니라면, 환자가 회복 불가능한 사망의 단계에 이르렀는지 여부에 관하여는 전문 의사 등으로 구성된 위원회 등의 판단을 거치는 것이 바람직하다.
[대법관 이홍훈, 김능환의 반대의견] 생명에 직결되는 진료에서 환자의 자기결정권은 소극적으로 그 진료 내지 치료를 거부하는 방법으로는 행사될 수 있어도 이미 환자의 신체에 삽입, 장착되어 있는 인공호흡기 등의 생명유지장치를 제거하는 방법으로 치료를 중단하는 것과 같이 적극적인 방법으로 행사되는 것은 허용되지 아니한다. 환자가 인위적으로 생명을 유지, 연장하기 위한 생명유지장치의 삽입 또는 장착을 거부하는 경우, 특별한 사정이 없는 한, 비록 환자의 결정이 일반인의 관점에서는 비합리적인 것으로 보이더라도 의료인은 환자의 결정에 따라야 하고 일반적인 가치평가를 이유로 환자의 자기결정에 따른 명시적인 선택에 후견적으로 간섭하거나 개입하여서는 아니 된다. 그러나 이와는 달리 이미 생명유지장치가 삽입 또는 장착되어 있는 환자로부터 생명유지장치를 제거하고 그 장치에 의한 치료를 중단하는 것은 환자의 현재 상태에 인위적인 변경을 가하여 사망을 초래하거나 사망시간을 앞당기는 것이므로, 이미 삽입 또는 장착되어 있는 생명유지장치를 제거하거나 그 장치에 의한 치료를 중단하라는 환자의 요구는 특별한 사정이 없는 한 자살로 평가되어야 하고, 이와 같은 환자의 요구에 응하여 생명유지장치를 제거하고 치료를 중단하는 것은 자살에 관여하는 것으로서 원칙적으로 허용되지 않는다. 다만, 생명유지장치가 삽입, 장착되어 있는 상태에서도 환자가 몇 시간 또는 며칠 내와 같이 비교적 아주 짧은 기간 내에 사망할 것으로 예측, 판단되는 경우에는 환자가 이미 돌이킬 수 없는 사망의 과정에 진입하였고 생명유지장치에 의한 치료는 더 이상 의학적으로 의미가 없으며 생명의 유지, 보전에 아무런 도움도 주지 못하는 것이므로, 이 때에는 생명유지장치를 제거하고 치료를 중단하는 것이 허용된다.
[대법관 김지형, 박일환의 별개의견] 환자의 사전의료지시가 없는 상태에서 회복 불가능한 사망의 단계에 진입한 경우, 이러한 상태에 있는 환자는 법적으로 심신상실의 상태에 있는 자로 보아야 한다. 민법상 심신상실의 상태에 있는 자에 대하여는 금치산을 선고할 수 있으며 금치산이 선고된 경우에는 후견인을 두게 되는데, 그 후견인은 금치산자의 법정대리인이 되며 금치산자의 재산관리에 관한 사무를 처리하는 외에 금치산자의 요양, 감호에 관하여 일상의 주의를 기울여야 하는 의무를 부담한다. 따라서 후견인은 금치산자의 요양을 위하여 금치산자를 대리하여 의사와 의료계약을 체결할 수 있음은 당연하며, 그 의료계약 과정에서 이루어지는 수술 등 신체를 침해하는 행위에 관하여는 의사로부터 설명을 듣고 금치산자를 위한 동의 여부에 관한 의사를 표시할 수 있고, 마찬가지로 진료행위

가 개시된 후라도 금치산자의 최선의 이익을 위하여 필요하다고 인정되는 범위 내에서는 그 진료행위의 중단 등 의료계약 내용의 변경을 요구하는 행위를 할 수 있다. 다만, 진료행위가 금치산자 본인의 생명과 직결되는 경우에는 그 중단에 관한 환자 본인의 자기결정권이 제한되는 것과 마찬가지로 후견인의 행위는 제한되어야 하고, 환자의 자기결정권에 의한 연명치료 중단이 허용될 수 있는 경우라고 하더라도 후견인이 금치산자의 생명에 관한 자기결정권 자체를 대리할 수는 없으므로 후견인의 의사만으로 그 연명치료의 중단이 허용된다고 할 수 없다. 그렇다면 회복 불가능한 사망의 단계에 이른 경우에 이루어지는 연명치료의 계속이 금치산자인 환자 본인에게 무익하고 오히려 인간으로서의 존엄과 가치를 해칠 염려가 있어 이를 중단하는 것이 환자 본인의 이익을 보호하는 것이라고 하더라도 이는 항상 금치산자인 환자 본인의 생명 보호에 관한 법익 제한의 문제를 낳을 우려가 있으므로, 민법 제947조 제2항을 유추적용하여 후견인은 의료인에게 연명치료의 중단을 요구하는 것이 금치산자의 자기결정권을 실질적으로 보장할 수 있는 최선의 판단인지 여부에 관하여 법원의 허가를 받아야 하고, 이에 관하여는 가사소송법, 가사소송규칙, 비송사건절차법 등의 규정에 따라 가사비송절차에 의하여 심리·판단을 받을 수 있다. 한편, 이와 같이 비송절차에 의하여 연명치료 중단에 관한 법원의 허가를 받는 것이 가능하다고 하더라도, 환자 측이 반드시 비송절차에 따른 허가를 받아야 하는 것은 아니고 소송절차에 의하여 기판력 있는 판결을 구하는 것도 가능하다.

[3] [다수의견] 담당 주치의, 진료기록 감정의, 신체 감정의 등의 견해에 따르면 환자는 현재 지속적 식물인간상태로서 자발호흡이 없어 인공호흡기에 의하여 생명이 유지되는 상태로써 회복 불가능한 사망의 단계에 진입하였고, 환자의 일상생활에서의 대화 및 현 상태 등에 비추어 볼 때 환자가 현재의 상황에 관한 정보를 충분히 제공받았을 경우 현재 시행되고 있는 연명치료를 중단하고자 하는 의사를 추정할 수 있다.

[대법관 안대희, 양창수의 반대의견] 환자가 회복 불가능한 사망의 단계에 이르렀는지를 판단할 때 환자를 계속적으로 진료하여 옴으로써 환자의 상태를 직접적으로 얻은 자료에 의하여 가장 잘 알고 있을 담당 주치의의 의견은 단지 의료기록만을 통하여 환자의 상태에 접근한 다른 전문가의 견해에 비교하여 그에 일정한 무게를 두지 않을 수 없는바, 담당 주치의의 의견에 의하면 환자가 회복 불가능한 사망의 단계에 진입했다고 단정할 수 없고, 연명치료의 중단을 환자의 자기결정권에 의하여 정당화하는 한, 그 '추정적 의사'란 환자가 현실적으로 가지는 의사가 객관적인 정황으로부터 추단될 수 있는 경우에만 긍정될 수 있으며 다수의견이 말하는 바와 같은 '가정적 의사' 그 자체만으로 이를 인정할 수 없는바, 연명치료 중단에 관한 환자의 추정적 의사를 인정할 근거가 부족하다.

[대법관 이홍훈, 김능환의 반대의견] 환자가 생명유지장치인 인공호흡기가 이미 삽입, 장착되어 있는 상태에서 그 장치의 제거를 구하는 것이 정당하려면 생명유지장치가 삽입, 장착되어 있는 상태에서도 환자가 비교적 아주 짧은 기간 내에 사망할 것으로 예측, 판단되는 돌이킬 수 없는 사망의 과정에 진입하였다는 점이 전제되어야 하는데, 환자가 아직 뇌사 상태에는 이르지 아니한 지속적 식물인간 상태이고 기대여명이 적어도 4개월 이상이므로, 이러한 경우 환자가 돌이킬 수 없는 사망의 과정에 진입하였다고 할 수는 없다.

부당이득금

[서울고법 2011. 3. 23., 선고, 2010나63173, 판결 : 확정]

판시사항

[1] 사문서에 날인된 인영의 진정성립 추정이 번복되는 경우
[2] 甲 의료법인과 그 법인 소유의 병원 부지 및 건물에 대한 경매절차에서 배당을 받은 乙 주식회사 및 丙이 서로 배당이의의 소 등을 제기하여 그 소송 진행 중 丁이 甲 법인 대표이사 명의로 작성된 위임장에 근거하여 甲 법인의 대리인으로서 乙 회사 및 丙과 소 취하 등 합의 및 부제소 약정을 체결한 사안에서, 위임장에 날인된 甲 법인 법인인감의 인영이 당시 대표이사에 의해 날인된 것이 아님이 인정된다는 이유로 위임장의 진정성립을 부정하여 위 합의 및 약정이 甲 법인에 대하여 효력이 없다고 한 사례
[3] 제1심법원이 소가 부제소 약정을 위반하여 부적법하다는 이유로 각하하자 원고만이 항소한 사안에서, 위 부제소 약정은 권한 없는 대리인에 의하여 체결된 것으로 원고에게 효력이 없으므로 위 소는 적법하다고 하면서, 제1심판결을 취소하여 환송하지 않고 직접 본안심리를 한 다음 원고의 청구를 기각한 사례

판결요지

[1] 사문서에 날인된 작성 명의인의 인영이 그의 인장에 의하여 현출된 것이라면 특단의 사정이 없는 한 인영의 진정성립, 즉 날인행위가 작성 명의인의 의사에 기한 것임이 추정되고, 일단 인영의 진정성립이 추정되면
민사소송법 제358조에 의하여 문서 전체의 진정성립이 추정되나, 위와 같은 추정은 날인행위가 작성 명의인 이외의 자에 의하여 이루어진 것임이 밝혀지거나 작성 명의인의 의사에 반하여 혹은 작성 명의인의 의사에 기하지 않고 이루어진 것임이 밝혀진 경우에는 깨진다고 할 것이고, 나아가 위와 같은 인영의 진정성립, 즉 날인행위가 작성 명의인의 의사에 기한 것이라는 추정은 사실상의 추정이므로 인영의 진정성립을 다투는 자가 반증을 들어 인영의 진정성립, 즉 날인행위가 작성 명의인의 의사에 기한 것임에 관하여 법원으로 하여금 의심을 품게 할 수 있는 사정을 입증하면 진정성립의 추정은 깨진다.
[2] 甲 의료법인과 그 법인 소유의 병원 부지 및 건물에 대한 경매절차에서 배당을 받은 乙 주식회사 및 丙이 서로 배당이의의 소 등을 제기하여 그 소송이 진행되던 중 丁이 甲 법인 대표이사 명의로 작성된 위임장에 근거하여 甲 법인의 대리인으로서 乙 회사 및 丙과 소 취하 등 합의 및 부제소 약정을 체결한 사안에서, 위임장에 甲 법인의 법인인감이 날인되어 있음은 인정되나 위임장 작성 전부터 위 합의 당시까지 그 법인인감을 丙이 소지하고 있었던 사실 등에 비추어 위임장에 날인된 그 법인인감

의 인영은 당시 대표이사였던 자에 의해 날인된 것이 아님이 인정된다는 이유로 위임장의 진정성립을 부정하여 위 합의 및 약정은 권한 없는 대리인에 의해 체결된 것으로 甲 법인에 대하여 효력이 없다고 한 사례

[3] 제1심법원이 원고가 제기한 소가 부제소 약정을 위반하여 부적법하다는 이유로 이를 각하하자 이에 대하여 원고만이 항소한 사안에서 위 부제소 약정은 권한 없는 대리인에 의하여 체결된 것으로 원고에게 효력이 없으므로 위 소는 적법하다고 하면서, 제1심판결을 취소하여

민사소송법 제418조 본문에 따라 제1심법원에 환송하지 않고 제1심에서 본안판결을 할 수 있을 정도로 심리가 되었음을 인정하여

민사소송법 제418조 단서에 따라 직접 본안심리를 한 다음 원고의 청구를 이유 없다고 기각한 사례

손해배상(기)

[광주고법 2019. 4. 5., 선고, 2018나23581, 판결 : 상고]

판시사항

甲은 乙과 사실혼 관계에 있었고, 乙은 丙 주식회사의 이사로 등재되어 있지 않으면서 운영에 관여해 왔는데, 甲과 乙이, 甲과 丙 회사 명의로 丙 회사가 甲에게 丙 회사의 부동산을 분양하기로 하는 내용의 분양계약서를 작성한 후 乙이 丙 회사의 인장을 날인한 사안에서, 위 분양계약 체결 행위는 무권대리행위로서 무효이고 丙 회사가 이를 추인하였다고 인정하기에 부족하므로, 결국 甲과 丙 회사 명의로 체결된 분양계약은 무효라고 한 사례

판결요지

甲은 乙과 사실혼 관계에 있었고, 乙은 丙 주식회사의 이사로 등재되어 있지 않으면서 운영에 관여해 왔는데, 甲과 乙이, 甲과 丙 회사 명의로 丙 회사가 甲에게 丙 회사의 부동산을 분양하기로 하는 내용의 분양계약서를 작성한 후 乙이 丙 회사의 인장을 날인한 사안이다.

乙이 丙 회사의 대표자이거나 丙 회사로부터 분양계약서 작성 등에 관한 권한을 개별적·구체적으로 위임 또는 승낙을 받았다고 인정하기에 부족하므로 乙이 丙 회사 명의로 한 분양계약 체결 행위는 무권대리행위로서 무효이고, 乙과 丙 회사의 명의로 乙의 채권자인 甲에게 채무변제에 갈음하여 부동산을 무상분양하기로 하는 내용의 합의각서가 작성되기는 하였으나 제반 사정 등에 비추어 丙 회사가 乙의 무권대리행위가 있음을 알고 그 행위의 효과를 자기에게 귀속시키도록 하기 위하여 위 분양계약서 작성 행위를 추인하였다고 인정하기에 부족하므로, 결국 甲과 丙 회사 명의로 체결된 분양계약은 무효라고 한 사례이다.

소유권이전등기말소등기

[대법원 2009. 1. 30., 선고, 2008다73731, 판결]

판시사항

[1] 친권자가 자(子)를 대리하여 행한 자(子) 소유 재산의 처분행위가 친권자에 의한 대리권 남용에 해당하기 위한 요건
[2] 망인 명의의 토지가 명의신탁된 것이었을 가능성이 있다는 점 등을 고려하여, 친권자(망인의 처)가 미성년자인 딸과 공동으로 상속받은 토지를 망인의 형에게 증여한 행위가 친권의 남용에 해당하지 않는다고 한 사례

판결요지

[1] 친권자가 자(子)를 대리하는 법률행위는 친권자와 자(子) 사이의 이해상반행위에 해당하지 않는 한 그것을 할 것인가 아닌가는 자(子)를 위하여 친권을 행사하는 친권자가 자(子)를 둘러싼 여러 사정을 고려하여 행할 수 있는 재량에 맡겨진 것으로 보아야 하므로, 이와 같이 친권자가 자(子)를 대리하여 행한 자(子) 소유의 재산에 대한 처분행위에 대해서는 그것이 사실상 자(子)의 이익을 무시하고 친권자 본인 혹은 제3자의 이익을 도모하는 것만을 목적으로 하여 이루어졌다고 하는 등 친권자에게 자(子)를 대리할 권한을 수여한 법의 취지에 현저히 반한다고 인정되는 사정이 존재하지 않는 한 친권자에 의한 대리권의 남용에 해당한다고 쉽게 단정할 수 없다.
[2] 망인 명의의 토지가 명의신탁된 것이었을 가능성이 있다는 점 등을 고려하여, 친권자(망인의 처)가 미성년자인 딸과 공동으로 상속받은 토지를 망인의 형에게 증여한 행위가 친권의 남용에 해당하지 않는다고 한 사례.

2. 소멸시효 제도

1) 소멸시효의 법적성질과 요건

(1) 소멸시효의 법적 성질

소멸시효는 권리의 소멸 이라는 법률효과를 발생시키는 법률요건이다.

(2) 소멸시효의 요건에 관한 법조문

소멸시효가 성립하려면 대상이 되어야 하고, 권리의 불행사가 있어야 하며 소멸시효 기간이 만료해야 한다.

■ **민법 제162조**(채권, 재산권의 소멸시효)

① 채권은 10년간 행사하지 아니하면 소멸시효가 완성한다.

② 채권 및 소유권 이외의 재산권은 20년간 행사하지 아니하면 소멸시효가 완성한다.

■ **민법 제166조**(소멸시효의 기산점)

① 소멸시효는 권리를 행사할 수 있는 때로부터 진행한다.

② 부작위를 목적으로 하는 채권의 소멸시효는 위반행위를 한 때로부터 진행한다.

■ **제166조**

① 항의 '권리를 행사할 수 있는 때'란, 법률상 장애가 존재하지 않는 경우를 말한다. 따라서, 권리자가 권리발생 사실을 모르는 경우와 같은 사실상 장애는 소멸시효의 진행에 영향을 미치지 못한다.

■ **민법 제163조**(3년의 단기소멸시효)

다음 각 호의 채권은 3년간 행사하지 아니하면 소멸시효가 완성한다. 〈개정 1997. 12. 13.〉

1. 이자, 부양료, 급료, 사용료 기타 1년 이내의 기간으로 정한 금전 또는 물건의 지급을 목적으로 한 채권
2. 의사, 조산사, 간호사 및 약사의 치료, 근로 및 조제에 관한 채권
3. 도급받은 자, 기사 기타 공사의 설계 또는 감독에 종사하는 자의 공사에 관한 채권
4. 변호사, 변리사, 공증인, 공인회계사 및 법무사에 대한 직무상 보관한 서류의 반환을 청구하는 채권
5. 변호사, 변리사, 공증인, 공인회계사 및 법무사의 직무에 관한 채권
6. 생산자 및 상인이 판매한 생산물 및 상품의 대가
7. 수공업자 및 제조자의 업무에 관한 채권

■ **민법 제164조**(1년의 단기소멸시효)

다음 각 호의 채권은 1년간 행사하지 아니하면 소멸시효가 완성한다.

1. 여관, 음식점, 대석, 오락장의 숙박료, 음식료, 대석료, 입장료, 소비물의 대가 및 체당금의 채권
2. 의복, 침구, 장구 기타 동산의 사용료의 채권
3. 노역인, 연예인의 임금 및 그에 공급한 물건의 대금채권
4. 학생 및 수업자의 교육, 의식 및 유숙에 관한 교주, 숙주, 교사의 채권

2) 소멸시효의 중단

(1) 재판상 청구 관련 법조문

■ **민법 제168조**(소멸시효의 중단사유)

소멸시효는 다음 각 호의 사유로 인하여 중단된다.

1. 청구
2. 압류 또는 가압류, 가처분
3. 승인

■ **민법 제170조**(재판상의 청구와 시효중단)

① 재판상의 청구는 소송의 각하, 기각 또는 취하의 경우에는 시효중단의 효력이 없다.

(2) 파산절차참가

채권자가 파산절차에 참가하면 시효가 중단된다. 그러나 채권자가 이를 취소하거나 그 청구가 각하되면 시효중단 효력이 소멸한다.

(3) 지급명령

지급명령을 신청한 때에 시효중단 효력이 발생한다.

(4) 화해를 위한 소환

화해를 신청하면 시효가 중단된다. 그러나 상대방이 출석하지 않거나 화해가 성립되지 않았을 때에는 1월 이내에 소를 제기해야 시효중단 효력을 유지할 수 있다.

(5) 임의출석

화해가 성립되지 않았을 때 1월 이내에 소를 제기하여야 시효중단 효력을 유지할 수 있다.

(6) 최고

최고는 상대방에게 도달한 때에 시효중단 효력이 발생한다. 그러나 6월 이내에 법적절차(재판상 청구 · 파산절차참가 · 화해를 위한 소환 등)를 거치지 않으면 시효중단 효력은 소멸된다.

(7) 관련 사례 및 판례 정리

구상금

[대법원 2020. 2. 13., 선고, 2017다234965, 판결]

판시사항

[1] 하나의 채권 중 일부만을 청구하는 소송을 제기한 경우, 소멸시효 중단의 효력발생 범위
[2] 민법 제169조에서 정한 '승계인'의 의미 및 여기에 포괄승계인은 물론 특정승계인도 포함되는지 여부(적극)
[3] 교통사고 피해자인 甲이 소멸시효기간 경과 전 가해차량의 책임보험자인 乙 보험회사를 상대로 요양종결 뒤 일실수입 상당의 손해배상을 구하는 소를 제기하였다가 근로복지공단으로부터 장해급여를 지급받은 후 소를 취하하였는데, 그때로부터 6월이 지나기 전 근로복지공단이 위 손해배상청구권의 대위취득을 주장하며 乙 회사를 상대로 요양종결 뒤 일실수입 상당의 손해배상을 구하는 소를 제기하자, 乙 회사가 소멸시효 완성의 항변을 한 사안에서 甲의 소 제기로 시효중단의 효력이 발생한 후 근로복지공단이 甲에게 장해급여를 지급함으로써 산업재해보상보험법 제87조 제1항에 따라 甲의 요양종결 뒤 일실수입 상당의 손해배상청구권을 대위취득하여 권리를 승계하였고, 甲의 승계인인 근로복지공단이 甲의 소 취하일로부터 6월 이내에 소를 제기하였으므로 위 손해배상청구권 및 그 지연손해금청구권의 소멸시효는 甲이 乙 회사를 상대로 재판상 청구를 한 날에 중단되었다고 보아야 하는데도, 甲의 소 취하로 소멸시효 중단의 효력이 소멸하였다고 본 원심판단에는 소멸시효 중단에 관한 법리오해의 잘못이 있다고 한 사례

【참조조문】
[1] 민법 제168조, 제170조
[2] 민법 제169조, 제170조
[3] 민법 제168조, 제169조, 제170조, 산업재해보상보험법 제87조 제1항

【참조판례】
[1] 대법원 1975. 2. 25. 선고 74다1557 판결(공1975, 8348), 대법원 1992. 4. 10. 선고 91다43695 판결(공1992, 1541), 대법원 2020. 2. 6. 선고 2019다223723 판결(공2020상, 618) / [2] 대법원 1994. 6. 24. 선고 94다7737 판결(공1994하, 2070), 대법원 1997. 4. 25. 선고 96다46484 판결(공1997상, 1576)

손해배상(기)

[대법원 2019. 1. 31., 선고, 2016다258148, 판결]

판시사항

수사과정에서 불법구금이나 고문을 당한 사람이 공판절차에서 유죄 확정판결을 받고 수사관들을 직권남용, 감금 등 혐의로 고소하였으나 검찰에서 '혐의 없음' 결정을 받은 경우, 재심절차에서 무죄판결이 확정될 때까지는 국가를 상대로 불법구금이나 고문을 원인으로 한 손해배상청구를 할 것을 기대할 수 없는 장애사유가 있었다고 보아야 하는지 여부(적극)

판결요지

수사과정에서 불법구금이나 고문을 당한 사람이 그에 이은 공판절차에서 유죄 확정판결을 받고 수사관들을 직권남용, 감금 등 혐의로 고소하였으나 검찰에서 '혐의 없음' 결정까지 받았다가 나중에 재심절차에서 범죄의 증명이 없는 때에 해당한다는 이유로 형사소송법 제325조 후단에 따라 무죄판결을 선고받은 경우, 이러한 무죄판결이 확정될 때까지는 국가를 상대로 불법구금이나 고문을 원인으로 한 손해배상청구를 할 것을 기대할 수 없는 장애사유가 있었다고 보아야 한다. 이처럼 불법구금이나 고문을 당하고 공판절차에서 유죄 확정판결을 받았으며 수사관들을 직권남용, 감금 등 혐의로 고소하였으나 '혐의 없음' 결정까지 받은 경우에는 재심절차에서 무죄판결이 확정될 때까지 국가배상책임을 청구할 것을 기대하기 어렵고, 채무자인 국가가 그 원인을 제공하였다고 볼 수 있기 때문이다.

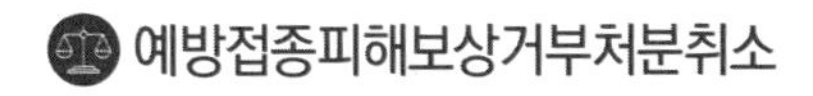

예방접종피해보상거부처분취소

[대법원 2019. 4. 3., 선고, 2017두52764, 판결]

판시사항

[1] 감염병의 예방 및 관리에 관한 법률 제71조에 따른 예방접종 피해에 대한 국가의 보상책임이 인정되기 위한 요건 / 예방접종과 장애 등 사이의 인과관계가 있다고 추단하기 위한 증명의 정도 / 피해자가 해당 장애 등과 관련한 다른 위험인자를 보유하고 있다거나, 해당 예방접종이 오랜 기간 널리 시행되었음에도 해당 장애 등에 대한 보고 내지 신고 또는 인과관계에 관한 조사·연구 등이 없는 경우, 이를 인과관계 유무를 판단할 때 고려할 수 있는지 여부(적극)
[2] 행정소송법 제13조 제1항에서 취소소송의 피고로 정한 행정청의 의미(=처분 권한을 가진 기관)
[3] 감염병의 예방 및 관리에 관한 법령상 예방접종 피해에 대한 국가의 보상금 지급에 대한 처분 권한을 가진 기관(=질병관리본부장)
[4] 제소기간에 관한 행정소송법 제20조 제1항에서 말하는 '행정심판'의 의미
[5] 수익적 행정행위 신청에 대한 거부처분이 있은 후 당사자가 다시 신청하고 행정청이 이를 다시 거절한 경우, 새로운 거부처분인지 여부(원칙적 적극)

판결요지

[1] 감염병의 예방 및 관리에 관한 법률(이하 '감염병예방법'이라 한다) 제71조에 의한 예방접종 피해에 대한 국가의 보상책임은 무과실책임이지만, 질병, 장애 또는 사망(이하 '장애 등'이라 한다)이 예방접종으로 발생하였다는 점이 인정되어야 한다.
여기서 예방접종과 장애 등 사이의 인과관계는 반드시 의학적·자연과학적으로 명백히 증명되어야 하는 것은 아니고, 간접적 사실관계 등 제반 사정을 고려할 때 인과관계가 있다고 추단되는 경우에는 증명이 있다고 보아야 한다. 인과관계를 추단하기 위해서는 특별한 사정이 없는 한 예방접종과 장애 등의 발생 사이에 시간적 밀접성이 있고, 피해자가 입은 장애 등이 예방접종으로부터 발생하였다고 추론하는 것이 의학이론이나 경험칙 상 불가능하지 않으며, 장애 등이 원인불명이거나 예방접종이 아닌 다른 원인에 의해 발생한 것이 아니라는 정도의 증명이 있으면 족하다.
그러나 이러한 정도에 이르지 못한 채 예방접종 후 면역력이 약해질 수 있다는 막연한 추측을 근거로 현대의학상 예방접종에 내재하는 위험이 현실화된 것으로 볼 수 없는 경우까지 곧바로 인과관계를 추단할 수는 없다. 특히 피해자가 해당 장애 등과 관련한 다른 위험인자를 보유하고 있다거나, 해당 예방접종이 오랜 기간 널리 시행되었음에도 해당 장애 등에 대한 보고 내지 신고 또는 그 인과관계에 관한 조사·연구 등이 없다면 인과관계 유무를 판단할 때 이를 고려할 수 있다.

[2] 취소소송은 다른 법률에 특별한 규정이 없는 한 처분 등을 행한 행정청을 피고로 한다.(행정소송법 제13조 제1항) 여기서 '행정청'이란 국가 또는 공공단체의 기관으로서 국가나 공공단체의 의견을 결정하여 외부에 표시할 수 있는 권한, 즉 처분 권한을 가진 기관을 말한다.
[3] 감염병의 예방 및 관리에 관한 법률에 따르면, 국가는 일정한 예방접종을 받은 사람이 그 예방접종으로 질병에 걸리거나 장애인이 되거나 사망하였을 때에는 대통령령으로 정하는 기준과 절차에 따라 보상을 하여야 하고(제71조), 법에 따른 보건복지부장관의 권한은 대통령령으로 정하는 바에 따라 일부를 질병관리본부장에게 위임할 수 있다.(제76조 제1항)
그 위임에 따른 구 감염병의 예방 및 관리에 관한 법률 시행령(2015. 1. 6. 대통령령 제26024호로 개정되기 전의 것)에 따르면, 보건복지부장관은 예방접종피해보상 전문위원회의 의견을 들어 보상 여부를 결정하고(제31조 제3항), 보상을 하기로 결정한 사람에게 보상 기준에 따른 보상금을 지급하며(제31조 제4항), 이러한 예방접종피해보상 업무에 관한 보건복지부장관의 권한은 질병관리본부장에게 위임되어 있다.(제32조 제1항 제20호)
위 규정에 따르면 법령상 보상금 지급에 대한 처분 권한은 국가사무인 예방접종피해보상에 관한 보건복지부장관의 위임을 받아 보상금 지급 여부를 결정하고, 보상금을 지급함으로써 대외적으로 보상금 지급 여부에 관한 의사를 표시할 수 있는 질병관리본부장에게 있다.
[4] 행정소송법 제20조 제1항에 따르면, 취소소송은 처분 등이 있음을 안 날부터 90일 이내에 제기하여야 하는데, 행정심판청구를 할 수 있는 경우에 행정심판청구가 있은 때의 기간은 재결서 정본을 송달받은 날부터 기산한다. 이처럼 취소소송의 제소기간을 제한함으로써 처분 등을 둘러싼 법률관계의 안정과 신속한 확정을 도모하려는 입법 취지에 비추어 볼 때, 여기서 말하는 '행정심판'은 행정심판법에 따른 일반행정심판과 이에 대한 특례로서 다른 법률에서 사안의 전문성과 특수성을 살리기 위하여 특히 필요하여 일반행정심판을 갈음하는 특별한 행정불복절차를 정한 경우의 특별행정심판(행정심판법 제4조)을 뜻한다.
[5] 수익적 행정행위 신청에 대한 거부처분은 당사자의 신청에 대하여 관할 행정청이 거절하는 의사를 대외적으로 명백히 표시함으로써 성립되고, 거부처분이 있은 후 당사자가 다시 신청을 한 경우에는 신청의 제목 여하에 불구하고 그 내용이 새로운 신청을 하는 취지라면 관할 행정청이 이를 다시 거절하는 것은 새로운 거부처분으로 봄이 원칙이다.

3. 손해 배상 책임

1) 손해배상 책임

(1) 책임의 근거 법조문

민법상 손해배상책임은 민법 제390조의 채무불이행을 원인으로 한 손해배상책임, 민법 제535조의 계약체결상의 과실책임, 민법 제580조 등 매매나 도급계약 등에 있어서의 담보책임, 민법 제750조의 불법행위책임의 총 네 가지가 있다.

■ **민법 제390조**(채무불이행과 손해배상)

채무자가 채무의 내용에 좇은 이행을 하지 아니한 때에는 채권자는 손해배상을 청구할 수 있다. 그러나 채무자의 고의나 과실 없이 이행할 수 없게 된 때에는 그러하지 아니하다.

■ **민법 제750조**(불법행위의 내용)

고의 또는 과실로 인한 위법행위로 타인에게 손해를 가한 자는 그 손해를 배상할 책임이 있다.

■ **민법 제763조**(준용규정)

제393조, 제394조, 제396조, 제399조의 규정은 불법행위로 인한 손해배상에 준용한다.

(2) 채무불이행을 원인으로 한 손해배상청구권

① 이행지체란 채무가 이행기에 있고, 또한 이행이 가능함에도 불구하고 채무자가 그의 책임 있는 사유, 즉 귀책사유로 채무의 내용에 좇은 이행을 하지 않는 것을 말한다. 이행지체를 채무자 지체라고도 한다.

이행지체의 요건으로서는 첫째, 이행기가 도래하였을 것, 둘째, 채무의 이행이 가능할 것, 셋째, 채무자에게 귀책사유가 있을 것, 넷째, 이행기에 이행하지 않는 것이 위법할 것을 들 수 있다.

② 이행불능이란 채권의 성립 후에 채무자의 책임 있는 사유로 급부가 불능할 경우를 말한다. 이행불능이 본래의 급부를 할 수 없다는 점에서 이행지체 및

불완전이행과 다르다.

이행불능의 요건으로서는 첫째 채권의 성립 후에 이행이 불능으로 되었을 것, 둘째, 불능이 채무자의 귀책사유에 기할 것, 셋째 이행기에 이행하지 못함이 위법할 것 등을 들 수 있다.

이행불능의 효과로서는 전보배상청구권, 계약해제권, 대상청구권 등이 발생한다.

③ 불완전 이행이라 함은 채무자가 채무의 이행으로서의 일정한 급부를 하였으나, 그것이 채무의 내용에 좇은 완전한 급부가 아니라 하자 있는 불완전한 급부이거나 혹은 채무이행과 관련된 주의의무, 설명의무 등 부수의무를 위반하여 채권자에게 손해를 발생케 하였거나 또는 보호의무에 위반하여 채권자의 생명, 신체, 건강 기타 재산상의 손해를 발생한 경우를 말한다.

다시 말하면 채무자가 급부를 조심성 없이 이행하여 채권자에게 손해를 준 경우를 말한다.

불완전 이행의 성립요건으로서는 첫째 이행행위가 있을 것, 둘째, 급부가 불완전하거나 부수의무를 위반 하거나 보호의무를 위반하였을 것(벌레 먹은 사과를 인도하여 그것을 먹은 채권자가 복통을 일으킨 경우 등), 셋째 채무자에게 귀책사유가 있고 넷째, 불완전이행이 위법할 것 등이다.

(3) 불법행위를 원인으로 한 손해배상청구권

불법행위라는 것이 반드시 실정법을 위반한 경우뿐 아니라, 법 질서에 비추어 법률이 보호하는 방식이 아닌 형태로 타인의 법익을 침해하는 경우를 포함하여 그 범위가 매우 넓기 때문에, 웬만한 통상의 손해배상을 구한다고 할 때에 근거조문은 민법 제750조가 된다.

2) 손해배상의 범위

(1) 범위 및 제한

① 발생한 손해의 범위만큼 배상하고, ② 그 손해의 발생은 손해배상을 청구하는 자가 증명해야 한다.

③ 손해배상의 범위

앞서 말한 바와 같이 우리 법상 손해배상의 범위는 발생한 손해 만큼이다. 그러나 일정한 경우 손해액 자체가 법정되어 있는 경우도 있고, 그 액수를 당사자 간의 합의로 미리 정해두는 경우도 있다.

전자의 경우 대표적인 예가 채무불이행 중 금전채무의 이행지체로 인한 지연손해금이다. 흔히 '지연 이자'라고도 하지만, 이는 손해배상액의 표현이 이자의 형태로 표현되기 때문에 관례적으로 사용되는 말이며, 지연손해금이 더 적절한 표현이다. 이 때문에 민법상 이자에 관한 법리(예컨대 단기소멸시효)는 적용될 여지가 없고 손해배상채권에 관한 법리가 적용된다. 당사자 사이에 지연손해금의 비율에 관하여 따로 정한 바가 있으면 그에 따르고, 별도의 이자약정이 있고 그것이 민법상 법정이율인 연 5%보다 높은 경우 그 이자약정을 지연손해금의 비율로 전용하는 합의가 있다고 보아 이자약정에 따른 이율로 지연손해금을 계산하며, 별도의 이자약정이 있으나 그것이 연 5%보다 낮으면 지연손해금률은 연 5%가 된다. 그리고 금전채무의 이행을 구하는 소를 제기하면 피고에게 그 소장부본이 송달된 다음날부터 소송촉진 등에 관한 특례법상 지연손해금률인 연 12%의 비율이 적용된다. 여기서 법정이율인 연 5%(상법의 경우 연 6%), 소촉법에 따른 연 12%의 지연손해금률이 바로 손해액 자체가 법정되어있는 경우이다.

예컨대 갑이 을에게 2015. 1. 1. 5억원을 이자 연 10%, 변제기 2016.1.1.로 정하여 대여하였고, 2016. 5. 1. 금전채무의 이행을 구하는 소를 제기하여 그 소장 부본이 2016. 5. 3. 을에게 송달되었다면, 을은 갑에게 원금 5억원 및 2015. 1. 1.부터 2016. 1. 1.까지는 연 10%의 비율에 의한 이자를, 2016. 1. 2.부터 2016. 5. 3.까지는 연 10%의 비율에 의한 지연손해금을, 2016. 5. 4.부터 다 갚는 날 까지는 연 12%의 비율에 의한 지연손해금을 지급할 의무가 있다. 소장에 들어가는 청구취지에는 금전의 성격을 개별적으로 밝혀주지는 않기 때문에, "피고는 원고에게 5억원 및 이에 대한 2015. 1. 1.부터 이 사건 소장부본 송달일 까지는 연 10%의, 그 다음날부터 다 갚는 날까지는 연 12%의 각 비율로 계산한 금원을 지급하라."라는 방식으로 기재한다.

후자의 경우 대표적인 예가 손해배상액의 예정이나 화해계약이다. 손해배상액의 예정은 계약을 체결하면서 채무불이행이 발생할 경우 손해배상액을 어느 수준으로 할지 미리 정해놓는 것을 말하고, 금전대여계약(소비대차계약)에서 지연손해금률을 정해놓는 것도 손해배상액의 예정에 해당하며, 도급계약에서의 지체상금 등도 손해배상액의 예정으로 인정된다. 또 흔히 매매계약에서 지급하는 계약금이나 위약금도 경우에 따라 손해배상액의 예정으로서의 성격을 가지기도 한다. 화해계약은 흔히 불법행위로 인한 피해를 입은 경우 합의서라는 이름으로 작성을 하기도 하는데, 이 경우 손해배상에 관한 약정을 하면서 일정한 액수로 손해를 배상하기로 합의를 하고 그에 따라 손해를 지급하며 그 외에 일체의 민형사상 책임을 묻지 않겠다는 단서를 다는 경우 등에 손해배상액이 합의된 금액으로 정해질 수 있는 경우가 있다.

④ 손익상계 및 과실상계

한편 불법행위나 채무불이행으로 인하여 피해자나 채권자가 오히려 이익을 얻었거나, 그러한 손해가 발생한 데에 피해자나 채권자의 과실도 있는 경우에는 손익상계 또는 과실상계가 이루어질 수 있다. 그러나 채무불이행의 경우 그로 인해 채권자가 이익을 얻거나 그 채무불이행에 채권자가 과실이 있는 경우는 매우 드물기 때문에, 대부분의 경우에는 불법행위에서 문제가 된다. 예컨대 불법해고로 인하여 회사에 대해서 손해배상채권을 갖는 근로자가 다른 취업기회를 얻어 일정한 임금을 또 받게 된 경우 손익상계가 이루어질 수도 있으며, 교통사고로 인하여 보행자가 피해를 입었는데 보행자가 충분히 차량에 주의를 기울이지 않은 과실이 있다면 과실비율만큼 손해배상액에서 공제하는 과실상계가 이루어질 수도 있다.[7] 그 순서로 과실상계를 먼저 한 후 손익상계를 한다. 예컨대 1억 원의 피해를 입었는데 그로 인해 피해자가 1천만 원의 이익을 보았고 피해자의 과실이 10%라면, 1천만 원의 이익을 차감한 9천만 원에서 10%를 공제한 8100만원을 배상받는 것이 아니라, 먼저 10%를 공제한 9천만 원에서 1천만 원을 추가로 공제한 8천만 원을 배상받게 된다.

⑤ 증명책임

원칙적으로 손해발생의 증명책임은 원고에게 있다. 그러나 그 손해의 발생에 관한 자료가 피고 등 일방 당사자에게 집중되어 있는 경우(강학 상으로 증거의 구조적 편재라고도 표현한다)에는 손해액의 증명이 매우 어려울 수 있기 때문에 판례의 법리에 따라 피고에게 손해발생이 없음을 증명하도록 하기도 하고, 금전채무불이행의 경우에도 손해의 발생 자체를 법률에서 의제하기도 한다.

(2) 관련사례 및 판례 정리

손해배상(의)

[대법원 2020. 2. 6., 선고, 2017다6726, 판결

판시사항

[1] 의사가 의료행위를 할 때 취하여야 할 주의의무의 정도 및 기준
[2] 의료행위상 주의의무 위반으로 인한 손해배상청구에서 의료 상 과실과 결과 사이의 인과관계를 추정하기 위한 피해자 측의 증명책임의 정도
[3] 甲이 뇌동맥류 파열에 따른 뇌지주막하출혈 치료를 위해 乙 병원에 입원하여 뇌동맥류 결찰술을 받고 합병증 관리를 위하여 중환자실에 있다가 방사선학적 뇌혈관연축 상태에서 일반병실로 옮겨졌는데, 그 후 사지가 뻣뻣하게 굳으며 혼수상태에 빠져들었고 자극에도 제대로 반응하지 않는 등 이상증세를 보여 다음 날 두개 감압술 등 수술을 받았으나 식물인간 상태에 이른 사안에서, 乙 병원이 방사선학적 뇌혈관연축 상태를 확인하고서도 칼슘길항제의 투여를 중단하고 甲을 중환자실에서 일반병실로 옮긴 점 및 甲의 이상증세에도 불구하고 즉시 필요한 조치를 취하지 않은 점은 乙 병원의 의료 상 과실이고, 이러한 의료 상 과실과 甲의 상태 사이에 일련의 의료행위 외에 개재될 만한 다른 원인이 없었으므로 의료 상 과실과 현재 甲의 상태 사이의 인과관계도 추정되는데도, 이와 달리 본 원심판단에 심리미진 등의 잘못이 있다고 한 사례

손해배상(의)

[대법원 2020. 2. 6., 선고, 2017다6726, 판결]

판시사항

甲이 심혈관계 질환의 일종인 심근경색 진단을 받아 스텐트 시술을 받은 후 심근경색 치료제를 장기간 복용하고 있었고 소염진통제인 디클로페낙(diclofenac) 약물에 대하여 부작용이 있었는데, 오른쪽 발목을 다쳐 乙 의료법인이 운영하는 병원에 내원하였다가 위 병원의 신경외과 전문의 丙의 처방에 따라 디클로페낙 성분의 주사제를 맞은 후 심근경색 및 과민성 쇼크 의증으로 사망한 사안에서, 乙 의료법인은 丙이 甲에게 디클로페낙 성분의 주사제 처방 전에 甲이나 보호자에게 주사제로 인한 부작용 및 합병증, 다른 치료방법 및 치료하지 않을 경우의 예후 등에 대하여 문진하지 않고 필요한 설명을 하지 아니한 과실로 甲이 디클로페낙 성분의 주사를 맞아 과민성 쇼크로 사망하게 한 불법행위에 대하여 丙의 사용자 내지 병원 경영진의 사용자로서 甲의 사망으로 인한 손해를 배상할 책임이 있다고 한 사례

손해배상(의)

[대법원 2019. 2. 14., 선고, 2017다203763, 판결]

판시사항

[1] 의료과오로 인한 손해배상청구 사건에서 의료상 과실과 결과 사이의 인과관계를 추정하기 위한 증명책임의 정도 및 의료 상 과실의 존재에 관한 증명책임의 소재(=피해자)
[2] 의사의 진료방법 선택에 과실이 있는지 판단하는 기준
[3] 문제 된 증상 발생에 관하여 의료 과실 이외의 다른 원인이 있다고 보기 어려운 간접사실들을 증명함으로써 그 증상이 의료 과실에 기한 것이라고 추정할 수 있는지 여부(적극) 및 위와 같은 경우에도 의사에게 무과실의 증명책임을 지울 수 있는지 여부(소극)
[4] 의료행위로 후유장애가 발생한 경우, 의료 상 과실 추정 여부의 판단 기준
[5] 甲이 乙로부터 전방 경유 요천추 추간판 수술을 받은 후 '사정장애와 역행성 사정'이 영구적으로 계속될 가능성이 높다는 진단을 받은 사안에서, 乙이 위 수술을 택한 것이 의사에게 인정되는 합리적 재량의 범위를 벗어난 것이라고 볼 수 없고, 후유증이 발생하였다는 것만으로 乙의 의료상 과실을 추정할 수 없다고 한 사례

[1] 의료과오로 인한 손해배상청구 사건에서 일반인의 상식에 비추어 의료행위 과정에서 저질러진 과실 있는 행위를 증명하고 그 행위와 결과 사이에 의료행위 외에 다른 원인이 개재될 수 없다는 점을 증명한 경우에는 의료 상 과실과 결과 사이의 인과관계를 추정하여 손해배상책임을 지울 수 있도록 증명책임이 완화된다. 그러나 이 경우에도 의료 상 과실의 존재는 피해자가 증명하여야 하므로 의료과정에서 주의의무 위반이 있었다는 점이 부정된다면 그 청구는 배척될 수밖에 없다.
[2] 의사는 진료를 하면서 환자의 상황, 당시의 의료 수준과 자신의 전문적 지식·경험에 따라 적절하다고 판단되는 진료방법을 선택할 수 있다. 그것이 합리적 재량의 범위를 벗어난 것이 아닌 한 진료결과를 놓고 그중 어느 하나만이 정당하고 이와 다른 조치를 취한 것에 과실이 있다고 할 수는 없다.
[3] 의료행위는 고도의 전문적 지식을 필요로 하는 분야로서 전문가가 아닌 일반인으로서는 의사의 의료행위 과정에 주의의무 위반이 있는 지나 주의의무 위반과 손해 발생 사이에 인과관계가 있는지를 밝혀내기가 매우 어렵다. 따라서 문제 된 증상 발생에 관하여 의료 과실 이외의 다른 원인이 있다고 보기 어려운 간접사실들을 증명함으로써 그와 같은 증상이 의료 과실에 기한 것이라고 추정할 수도 있다. 그러나 그 경우에도 의사의 과실로 인한 결과 발생을 추정할 정도의 개연성이 담보되지 않는 사정을 가지고 막연하게 중대한 결과에서 의사의 과실과 인과관계를 추정함으로써 결과적으로 의사에게 무과실의 증명책임을 지우는 것까지 허용되지는 않는다.
[4] 의료행위로 후유장해가 발생한 경우 후유장해가 당시 의료수준에서 최선의 조치를 다하는 때에도 의료행위 과정의 합병증으로 나타날 수 있거나 그 합병증으로 2차적으로 발생될 수 있다면, 의료행위의 내용이나 시술 과정, 합병증의 발생 부위·정도, 당시의 의료수준과 담당 의료진의 숙련도 등을 종합하여 볼 때에 그 증상이 일반적으로 인정되는 합병증의 범위를 벗어났다고 볼 수 없는 한, 후유장해가 발생되었다는 사실만으로 의료행위 과정에 과실이 있었다고 추정할 수 없다.
[5] 甲이 乙로부터 전방 경유 요천추 추간판 수술(이하 '전방 경유술'이라 한다)을 받은 후 '사정장애와 역행성 사정'이 영구적으로 계속될 가능성이 높다는 진단을 받은 사안에서, 乙이 전방 경유술을 택한 것이 의사에게 인정되는 합리적 재량의 범위를 벗어난 것이라고 볼 수 없으므로 거기에 주의의무 위반을 인정할 수 없고, 수술 중에 상하복교감신경총이 손상되어 역행성 사정의 후유증이 발생하였다고 보더라도 그것만으로 乙의 의료상 과실을 추정할 수 없을 뿐만 아니라 진료기록감정촉탁 결과 등에 비추어 甲의 상하복교감신경총 손상은 전방 경유술 중 박리 과정에서 불가피하게 발생하는 손상이거나 그로 인한 역행성 사정 등의 장해는 일반적으로 인정되는 합병증으로 볼 여지가 있으므로, 원심으로서는 수술 과정에서 상하복교감신경총 손상과 그로 인하여 영구적인 역행성 사정 등을 초래하는 원인으로 어떤 것이 있는지, 신경손상을 예방하기 위하여 乙에게 요구되는 주의의무의 구체적인 내용은 무엇인지, 乙이 그러한 주의의무를 준수하지 않은 것인지, 손상된 신경의 위치나 크기에 비추어 육안으로 이를 확인할 수 있는지, 乙이 주의의무를 준수하였다면 신경손상을 예방할 수 있는지 등을 살펴 신경손상과 그로 인한 역행성 사정 등의 결과가 수술 과정에서 일반적으로 인정되는 합병증의 범위를 벗어나 乙의 의료상 과실을 추정할 수 있는지를 판단했어야 하는데도, 이러한 사정을 심리하지 않고 乙의 의료상 과실을 인정한 원심판결에 법리오해 등의 잘못이 있다고 한 사례.

손해배상(의)

[대법원 2019. 2. 14., 선고, 2017다203763, 판결]

판시사항

[1] 의료과오로 인한 손해배상청구 사건에서 의료 상 과실과 결과 사이의 인과관계를 추정하기 위한 증명책임의 정도 및 의료 상 과실의 존재에 관한 증명책임의 소재(=피해자)
[2] 의사의 진료방법 선택에 과실이 있는지 판단하는 기준
[3] 문제 된 증상 발생에 관하여 의료 과실 이외의 다른 원인이 있다고 보기 어려운 간접사실들을 증명함으로써 그 증상이 의료 과실에 기한 것이라고 추정할 수 있는지 여부(적극) 및 위와 같은 경우에도 의사에게 무과실의 증명책임을 지울 수 있는지 여부(소극)
[4] 의료행위로 후유장애가 발생한 경우, 의료 상 과실 추정 여부의 판단 기준
[5] 甲이 乙로부터 전방 경유 요천추 추간판 수술을 받은 후 '사정장애와 역행성 사정'이 영구적으로 계속될 가능성이 높다는 진단을 받은 사안에서 乙이 위 수술을 택한 것이 의사에게 인정되는 합리적 재량의 범위를 벗어난 것이라고 볼 수 없고, 후유증이 발생하였다는 것만으로 乙의 의료 상 과실을 추정할 수 없다고 한 사례

판결요지

[1] 의료과오로 인한 손해배상청구 사건에서 일반인의 상식에 비추어 의료행위 과정에서 저질러진 과실 있는 행위를 증명하고 그 행위와 결과 사이에 의료행위 외에 다른 원인이 개재될 수 없다는 점을 증명한 경우에는 의료 상 과실과 결과 사이의 인과관계를 추정하여 손해배상책임을 지울 수 있도록 증명책임이 완화된다. 그러나 이 경우에도 의료 상 과실의 존재는 피해자가 증명하여야 하므로 의료과정에서 주의의무 위반이 있었다는 점이 부정된다면 그 청구는 배척될 수밖에 없다.
[2] 의사는 진료를 하면서 환자의 상황, 당시의 의료 수준과 자신의 전문적 지식·경험에 따라 적절 하다고 판단되는 진료방법을 선택할 수 있다. 그것이 합리적 재량의 범위를 벗어난 것이 아닌 한 진료 결과를 놓고 그중 어느 하나만이 정당하고 이와 다른 조치를 취한 것에 과실이 있다고 할 수는 없다.
[3] 의료행위는 고도의 전문적 지식을 필요로 하는 분야로서 전문가가 아닌 일반인으로서는 의사의 의료행위 과정에 주의의무 위반이 있는 지나 주의의무 위반과 손해 발생 사이에 인과관계가 있는지를 밝혀내기가 매우 어렵다. 따라서 문제 된 증상 발생에 관하여 의료 과실 이외의 다른 원인이 있다고 보기 어려운 간접사실들을 증명함으로써 그와 같은 증상이 의료 과실에 기한 것이라고 추정할 수도 있다. 그러나 그 경우에도 의사의 과실로 인한 결과 발생을 추정할 정도의 개연성이 담보되지 않는 사정을 가지고 막연하게 중대한 결과에서 의사의 과실과 인과관계를 추정함으로써 결과적으로 의사에게 무과실의 증명책임을 지우는 것까지 허용되지는 않는다.

[4] 의료행위로 후유장해가 발생한 경우 후유장해가 당시 의료수준에서 최선의 조치를 다하는 때에도 의료행위 과정의 합병증으로 나타날 수 있거나 그 합병증으로 2차적으로 발생될 수 있다면, 의료행위의 내용이나 시술 과정, 합병증의 발생 부위·정도, 당시의 의료수준과 담당 의료진의 숙련도 등을 종합하여 볼 때에 그 증상이 일반적으로 인정되는 합병증의 범위를 벗어났다고 볼 수 없는 한 후유장해가 발생되었다는 사실만으로 의료행위 과정에 과실이 있었다고 추정할 수 없다.
[5] 甲이 乙로부터 전방 경유 요천추 추간판 수술(이하 '전방 경유술'이라 한다)을 받은 후 '사정장애와 역행성 사정'이 영구적으로 계속될 가능성이 높다는 진단을 받은 사안에서 乙이 전방 경유술을 택한 것이 의사에게 인정되는 합리적 재량의 범위를 벗어난 것이라고 볼 수 없으므로 거기에 주의의무 위반을 인정할 수 없고, 수술 중에 상하복교감신경총이 손상되어 역행성 사정의 후유증이 발생하였다고 보더라도 그것만으로 乙의 의료 상 과실을 추정할 수 없을 뿐만 아니라 진료기록감정촉탁 결과 등에 비추어 甲의 상하복교감신경총 손상은 전방 경유술 중 박리 과정에서 불가피하게 발생하는 손상이거나 그로 인한 역행성 사정 등의 장해는 일반적으로 인정되는 합병증으로 볼 여지가 있으므로, 원심으로서는 수술 과정에서 상하복교감신경총 손상과 그로 인하여 영구적인 역행성 사정 등을 초래하는 원인으로 어떤 것이 있는지, 신경손상을 예방하기 위하여 乙에게 요구되는 주의의무의 구체적인 내용은 무엇인지, 乙이 그러한 주의의무를 준수하지 않은 것인지, 손상된 신경의 위치나 크기에 비추어 육안으로 이를 확인할 수 있는지, 乙이 주의의무를 준수하였다면 신경손상을 예방할 수 있는지 등을 살펴 신경손상과 그로 인한 역행성 사정 등의 결과가 수술 과정에서 일반적으로 인정되는 합병증의 범위를 벗어나 乙의 의료 상 과실을 추정할 수 있는지를 판단했어야 하는데도, 이러한 사정을 심리하지 않고 乙의 의료 상 과실을 인정한 원심판결에 법리오해 등의 잘못이 있다고 한 사례.

손해배상(의)

[대법원 2018. 12. 13., 선고, 2018다10562, 판결]

판시사항

[1] 의료진이 일반인의 수인한도를 넘어서 현저하게 불성실한 진료를 행한 경우, 위자료 배상책임을 부담하는지 여부(적극) 및 그 증명책임의 소재(=피해자)
[2] 甲이 乙 의료재단이 운영하는 丙 병원 응급실에 내원하여 치료를 받은 후 증세가 호전되어 귀가하였다가 약 7시간 후 같은 증상을 호소하며 2차로 내원하였는데, 丙 병원 의료진이 甲에게 투약 등의 조치를 시행하였고, 그 후 증세가 악화되자 집중 관찰을 실시하였으며, 2차 내원 후 약 3시간이 지나 응급실 당직의사가 甲의 혼수상태를 보고받고 조치를 취하였으나 甲이 사망에 이르게 된 사안에서 제반 사정에 비추어 丙 병원 의료진이 일반인의 수인한도를 현저하게 넘어설 만큼 불성실한 진료를 행한 잘못이 있었다고 보기는 어려운데도, 이와 달리 보아 乙 의료재단의 위자료 배상책임을 인정한 원심판단에 법리오해의 잘못이 있다고 한 사례

판결요지

[1] 의료진은 의료행위의 속성상 환자의 구체적인 증상이나 상황에 따라 발생하는 위험을 방지하기 위하여 최선의 조치를 취하여야 할 주의의무를 부담한다. 의료진이 환자의 기대에 반하여 환자의 치료에 전력을 다하지 않은 경우에는 업무상 주의의무를 위반한 것이라고 보아야 한다. 그러나 그러한 주의의무 위반과 환자에게 발생한 악결과(惡結果) 사이에 상당인과관계가 인정되지 않는 경우에는 그에 관한 손해배상을 구할 수 없다.

다만 주의의무 위반 정도가 일반인의 처지에서 보아 수인한도를 넘어설 만큼 현저하게 불성실한 진료를 행한 것이라고 평가될 정도에 이른 경우라면 그 자체로서 불법행위를 구성하여 그로 말미암아 환자나 그 가족이 입은 정신적 고통에 대한 위자료 배상을 명할 수 있다. 이때 수인한도를 넘어서는 정도로 현저하게 불성실한 진료를 하였다는 점은 불법행위의 성립을 주장하는 피해자가 증명하여야 한다.

[2] 甲이 乙 의료재단이 운영하는 丙 병원 응급실에 내원하여 치료를 받은 후 증세가 호전되어 귀가하였다가 약 7시간 후 같은 증상을 호소하며 2차로 내원하였는데, 丙 병원 의료진이 甲에게 투약 등의 조치를 시행하였고, 그 후 증세가 악화되자 집중 관찰을 실시하였으며, 2차 내원 후 약 3시간이 지나 응급실 당직의사가 甲의 혼수상태를 보고 받고 조치를 취하였으나 甲이 사망에 이르게 된 사안에서 甲이 2차 내원한 이후 혼수상태에 이를 때까지 적절한 치료와 검사를 지체하였다고 하더라도, 일반인의 수인한도를 넘어설 만큼 현저하게 불성실한 진료를 행한 것으로 평가될 정도에 이르지 않는 한 乙 의료재단의 위자료 배상책임을 인정할 수 없는데, 진료기록감정촉탁 결과 등 제반 사정에 비추어 丙 병원 의료진이 일반인의 수인한도를 현저하게 넘어설 만큼 불성실한 진료를 행한 잘못이 있었다고 보기는 어려운데도 이와 달리 보아 乙 의료재단의 위자료 배상책임을 인정한 원심판단에 법리오해의 잘못이 있다고 한 사례.

4. 민법상 불법행위와 손해배상책임

1) 민법상 불법행위 개관

타인에게 손해를 가하는 위법한 행위. 이는 손해배상책임의 원인이 된다.

과실 책임의 원칙에 의하여 고의 또는 과실이 있는 경우에만 배상책임을 지우는 것이 대원칙이지만, 예외적으로 무과실책임을 지우는 경우도 없지는 않다.

채무불이행과 불법행위는 모두 위법행위이다. 채무불이행은 적법한 채권관계를 전제로 하여 그 당사자 사이에서 채무를 이행하지 않는 데 대한 책임을 문제삼는 위법행위이고, 불법행위는 아무런 특별한 관계가 없는 자들 사이에서 가해행위의 책임을 문제삼는 위법행위이다.

2) 일반불법행위

(1) 관련 법조문

■ **민법 제750조**

고의 또는 과실로 인한 위법행위로 타인에게 손해를 가한 자는 그 손해를 배상할 책임이 있다.

(2) 요건

가해행위가 존재할 것

피해자에게 손해가 발생할 것

가해행위와 손해 발생 간에 인과관계가 있을 것

가해행위가 가해자의 고의 또는 과실(실수)에 의한 것일 것

(3) 책임능력

예외적으로, 가해자에게 책임능력이 없는 경우에는 손해배상을 하지 않아도 되는데, 그 사례로는 다음과 같은 것들이 있다.

첫째, 미성년자가 타인에게 손해를 가한 경우에 그 행위의 책임을 변식할 지능이 없는 때에는 배상의 책임이 없다(민법 제753조).

둘째, 심신상실 중에 타인에게 손해를 가한 자는 배상의 책임이 없다. 그러나 고의 또는 과실로 인하여 심신상실을 초래한 때에는 그러하지 아니하다(민법 제754조).

(4) 위법성

형법의 경우와 비슷하게도, 민법상 불법행위에서도 위법성조각사유가 문제된다.

타인의 불법행위에 대하여 자기 또는 제3자의 이익을 방위하기 위하여 부득이 타인에게 손해를 가한 자는 배상할 책임이 없다(정당방위). 그러나 피해자는 불법행위에 대하여 손해의 배상을 청구할 수 있다(민법 제761조 제1항).

이는 급박한 위난을 피하기 위하여 부득이 타인에게 손해를 가한 경우에도 마찬가지이다(긴급피난. 같은 조 제2항).

(5) 비재산적 손해

재산 이외의 손해에 대해서도 배상책임이 문제될 수 있다(위자료).

타인의 신체, 자유 또는 명예를 해하거나 기타 정신상고통을 가한 자는 재산 이외의 손해에 대하여도 배상할 책임이 있다(민법 제751조 제1항).

3) 특수한 불법행위

(1) 감독자의 책임

다른 자에게 손해를 가한 사람이 책임무능력자인 경우(민법 제753조 또는 제754조)에는 그를 감독할 법정의무가 있는 자가 그 손해를 배상할 책임이 있다(민법 제755조 제1항 본문).

다만, 감독의무를 게을리하지 아니한 경우에는 그러하지 아니하다(같은 항 단서).

감독의무자를 갈음하여 책임무능력자를 감독하는 자도 마찬가지의 책임이 있다(같은 조 제2항).

(2) 사용자책임

타인을 사용하여 어느 사무에 종사하게 한 자는 피용자가 그 사무집행에 관하여 제3자에게 가한 손해를 배상할 책임이 있다. 그러나 사용자가 피용자의 선임 및 그 사무감독에 상당한 주의를 한 때 또는 상당한 주의를 하여도 손해가 있을 경우에는 그러하지 아니하다. (민법 제756조).

사용자에 갈음하여 그 사무를 감독하는 자도 위와 같은 책임이 있다(같은 조 제2항).

(3) 도급인의 책임

도급인은 수급인이 그 일에 관하여 제삼자에게 가한 손해를 배상할 책임이 없다(민법 제757조 본문).

그러나 도급 또는 지시에 관하여 도급인에게 중대한 과실이 있는 때에는 그러하지 아니하다(같은 조 단서).

(4) 공작물책임

공작물의 설치 또는 보존의 하자로 인하여 타인에게 손해를 가한 때에는 공작물점유자가 손해를 배상할 책임이 있다(민법 제758조 제1항 본문).

그러나 점유자가 손해의 방지에 필요한 주의를 해태하지 아니한 때에는 그 소유자가 손해를 배상할 책임이 있다(같은 항 단서).

이상의 사항은, 수목의 재식 또는 보존에 하자있는 경우에도 마찬가지이다(같은 조 제2항).

(5) 동물점유자책임

동물의 점유자는 그 동물이 타인에게 가한 손해를 배상할 책임이 있다(민법 제759조 제1항 본문).

그러나 동물의 종류와 성질에 따라 그 보관에 상당한 주의를 해태하지 아니한 때에는 그러하지 아니하다(같은 항 단서).

점유자에 갈음하여 동물을 보관한 자도 마찬가지로 책임이 있다(같은 조 제2항).

4) 공동불법행위

수인이 공동의 불법행위로 타인에게 손해를 가한 때에는 연대하여 그 손해를 배상할 책임이 있다(민법 제760조 제1항).

공동 아닌 수인의 행위중 어느 자의 행위가 그 손해를 가한 것인지를 알 수 없는 때에도 전항과 같다(같은 조 제2항).

교사자나 방조자는 공동행위자로 본다(같은 조 제3항).

5) 불법행위의 효과

타인의 생명을 해한 자는 피해자의 직계존속, 직계비속 및 배우자에 대하여는 재산상의 손해없는 경우에도 손해배상의 책임이 있다(민법 제752조).

태아는 손해배상의 청구권에 관하여는 이미 출생한 것으로 본다(민법 제762조).

6) 손해배상 책임

(1) 방법

채무불이행의 경우와 마찬가지로, 다른 의사표시가 없으면 손해는 금전으로 배상한다(민법 제763조, 제394조).

다만 다음과 같은 특칙이 있다.

법원은 비재산적 손해의 배상을 정기금채무로 지급할 것을 명할 수 있고 그 이행을 확보하기 위하여 상당한 담보의 제공을 명할 수 있다(민법 제751조 제2항).

타인의 명예를 훼손한 자에 대하여는 법원은 피해자의 청구에 의하여 손해배상에 갈음하거나 손해배상과 함께 명예회복에 적당한 처분을 명할 수 있다(민법 제764조).

(2) 손해배상의 범위

손해배상의 범위에 관한 법리는, 채무불이행의 원칙적으로 같다.

불법행위로 인한 손해배상도 통상의 손해를 그 한도로 하고(민법 제763조, 제393조 제1항), 특별한 사정으로 인한 손해는 채무자가 그 사정을 알았거나 알 수 있었을 때에 한하여 배상의 책임이 있다(민법 제763조, 제393조 제2항)...라고 하는데, 이 준용규정의 정확한 해석에 관해서는 논란이 있다.[3]

불법행위에 관하여 채권자에게 과실이 있는 때에는 법원은 손해배상의 책임 및 그 금액을 정함에 이를 참작하여야 한다(과실상계. 민법 제763조, 제396조).

불법행위 특유의 사항으로 다음과 같은, 배상액의 경감청구 제도가 있다.

불법행위로 인한 손해배상 의무자는 그 손해가 고의 또는 중대한 과실에 의한 것이 아니고 그 배상으로 인하여 배상자의 생계에 중대한 영향을 미치게 될 경우에는 법원에 그 배상액의 경감을 청구할 수 있으며(민법 제765조 제1항), 법원은 이러한 청구가 있는 때에는 채권자 및 채무자의 경제상태와 손해의 원인 등을 참작하여 배상액을 경감할 수 있다(같은 조 제2항).

(3) 손해배상청구권의 소멸시효

불법행위로 인한 손해배상의 청구권은 피해자나 그 법정대리인이 그 손해 및 가해자를 안 날로부터 3년간 이를 행사하지 아니하면 시효로 인하여 소멸한다(민법 제766조 제1항).

불법행위를 한 날로부터 10년을 경과한 때에도 같다(같은 조 제2항).

7) 손해배상에 따른 구상

채무불이행의 경우와 마찬가지로, 채권자가 그 채권의 목적인 물건 또는 권리의 가액전부를 손해배상으로 받은 때에는 채무자는 그 물건 또는 권리에 관하여 당연히 채권자를 대위한다(민법 제763조, 제399조).

사용자책임의 경우에, 배상을 한 사용자 또는 감독자는 피용자에 대하여 구상권을 행사할 수 있다(민법 제756조 제3항).

공작물책임의 경우에, 배상을 한 점유자 또는 소유자는 그 손해의 원인에 대한 책임있는 자에 대하여 구상권을 행사할 수 있다(민법 제758조 제3항).

기출 문제

01 다음 의료소송 판례 지문 중 옳지 못한 것은?

의료과오로 인한 손해배상청구 사건에서 의료상 과실과 결과 사이의 인과관계를 추정하기 위한 증명책임의 정도 및 의료상 과실의 존재에 관한 증명책임의 주체는 피해자가 아니라 의료인이다.

(X)

의사는 진료를 하면서 환자의 상황, 당시의 의료 수준과 자신의 전문적 지식 · 경험에 따라 적절하다고 판단되는 진료방법을 선택할 수 있다. 그것이 합리적 재량의 범위를 벗어난 것이 아닌 한 진료 결과를 놓고 그중 어느 하나만이 정당하고 이와 다른 조치를 취한 것에 과실이 있다고 할 수는 없다.

(O)

의료행위는 고도의 전문적 지식을 필요로 하는 분야로서 전문가가 아닌 일반인으로서는 의사의 의료행위 과정에 주의의무 위반이 있는지나 주의의무 위반과 손해발생 사이에 인과관계가 있는지를 밝혀내기가 매우 어렵다. 따라서 문제 된 증상 발생에 관하여 의료 과실 이외의 다른 원인이 있다고 보기 어려운 간접사실들을 증명함으로써 그와 같은 증상이 의료 과실에 기한 것이라고 추정할 수도 있다. 그러나 그 경우에도 의사의 과실로 인한 결과 발생을 추정할 정도의 개연성이 담보되지 않는 사정을 가지고 막연하게 중대한 결과에서 의사의 과실과 인과관계를 추정함으로써 결과적으로 의사에게 무과실의 증명책임을 지우는 것까지 허용된다.

(X)

기출 문제

의료행위로 후유장해가 발생한 경우 후유장해가 당시 의료수준에서 최선의 조치를 다하는 때에도 의료행위 과정의 합병증으로 나타날 수 있거나 그 합병증으로 2차적으로 발생될 수 있다면, 의료행위의 내용이나 시술 과정, 합병증의 발생 부위·정도, 당시의 의료수준과 담당 의료진의 숙련도 등을 종합하여 볼 때에 그 증상이 일반적으로 인정되는 합병증의 범위를 벗어났다고 볼 수 없는 한, 후유장해가 발생되었다는 사실만으로 의료행위 과정에 과실이 있었다고 추정할 수 없다.

(O)

의료진은 의료행위의 속성상 환자의 구체적인 증상이나 상황에 따라 발생하는 위험을 방지하기 위하여 최선의 조치를 취하여야 할 주의의무를 부담한다. 의료진이 환자의 기대에 반하여 환자의 치료에 전력을 다하지 않은 경우에는 업무상 주의의무를 위반한 것이라고 보아야 한다. 그러나 그러한 주의의무 위반과 환자에게 발생한 악결과(惡結果) 사이에 상당인과관계가 인정되지 않는 경우에는 그에 관한 손해배상을 구할 수 없다.

(O)

주의의무 위반 정도가 일반인의 처지에서 보아 수인한도를 넘어설 만큼 현저하게 불성실한 진료를 행한 것이라고 평가될 정도에 이른 경우라면 그 자체로서 불법행위를 구성하여 그로 말미암아 환자나 그 가족이 입은 정신적 고통에 대한 위자료 배상을 명할 수 있다. 이때 수인한도를 넘어서는 정도로 현저하게 불성실한 진료를 하였다는 점은 불법행위의 성립을 주장하는 피해자가 증명하여야 한다.

(O)

CHAPTER

민사 집행법

Dental Management Officer

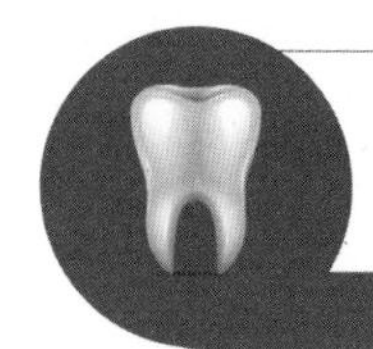

민사 집행법

Dental Management Officer

04

1. 민사 집행법의 목적 및 집행 신청

1) 관련 법 규정

■ **제1조**(목적)

이 법은 강제집행, 담보권 실행을 위한 경매, 민법 · 상법, 그 밖의 법률의 규정에 의한 경매(이하 "민사집행"이라 한다) 및 보전처분의 절차를 규정함을 목적으로 한다.

■ **제2조**(집행실시자)

민사집행은 이 법에 특별한 규정이 없으면 집행관이 실시한다.

■ **제3조**(집행법원)

① 이 법에서 규정한 집행행위에 관한 법원의 처분이나 그 행위에 관한 법원의 협력사항을 관할하는 집행법원은 법률에 특별히 지정되어 있지 아니하면 집행절차를 실시할 곳이나 실시한 곳을 관할하는 지방법원이 된다.

② 집행법원의 재판은 변론 없이 할 수 있다.

■ **제4조**(집행신청의 방식)

민사집행의 신청은 서면으로 하여야 한다.

■ **제5조**(집행관의 강제력 사용)

① 집행관은 집행을 하기 위하여 필요한 경우에는 채무자의 주거 · 창고 그 밖의 장소를 수색하고, 잠근 문과 기구를 여는 등 적절한 조치를 할 수 있다.

② 제1항의 경우에 저항을 받으면 집행관은 경찰 또는 국군의 원조를 요청할 수 있다.

③ 제2항의 국군의 원조는 법원에 신청하여야 하며, 법원이 국군의 원조를 요청

하는 절차는 대법원규칙으로 정한다.

■ **제6조**(참여자)

집행관은 집행하는 데 저항을 받거나 채무자의 주거에서 집행을 실시하려는데 채무자나 사리를 분별할 지능이 있는 그 친족 · 고용인을 만나지 못한 때에는 성년 두 사람이나 특별시 · 광역시의 구 또는 동 직원, 시 · 읍 · 면 직원(도농복합형태의 시의 경우 동지역에서는 시 직원, 읍 · 면지역에서는 읍 · 면 직원) 또는 경찰공무원 중 한 사람을 증인으로 참여하게 하여야 한다.

■ **제7조**(집행관에 대한 원조요구)

① 집행관 외의 사람으로서 법원의 명령에 의하여 민사집행에 관한 직무를 행하는 사람은 그 신분 또는 자격을 증명하는 문서를 지니고 있다가 관계인이 신청할 때에는 이를 내보여야 한다.

② 제1항의 사람이 그 직무를 집행하는 데 저항을 받으면 집행관에게 원조를 요구할 수 있다.

③ 제2항의 원조요구를 받은 집행관은 제5조 및 제6조에 규정된 권한을 행사할 수 있다.

■ **제8조**(공휴일 · 야간의 집행)

① 공휴일과 야간에는 법원의 허가가 있어야 집행행위를 할 수 있다.

② 제1항의 허가명령은 민사집행을 실시할 때에 내보여야 한다.

■ **제9조**(기록열람 · 등본부여)

집행관은 이해관계 있는 사람이 신청하면 집행기록을 볼 수 있도록 허가하고, 기록에 있는 서류의 등본을 교부하여야 한다.

■ **제15조**(즉시항고)

① 집행절차에 관한 집행법원의 재판에 대하여는 특별한 규정이 있어야만 즉시항고(卽時抗告)를 할 수 있다.

② 항고인(抗告人)은 재판을 고지 받은 날부터 1주의 불변기간 이내에 항고장(抗告狀)을 원심법원에 제출하여야 한다.

③ 항고장에 항고이유를 적지 아니한 때에는 항고인은 항고장을 제출한 날부터 10일 이내에 항고이유서를 원심법원에 제출하여야 한다.
④ 항고이유는 대법원규칙이 정하는 바에 따라 적어야 한다.
⑤ 항고인이 제3항의 규정에 따른 항고이유서를 제출하지 아니하거나 항고이유가 제4항의 규정에 위반한 때 또는 항고가 부적법하고 이를 보정(補正)할 수 없음이 분명한 때에는 원심법원은 결정으로 그 즉시항고를 각하하여야 한다.
⑥ 제1항의 즉시항고는 집행정지의 효력을 가지지 아니한다. 다만, 항고법원(재판기록이 원심법원에 남아 있는 때에는 원심법원)은 즉시항고에 대한 결정이 있을 때까지 담보를 제공하게 하거나 담보를 제공하게 하지 아니하고 원심재판의 집행을 정지하거나 집행절차의 전부 또는 일부를 정지하도록 명할 수 있고, 담보를 제공하게 하고 그 집행을 계속하도록 명할 수 있다.
⑦ 항고법원은 항고장 또는 항고이유서에 적힌 이유에 대하여서만 조사한다. 다만, 원심재판에 영향을 미칠 수 있는 법령위반 또는 사실오인이 있는지에 대하여 직권으로 조사할 수 있다.
⑧ 제5항의 결정에 대하여는 즉시항고를 할 수 있다.
⑨ 제6항 단서의 규정에 따른 결정에 대하여는 불복할 수 없다.
⑩ 제1항의 즉시항고에 대하여는 이 법에 특별한 규정이 있는 경우를 제외하고는 민사소송법 제3편 제3장중 즉시항고에 관한 규정을 준용한다.

■ **제16조**(집행에 관한 이의신청)
① 집행법원의 집행절차에 관한 재판으로서 즉시항고를 할 수 없는 것과, 집행관의 집행처분, 그 밖에 집행관이 지킬 집행절차에 대하여서는 법원에 이의를 신청할 수 있다.
② 법원은 제1항의 이의신청에 대한 재판에 앞서, 채무자에게 담보를 제공하게 하거나 제공하게 하지 아니하고 집행을 일시 정지하도록 명하거나, 채권자에게 담보를 제공하게 하고 그 집행을 계속하도록 명하는 등 잠정처분(暫定處分)을 할 수 있다.
③ 집행관이 집행을 위임받기를 거부하거나 집행행위를 지체하는 경우 또는 집행관이 계산한 수수료에 대하여 다툼이 있는 경우에는 법원에 이의를 신청할 수 있다.

■ **제17조**(취소결정의 효력)

① 집행절차를 취소하는 결정, 집행절차를 취소한 집행관의 처분에 대한 이의신청을 기각 · 각하하는 결정 또는 집행관에게 집행절차의 취소를 명하는 결정에 대하여는 즉시항고를 할 수 있다.

② 제1항의 결정은 확정되어야 효력을 가진다.

■ **제18조**(집행비용의 예납 등)

① 민사집행의 신청을 하는 때에는 채권자는 민사집행에 필요한 비용으로서 법원이 정하는 금액을 미리 내야 한다. 법원이 부족한 비용을 미리 내라고 명하는 때에도 또한 같다.

② 채권자가 제1항의 비용을 미리 내지 아니한 때에는 법원은 결정으로 신청을 각하하거나 집행절차를 취소할 수 있다.

③ 제2항의 규정에 따른 결정에 대하여는 즉시항고를 할 수 있다.

2) 강제집행 의의 및 효력 규정

■ **제24조**(강제집행과 종국판결)

강제집행은 확정된 종국판결(終局判決)이나 가집행의 선고가 있는 종국판결에 기초하여 한다.

■ **제25조**(집행력의 주관적 범위)

① 판결이 그 판결에 표시된 당사자 외의 사람에게 효력이 미치는 때에는 그 사람에 대하여 집행하거나 그 사람을 위하여 집행할 수 있다. 다만, 민사소송법 제71조의 규정에 따른 참가인에 대하여는 그러하지 아니하다.

② 제1항의 집행을 위한 집행문(執行文)을 내어 주는데 대하여는 제31조 내지 제33조의 규정을 준용한다.

■ **제26조**(외국재판의 강제집행)

① 외국법원의 확정판결 또는 이와 동일한 효력이 인정되는 재판(이하 "확정재판등"이라 한다)에 기초한 강제집행은 대한민국 법원에서 집행판결로 그 강제집행을 허가하여야 할 수 있다. 〈개정 2014. 5. 20.〉

② 집행판결을 청구하는 소(訴)는 채무자의 보통재판적이 있는 곳의 지방법원이 관할하며, 보통재판적이 없는 때에는 민사소송법 제11조의 규정에 따라 채무자에 대한 소를 관할하는 법원이 관할한다.

[제목개정 2014. 5. 20.]

■ **제27조**(집행판결)

① 집행판결은 재판의 옳고 그름을 조사하지 아니하고 하여야한다.

② 집행판결을 청구하는 소는 다음 각호 가운데 어느 하나에 해당하면 각하하여야 한다. 〈개정 2014. 5. 20.〉

1. 외국법원의 확정재판등이 확정된 것을 증명하지 아니한 때
2. 외국법원의 확정재판등이 민사소송법 제217조의 조건을 갖추지 아니한 때

■ **제28조**(집행력 있는 정본)

① 강제집행은 집행문이 있는 판결정본(이하 "집행력 있는 정본"이라 한다)이 있어야 할 수 있다.

② 집행문은 신청에 따라 제1심 법원의 법원서기관 · 법원사무관 · 법원주사 또는 법원주사보(이하 "법원사무관등"이라 한다)가 내어 주며, 소송기록이 상급심에 있는 때에는 그 법원의 법원사무관등이 내어 준다.

③ 집행문을 내어 달라는 신청은 말로 할 수 있다.

■ **제29조**(집행문)

① 집행문은 판결정본의 끝에 덧붙여 적는다

② 집행문에는 "이 정본은 피고 아무개 또는 원고 아무개에 대한 강제집행을 실시하기 위하여 원고 아무개 또는 피고 아무개에게 준다."라고 적고 법원사무관등이 기명날인하여야 한다.

■ **제30조**(집행문부여)

① 집행문은 판결이 확정되거나 가집행의 선고가 있는 때에만 내어 준다.

② 판결을 집행하는 데에 조건이 붙어 있어 그 조건이 성취되었음을 채권자가 증명하여야 하는 때에는 이를 증명하는 서류를 제출하여야만 집행문을 내어 준다. 다만, 판결의 집행이 담보의 제공을 조건으로 하는 때에는 그러하지 아니하다.

■ **제31조**(승계집행문)

① 집행문은 판결에 표시된 채권자의 승계인을 위하여 내어 주거나 판결에 표시된 채무자의 승계인에 대한 집행을 위하여 내어 줄 수 있다. 다만, 그 승계가 법원에 명백한 사실이거나, 증명서로 승계를 증명한 때에 한한다.

② 제1항의 승계가 법원에 명백한 사실인 때에는 이를 집행문에 적어야 한다.

■ **제32조**(재판장의 명령)

① 재판을 집행하는 데에 조건을 붙인 경우와 제31조의 경우에는 집행문은 재판장(합의부의 재판장 또는 단독판사를 말한다. 이하 같다)의 명령이 있어야 내어 준다.

② 재판장은 그 명령에 앞서 서면이나 말로 채무자를 심문(審問) 할 수 있다.

③ 제1항의 명령은 집행문에 적어야 한다.

■ **제33조**(집행문부여의 소)

제30조제2항 및 제31조의 규정에 따라 필요한 증명을 할 수 없는 때에는 채권자는 집행문을 내어 달라는 소를 제1심 법원에 제기할 수 있다.

■ **제34조**(집행문부여 등에 관한 이의신청)

① 집행문을 내어 달라는 신청에 관한 법원사무관등의 처분에 대하여 이의신청이 있는 경우에는 그 법원사무관등이 속한 법원이 결정으로 재판한다.

② 집행문부여에 대한 이의신청이 있는 경우에는 법원은 제16조제2항의 처분에 준하는 결정을 할 수 있다.

■ **제35조**(여러 통의 집행문의 부여)

① 채권자가 여러 통의 집행문을 신청하거나 전에 내어 준 집행문을 돌려주지 아니하고 다시 집행문을 신청한 때에는 재판장의 명령이 있어야만 이를 내어 준다.

② 재판장은 그 명령에 앞서 서면이나 말로 채무자를 심문할 수 있으며, 채무자를 심문하지 아니하고 여러 통의 집행문을 내어 주거나 다시 집행문을 내어 준 때에는 채무자에게 그 사유를 통지하여야 한다.

③ 여러 통의 집행문을 내어 주거나 다시 집행문을 내어 주는 때에는 그 사유를 원본과 집행문에 적어야 한다.

■ **제36조**(판결원본에의 기재)

집행문을 내어 주는 경우에는 판결원본 또는 상소심 판결정본에 원고 또는 피고에게 이를 내어 준다는 취지와 그 날짜를 적어야 한다.

■ **제37조**(집행력 있는 정본의 효력)

집행력 있는 정본의 효력은 전국 법원의 관할구역에 미친다.

■ **제38조**(여러 통의 집행력 있는 정본에 의한 동시집행)

채권자가 한 지역에서 또는 한 가지 방법으로 강제집행을 하여도 모두 변제를 받을 수 없는 때에는 여러 통의 집행력 있는 정본에 의하여 여러 지역에서 또는 여러 가지 방법으로 동시에 강제집행을 할 수 있다.

■ **제39조**(집행개시의 요건)

① 강제집행은 이를 신청한 사람과 집행을 받을 사람의 성명이 판결이나 이에 덧붙여 적은 집행문에 표시되어 있고 판결을 이미 송달하였거나 동시에 송달한 때에만 개시할 수 있다.

② 판결의 집행이 그 취지에 따라 채권자가 증명할 사실에 매인 때 또는 판결에 표시된 채권자의 승계인을 위하여 하는 것이거나 판결에 표시된 채무자의 승계인에 대하여 하는 것일 때에는 집행할 판결 외에, 이에 덧붙여 적은 집행문을 강제집행을 개시하기 전에 채무자의 승계인에게 송달하여야 한다.

③ 증명서에 의하여 집행문을 내어 준 때에는 그 증명서의 등본을 강제집행을 개시하기 전에 채무자에게 송달하거나 강제집행과 동시에 송달하여야 한다.

■ **제40조**(집행개시의 요건)

① 집행을 받을 사람이 일정한 시일에 이르러야 그 채무를 이행하게 되어 있는 때에는 그 시일이 지난 뒤에 강제집행을 개시할 수 있다.

②집행이 채권자의 담보제공에 매인 때에는 채권자는 담보를 제공한 증명서류를 제출하여야 한다. 이 경우의 집행은 그 증명 서류의 등본을 채무자에게 이미 송달하였거나 동시에 송달하는 때에만 개시할 수 있다.

■ **제41조**(집행개시의 요건)

① 반대의무의 이행과 동시에 집행할 수 있다는 것을 내용으로 하는 집행권원의 집행은 채권자가 반대의무의 이행 또는 이행의 제공을 하였다는 것을 증명하여야만 개시할 수 있다.

② 다른 의무의 집행이 불가능한 때에 그에 갈음하여 집행할 수 있다는 것을 내용으로 하는 집행권원의 집행은 채권자가 그 집행이 불가능하다는 것을 증명하여야만 개시할 수 있다.

■ **제42조**(집행관에 의한 영수증의 작성 · 교부)

① 채권자가 집행관에게 집행력 있는 정본을 교부하고 강제집행을 위임한 때에는 집행관은 특별한 권한을 받지 못하였더라도 지급이나 그 밖의 이행을 받고 그에 대한 영수증서를 작성하고 교부할 수 있다. 집행관은 채무자가 그 의무를 완전히 이행한 때에는 집행력 있는 정본을 채무자에게 교부하여야 한다.

② 채무자가 그 의무의 일부를 이행한 때에는 집행관은 집행력 있는 정본에 그 사유를 덧붙여 적고 영수증서를 채무자에게 교부하여야 한다.

③ 채무자의 채권자에 대한 영수증 청구는 제2항의 규정에 의하여 영향을 받지 아니한다.

■ **제43조**(집행관의 권한)

① 집행관은 집행력 있는 정본을 가지고 있으면 채무자와 제3자에 대하여 강제집행을 하고 제42조에 규정된 행위를 할 수 있는 권한을 가지며, 채권자는 그에 대하여 위임의 흠이나 제한을 주장하지 못한다.

② 집행관은 집행력 있는 정본을 가지고 있다가 관계인이 요청할 때에는 그 자격을 증명하기 위하여 이를 내보여야 한다.

■ **제44조**(청구에 관한 이의의 소)

① 채무자가 판결에 따라 확정된 청구에 관하여 이의하려면 제1심 판결법원에 청구에 관한 이의의 소를 제기하여야 한다.

② 제1항의 이의는 그 이유가 변론이 종결된 뒤(변론 없이 한 판결의 경우에는 판결이 선고된 뒤)에 생긴 것이어야 한다.

③ 이의이유가 여러 가지인 때에는 동시에 주장하여야 한다.

■ **제45조**(집행문부여에 대한 이의의 소)

제30조제2항과 제31조의 경우에 채무자가 집행문부여에 관하여 증명된 사실에 의한 판결의 집행력을 다투거나, 인정된 승계에 의한 판결의 집행력을 다투는 때에는 제44조의 규정을 준용한다. 다만, 이 경우에도 제34조의 규정에 따라 집행문부여에 대하여 이의를 신청할 수 있는 채무자의 권한은 영향을 받지 아니한다.

■ **제46조**(이의의 소와 잠정처분)

① 제44조 및 제45조의 이의의 소는 강제집행을 계속하여 진행하는 데에는 영향을 미치지 아니한다.

② 제1항의 이의를 주장한 사유가 법률 상 정당한 이유가 있다고 인정되고, 사실에 대한 소명(疎明)이 있을 때에는 수소법원(受訴法院)은 당사자의 신청에 따라 판결이 있을 때까지 담보를 제공하게 하거나 담보를 제공하게 하지 아니하고 강제집행을 정지하도록 명할 수 있으며, 담보를 제공하게 하고 그 집행을 계속하도록 명하거나 실시한 집행처분을 취소하도록 명할 수 있다.

③ 제2항의 재판은 변론 없이 하며 급박한 경우에는 재판장이 할 수 있다.

④ 급박한 경우에는 집행법원이 제2항의 권한을 행사할 수 있다. 이 경우 집행법원은 상당한 기간 이내에 제2항에 따른 수소법원의 재판서를 제출하도록 명하여야 한다.

⑤ 제4항 후단의 기간을 넘긴 때에는 채권자의 신청에 따라 강제집행을 계속하여 진행한다.

■ **제47조**(이의의 재판과 잠정처분)

① 수소법원은 이의의 소의 판결에서 제46조의 명령을 내리고 이미 내린 명령을 취소·변경 또는 인가할 수 있다.

② 판결 중 제1항에 규정된 사항에 대하여는 직권으로 가집행의 선고를 하여야 한다.

③ 제2항의 재판에 대하여는 불복할 수 없다.

■ **제48조**(제3자이의의 소)

① 제3자가 강제집행의 목적물에 대하여 소유권이 있다고 주장하거나 목적물의 양도나 인도를 막을 수 있는 권리가 있다고 주장하는 때에는 채권자를 상대

로 그 강제집행에 대한 이의의 소를 제기할 수 있다. 다만, 채무자가 그 이의를 다투는 때에는 채무자를 공동피고로 할 수 있다.

② 제1항의 소는 집행법원이 관할한다. 다만, 소송물이 단독판사의 관할에 속하지 아니할 때에는 집행법원이 있는 곳을 관할하는 지방법원의 합의부가 이를 관할한다.

③ 강제집행의 정지와 이미 실시한 집행처분의 취소에 대하여는 제46조 및 제47조의 규정을 준용한다. 다만, 집행처분을 취소할 때에는 담보를 제공하게 하지 아니할 수 있다.

■ **제49조**(집행의 필수적 정지 · 제한)

강제집행은 다음 각호 가운데 어느 하나에 해당하는 서류를 제출한 경우에 정지하거나 제한하여야 한다.

1. 집행할 판결 또는 그 가집행을 취소하는 취지나, 강제집행을 허가하지 아니하거나 그 정지를 명하는 취지 또는 집행처분의 취소를 명한 취지를 적은 집행력 있는 재판의 정본
2. 강제집행의 일시정지를 명한 취지를 적은 재판의 정본
3. 집행을 면하기 위하여 담보를 제공한 증명서류
4. 집행할 판결이 있은 뒤에 채권자가 변제를 받았거나, 의무이행을 미루도록 승낙한 취지를 적은 증서
5. 집행할 판결, 그 밖의 재판이 소의 취하 등의 사유로 효력을 잃었다는 것을 증명하는 조서등본 또는 법원사무관등이 작성한 증서
6. 강제집행을 하지 아니한다거나 강제집행의 신청이나 위임을 취하한다는 취지를 적은 화해조서(和解調書)의 정본 또는 공정증서(公正證書)의 정본

■ **제50조**(집행처분의 취소 · 일시유지)

① 제49조제1호 · 제3호 · 제5호 및 제6호의 경우에는 이미 실시한 집행처분을 취소하여야 하며, 같은 조 제2호 및 제4호의 경우에는 이미 실시한 집행처분을 일시적으로 유지하게 하여야 한다.

② 제1항에 따라 집행처분을 취소하는 경우에는 제17조의 규정을 적용하지 아니한다.

■ **제51조**(변제증서 등의 제출에 의한 집행정지의 제한)

① 제49조제4호의 증서 가운데 변제를 받았다는 취지를 적은 증서를 제출하여 강제집행이 정지되는 경우 그 정지기간은 2월로 한다.

② 제49조제4호의 증서 가운데 의무이행을 미루도록 승낙하였다는 취지를 적은 증서를 제출하여 강제집행이 정지되는 경우 그 정지는 2회에 한하며 통산하여 6월을 넘길 수 없다.

■ **제52조**(집행을 개시한 뒤 채무자가 죽은 경우)

① 강제집행을 개시한 뒤에 채무자가 죽은 때에는 상속재산에 대하여 강제집행을 계속하여 진행한다.

② 채무자에게 알려야 할 집행행위를 실시할 경우에 상속인이 없거나 상속인이 있는 곳이 분명하지 아니하면 집행법원은 채권자의 신청에 따라 상속재산 또는 상속인을 위하여 특별대리인을 선임하여야 한다.

③ 제2항의 특별대리인에 관하여는 「민사소송법」 제62조제2항부터 제5항까지의 규정을 준용한다. 〈개정 2016. 2. 3.〉

■ **제53조**(집행비용의 부담)

① 강제집행에 필요한 비용은 채무자가 부담하고 그 집행에 의하여 우선적으로 변상을 받는다.

② 강제집행의 기초가 된 판결이 파기된 때에는 채권자는 제1항의 비용을 채무자에게 변상하여야 한다.

■ **제54조**(군인 · 군무원에 대한 강제집행)

① 군인 · 군무원에 대하여 병영 · 군사용 청사 또는 군용 선박에서 강제집행을 할 경우 법원은 채권자의 신청에 따라 군판사 또는 부대장(部隊長)이나 선장에게 촉탁하여 이를 행한다.

② 촉탁에 따라 압류한 물건은 채권자가 위임한 집행관에게 교부하여야 한다.

■ **제55조**(외국에서 할 집행)

① 외국에서 강제집행을 할 경우에 그 외국 공공기관의 법률 상 공조를 받을 수 있는 때에는 제1심 법원이 채권자의 신청에 따라 외국 공공기관에 이를 촉탁

하여야 한다.

② 외국에 머물고 있는 대한민국 영사(領事)에 의하여 강제집행을 할 수 있는 때에는 제1심 법원은 그 영사에게 이를 촉탁하여야 한다.

■ **제56조**(그 밖의 집행권원)

강제집행은 다음 가운데 어느 하나에 기초하여서도 실시할 수 있다.

1. 항고로만 불복할 수 있는 재판
2. 가집행의 선고가 내려진 재판
3. 확정된 지급명령
4. 공증인이 일정한 금액의 지급이나 대체물 또는 유가증권의 일정한 수량의 급여를 목적으로 하는 청구에 관하여 작성한 공정증서로서 채무자가 강제집행을 승낙한 취지가 적혀 있는 것
5. 소송상 화해, 청구의 인낙(認諾) 등 그 밖에 확정판결과 같은 효력을 가지는 것

■ **제57조**(준용규정)

제56조의 집행권원에 기초한 강제집행에 대하여는 제58조 및 제59조에서 규정하는 바를 제외하고는 제28조 내지 제55조의 규정을 준용한다.

■ **제58조**(지급명령과 집행)

① 확정된 지급명령에 기한 강제집행은 집행문을 부여받을 필요 없이 지급명령 정본에 의하여 행한다. 다만, 다음 각호 가운데 어느 하나에 해당하는 경우에는 그러하지 아니하다.

1. 지급명령의 집행에 조건을 붙인 경우
2. 당사자의 승계인을 위하여 강제집행을 하는 경우
3. 당사자의 승계인에 대하여 강제집행을 하는 경우

② 채권자가 여러 통의 지급명령 정본을 신청하거나, 전에 내어준 지급명령 정본을 돌려주지 아니하고 다시 지급명령 정본을 신청한 때에는 법원사무관등이 이를 부여한다. 이 경우 그 사유를 원본과 정본에 적어야 한다.

③ 청구에 관한 이의의 주장에 대하여는 제44조제2항의 규정을 적용하지 아니한다.

④ 집행문부여의 소, 청구에 관한 이의의 소 또는 집행문부여에 대한 이의의 소는 지급명령을 내린 지방법원이 관할한다.

⑤ 제4항의 경우에 그 청구가 합의사건인 때에는 그 법원이 있는 곳을 관할하는 지방법원의 합의부에서 재판한다.

■ **제59조**(공정증서와 집행)

① 공증인이 작성한 증서의 집행문은 그 증서를 보존하는 공증인이 내어 준다.

② 집행문을 내어 달라는 신청에 관한 공증인의 처분에 대하여 이의신청이 있는 때에는 그 공증인의 사무소가 있는 곳을 관할하는 지방법원 단독판사가 결정으로 재판한다.

③ 청구에 관한 이의의 주장에 대하여는 제44조제2항의 규정을 적용하지 아니한다.

④ 집행문부여의 소, 청구에 관한 이의의 소 또는 집행문부여에 대한 이의의 소는 채무자의 보통재판적이 있는 곳의 법원이 관할한다. 다만, 그러한 법원이 없는 때에는 민사소송법 제11조의 규정에 따라 채무자에 대하여 소를 제기할 수 있는 법원이 관할한다.

■ **제60조**(과태료의 집행)

① 과태료의 재판은 검사의 명령으로 집행한다.

② 제1항의 명령은 집행력 있는 집행권원과 같은 효력을 가진다.

3) 집행문 부여 관련 판례

집행문부여의소

[대법원 2009. 6. 11., 선고, 2009다18045, 판결]

판시사항

집행문부여의 소에서 원고의 청구 범위 중 일부에 대하여만 집행력의 존재가 인정되는 경우, 법원이 집행문부여를 명하는 방법

집행문부여기관은 집행권원에 표시된 청구권의 일부에 대하여 집행문을 내어주는 경우 강제집행을 할 수 있는 범위를 특정하여 집행문에 적어야 하고(
민사집행규칙 제20조제1항 참조), 한편 채권자가 집행문부여의 소에서 승소한 판결을 제출하여 집행문을 내어달라고 신청하는 경우에는 집행문부여의 요건에 대한 조사·판단 없이 그 판결에 의하여 집행문을 부여하여야 하므로, 집행문부여의 소에서 집행문부여를 구하는 원고의 청구 범위 중 일부에 대하여만 집행력의 존재가 인정되는 경우, 법원은 집행문부여기관이 집행권원에 표시된 청구권 중 그 집행력이 인정되는 일부에 대하여만 집행문을 내어줄 수 있도록 강제집행을 할 수 있는 범위를 특정하여 집행문부여를 명하여야 한다.

2. 금전채권에 기초한 강제집행 절차

1) 재산명시절차 규정

■ **제61조**(재산명시신청)

① 금전의 지급을 목적으로 하는 집행권원에 기초하여 강제집행을 개시할 수 있는 채권자는 채무자의 보통재판적이 있는 곳의 법원에 채무자의 재산명시를 요구하는 신청을 할 수 있다. 다만, 민사소송법 제213조에 따른 가집행의 선고가 붙은 판결 또는 같은 조의 준용에 따른 가집행의 선고가 붙어 집행력을 가지는 집행권원의 경우에는 그러하지 아니하다.

② 제1항의 신청에는 집행력 있는 정본과 강제집행을 개시하는데 필요한 문서를 붙여야 한다.

■ **제62조**(재산명시신청에 대한 재판)

① 재산명시신청에 정당한 이유가 있는 때에는 법원은 채무자에게 재산 상태를 명시한 재산목록을 제출하도록 명할 수 있다.

② 재산명시신청에 정당한 이유가 없거나, 채무자의 재산을 쉽게 찾을 수 있다고 인정한 때에는 법원은 결정으로 이를 기각하여야 한다.

③ 제1항 및 제2항의 재판은 채무자를 심문하지 아니하고 한다.

④ 제1항의 결정은 신청한 채권자 및 채무자에게 송달하여야 하고, 채무자에 대

한 송달에서는 결정에 따르지 아니할 경우 제68조에 규정된 제재를 받을 수 있음을 함께 고지하여야 한다.

⑤ 제4항의 규정에 따라 채무자에게 하는 송달은 민사소송법 제187조 및 제194조에 의한 방법으로는 할 수 없다.

⑥ 제1항의 결정이 채무자에게 송달되지 아니한 때에는 법원은 채권자에게 상당한 기간을 정하여 그 기간 이내에 채무자의 주소를 보정하도록 명하여야 한다.

⑦ 채권자가 제6항의 명령을 받고도 이를 이행하지 아니한 때에는 법원은 제1항의 결정을 취소하고 재산명시신청을 각하하여야 한다.

⑧ 제2항 및 제7항의 결정에 대하여는 즉시항고를 할 수 있다.

⑨ 채무자는 제1항의 결정을 송달받은 뒤 송달장소를 바꾼 때에는 그 취지를 법원에 바로 신고하여야 하며, 그러한 신고를 하지 아니한 경우에는 민사소송법 제185조제2항 및 제189조의 규정을 준용한다.

■ **제63조**(재산명시명령에 대한 이의신청)

① 채무자는 재산명시명령을 송달받은 날부터 1주 이내에 이의신청을 할 수 있다.

② 채무자가 제1항에 따라 이의신청을 한 때에는 법원은 이의신청사유를 조사할 기일을 정하고 채권자와 채무자에게 이를 통지하여야 한다.

③ 이의신청에 정당한 이유가 있는 때에는 법원은 결정으로 재산명시명령을 취소하여야 한다.

④ 이의신청에 정당한 이유가 없거나 채무자가 정당한 사유 없이 기일에 출석하지 아니한 때에는 법원은 결정으로 이의신청을 기각하여야 한다

⑤ 제3항 및 제4항의 결정에 대하여는 즉시항고를 할 수 있다.

■ **제64조**(재산명시기일의 실시)

① 재산명시명령에 대하여 채무자의 이의신청이 없거나 이를 기각한 때에는 법원은 재산명시를 위한 기일을 정하여 채무자에게 출석하도록 요구하여야 한다. 이 기일은 채권자에게도 통지하여야 한다.

② 채무자는 제1항의 기일에 강제집행의 대상이 되는 재산과 다음 각호의 사항을 명시한 재산목록을 제출하여야 한다.

1. 재산명시명령이 송달되기 전 1년 이내에 채무자가 한 부동산의 유상양도(有償讓渡)

2. 재산명시명령이 송달되기 전 1년 이내에 채무자가 배우자, 직계혈족 및 4촌 이내의 방계혈족과 그 배우자, 배우자의 직계혈족과 형제자매에게 한 부동산 외의 재산의 유상양도
3. 재산명시명령이 송달되기 전 2년 이내에 채무자가 한 재산상 무상처분(無償處分). 다만, 의례적인 선물은 제외한다.

③ 재산목록에 적을 사항과 범위는 대법원규칙으로 정한다.

④ 제1항의 기일에 출석한 채무자가 3월 이내에 변제할 수 있음을 소명한 때에는 법원은 그 기일을 3월의 범위 내에서 연기할 수 있으며, 채무자가 새 기일에 채무액의 3분의 2 이상을 변제하였음을 증명하는 서류를 제출한 때에는 다시 1월의 범위 내에서 연기할 수 있다.

■ **제65조**(선서)

① 채무자는 재산명시기일에 재산목록이 진실하다는 것을 선서하여야한다.

② 제1항의 선서에 관하여는 민사소송법 제320조 및 제321조의 규정을 준용한다. 이 경우 선서서(宣誓書)에는 다음과 같이 적어야 한다.

"양심에 따라 사실대로 재산목록을 작성하여 제출하였으며, 만일 숨긴 것이나 거짓 작성한 것이 있으면 처벌을 받기로 맹세합니다."

■ **제66조**(재산목록의 정정)

① 채무자는 명시기일에 제출한 재산목록에 형식적인 흠이 있거나 불명확한 점이 있는 때에는 제65조의 규정에 의한 선서를 한 뒤라도 법원의 허가를 얻어 이미 제출한 재산목록을 정정할 수 있다.

② 제1항의 허가에 관한 결정에 대하여는 즉시항고를 할 수 있다.

■ **제67조**(재산목록의 열람 · 복사)

채무자에 대하여 강제집행을 개시할 수 있는 채권자는 재산목록을 보거나 복사할 것을 신청할 수 있다.

■ **제68조**(채무자의 감치 및 벌칙)

① 채무자가 정당한 사유 없이 다음 각호 가운데 어느 하나에 해당하는 행위를 한 경우에는 법원은 결정으로 20일 이내의 감치(監置)에 처한다.

1. 명시기일 불출석
2. 재산목록 제출 거부
3. 선서 거부

② 채무자가 법인 또는 민사소송법 제52조의 사단이나 재단인 때에는 그 대표자 또는 관리인을 감치에 처한다.

③ 법원은 감치재판기일에 채무자를 소환하여 제1항 각호의 위반행위에 대하여 정당한 사유가 있는지 여부를 심리하여야 한다.

④ 제1항의 결정에 대하여는 즉시항고를 할 수 있다.

⑤ 채무자가 감치의 집행중에 재산명시명령을 이행하겠다고 신청한 때에는 법원은 바로 명시기일을 열어야 한다.

⑥ 채무자가 제5항의 명시기일에 출석하여 재산목록을 내고 선서하거나 신청채권자에 대한 채무를 변제하고 이를 증명하는 서면을 낸 때에는 법원은 바로 감치결정을 취소하고 그 채무자를 석방하도록 명하여야 한다.

⑦ 제5항의 명시기일은 신청채권자에게 통지하지 아니하고도 실시할 수 있다. 이 경우 제6항의 사실을 채권자에게 통지하여야 한다.

⑧ 제1항 내지 제7항의 규정에 따른 재판절차 및 그 집행 그 밖에 필요한 사항은 대법원규칙으로 정한다.

⑨ 채무자가 거짓의 재산목록을 낸 때에는 3년 이하의 징역 또는 500만 원 이하의 벌금에 처한다.

⑩ 채무자가 법인 또는 민사소송법 제52조의 사단이나 재단인 때에는 그 대표자 또는 관리인을 제9항의 규정에 따라 처벌하고, 채무자는 제9항의 벌금에 처한다.

■ **제70조**(채무불이행자명부 등재신청)

① 채무자가 다음 각호 가운데 어느 하나에 해당하면 채권자는 그 채무자를 채무불이행자명부(債務不履行者名簿)에 올리도록 신청할 수 있다.

1. 금전의 지급을 명한 집행권원이 확정된 후 또는 집행권원을 작성한 후 6월 이내에 채무를 이행하지 아니하는 때. 다만, 제61조제1항 단서에 규정된 집행권원의 경우를 제외한다.
2. 제68조제1항 각호의 사유 또는 같은 조제9항의 사유 가운데 어느 하나에 해당하는 때

② 제1항의 신청을 할 때에는 그 사유를 소명하여야 한다.

③ 제1항의 신청에 대한 재판은 제1항 제1호의 경우에는 채무자의 보통재판적이 있는 곳의 법원이 관할하고, 제1항 제2호의 경우에는 재산명시절차를 실시한 법원이 관할한다.

■ **제71조**(등재신청에 대한 재판)

① 제70조의 신청에 정당한 이유가 있는 때에는 법원은 채무자를 채무불이행자명부에 올리는 결정을 하여야 한다.

② 등재신청에 정당한 이유가 없거나 쉽게 강제집행할 수 있다고 인정할 만한 명백한 사유가 있는 때에는 법원은 결정으로 이를 기각하여야 한다.

③ 제1항 및 제2항의 재판에 대하여는 즉시항고를 할 수 있다. 이 경우 민사소송법 제447조의 규정은 준용하지 아니한다.

■ **제72조**(명부의 비치)

① 채무불이행자명부는 등재결정을 한 법원에 비치한다.

② 법원은 채무불이행자명부의 부본을 채무자의 주소지(채무자가 법인인 경우에는 주된 사무소가 있는 곳) 시(구가 설치되지 아니한 시를 말한다. 이하 같다) · 구 · 읍 · 면의 장(도농복합형태의 시의 경우 동지역은 시 · 구의 장, 읍 · 면지역은 읍 · 면의 장으로 한다. 이하 같다)에게 보내야 한다.

③ 법원은 채무불이행자명부의 부본을 대법원규칙이 정하는 바에 따라 일정한 금융기관의 장이나 금융기관 관련단체의 장에게 보내어 채무자에 대한 신용정보로 활용하게 할 수 있다.

④ 채무불이행자명부나 그 부본은 누구든지 보거나 복사할 것을 신청할 수 있다.

⑤ 채무불이행자명부는 인쇄물 등으로 공표되어서는 아니 된다.

■ **제73조**(명부등재의 말소)

① 변제, 그 밖의 사유로 채무가 소멸되었다는 것이 증명된 때에는 법원은 채무자의 신청에 따라 채무불이행자명부에서 그 이름을 말소하는 결정을 하여야 한다.

② 채권자는 제1항의 결정에 대하여 즉시항고를 할 수 있다. 이 경우 민사소송법 제447조의 규정은 준용하지 아니한다.

③ 채무불이행자명부에 오른 다음 해부터 10년이 지난 때에는 법원은 직권으로

그 명부에 오른 이름을 말소하는 결정을 하여야 한다.

④ 제1항과 제3항의 결정을 한 때에는 그 취지를 채무자의 주소지(채무자가 법인인 경우에는 주된 사무소가 있는 곳) 시 · 구 · 읍 · 면의 장 및 제72조제3항의 규정에 따라 채무불이행자명부의 부본을 보낸 금융기관 등의 장에게 통지하여야 한다.

⑤ 제4항의 통지를 받은 시 · 구 · 읍 · 면의 장 및 금융기관 등의 장은 그 명부의 부본에 오른 이름을 말소하여야 한다.

■ **제74조**(재산조회)

① 재산명시절차의 관할 법원은 다음 각호의 어느 하나에 해당하는 경우에는 그 재산명시를 신청한 채권자의 신청에 따라 개인의 재산 및 신용에 관한 전산망을 관리하는 공공기관 · 금융기관 · 단체 등에 채무자명의의 재산에 관하여 조회할 수 있다. 〈개정 2005. 1. 27.〉

1. 재산명시절차에서 채권자가 제62조제6항의 규정에 의한 주소보정명령을 받고도 민사소송법 제194조제1항의 규정에 의한 사유로 인하여 채권자가 이를 이행할 수 없었던 것으로 인정되는 경우
2. 재산명시절차에서 채무자가 제출한 재산목록의 재산만으로는 집행채권의 만족을 얻기에 부족한 경우
3. 재산명시절차에서 제68조제1항 각호의 사유 또는 동조 제9항의 사유가 있는 경우

② 채권자가 제1항의 신청을 할 경우에는 조회할 기관 · 단체를 특정하여야 하며 조회에 드는 비용을 미리 내야 한다.

③ 법원이 제1항의 규정에 따라 조회할 경우에는 채무자의 인적 사항을 적은 문서에 의하여 해당 기관 · 단체의 장에게 채무자의 재산 및 신용에 관하여 그 기관 · 단체가 보유하고 있는 자료를 한꺼번에 모아 제출하도록 요구할 수 있다.

④ 공공기관 · 금융기관 · 단체 등은 정당한 사유 없이 제1항 및 제3항의 조회를 거부하지 못한다.

■ **제75조**(재산조회의 결과 등)

① 법원은 제74조제1항 및 제3항의 규정에 따라 조회한 결과를 채무자의 재산목록에 준하여 관리하여야 한다.

② 제74조제1항 및 제3항의 조회를 받은 기관 · 단체의 장이 정당한 사유 없이 거짓 자료를 제출하거나 자료를 제출할 것을 거부한 때에는 결정으로 500만 원 이하의 과태료에 처한다.

③ 제2항의 결정에 대하여는 즉시항고를 할 수 있다.

■ **제76조**(벌칙)

① 누구든지 재산조회의 결과를 강제집행 외의 목적으로 사용하여서는 아니 된다.

② 제1항의 규정에 위반한 사람은 2년 이하의 징역 또는 500만 원 이하의 벌금에 처한다.

2) 가압류 가처분 관련 판례

[대법원 2009. 6. 11., 선고, 2009다18045, 판결]

판시사항

[1] 소액사건에 관하여 상고이유로 할 수 있는 '대법원의 판례에 상반되는 판단을 한 때'라는 요건을 갖추지 않았지만 대법원이 실체법 해석·적용의 잘못에 관하여 판단할 수 있는 경우

[2] 주택임대차보호법 제3조의3에서 정한 임차권등기명령에 따른 임차권등기에 민법 제168조 제2호에서 정하는 소멸시효 중단사유인 압류 또는 가압류, 가처분에 준하는 효력이 있는지 여부(소극)

판결요지

[1] 소액사건에서 구체적 사건에 적용할 법령의 해석에 관한 대법원 판례가 아직 없는 상황에서 같은 법령의 해석이 쟁점으로 되어 있는 다수의 소액사건들이 하급심에 계속되어 있을 뿐 아니라 재판부에 따라 엇갈리는 판단을 하는 사례가 나타나고 있는 경우에는, 소액사건이라는 이유로 대법원이 법령의 해석에 관하여 판단하지 않고 사건을 종결한다면 국민생활의 법적 안전성을 해칠 것이 우려된다. 따라서 이와 같은 특별한 사정이 있는 경우에는 소액사건에 관하여 상고이유로 할 수 있는 '대법원의 판례에 상반되는 판단을 한 때'의 요건을 갖추지 않았더라도 법령해석의 통일이라는 대법원의 본질적 기능을 수행하는 차원에서 실체법 해석·적용의 잘못에 관하여 직권으로 판단할 수 있다고 보아야 한다.

[2] 주택임대차보호법 제3조의3에서 정한 임차권등기명령에 따른 임차권등기는 특정 목적물에 대한 구체적 집행행위나 보전처분의 실행을 내용으로 하는 압류 또는 가압류, 가처분과 달리 어디까지나 주택임차인이 주택임대차보호법에 따른 대항력이나 우선변제권을 취득하거나 이미 취득한 대항력이나 우선변제권을 유지하도록 해 주는 담보적 기능을 주목적으로 한다. 비록 주택임대차보호법이 임차권등기명령의 신청에 대한 재판절차와 임차권등기명령의 집행 등에 관하여 민사집행법상 가압류에 관한 절차규정을 일부 준용하고 있지만, 이는 일방 당사자의 신청에 따라 법원이 심리·결정한 다음 등기를 촉탁하는 일련의 절차가 서로 비슷한 데서 비롯된 것일 뿐 이를 이유로 임차권등기명령에 따른 임차권등기가 본래의 담보적 기능을 넘어서 채무자의 일반재산에 대한 강제집행을 보전하기 위한 처분의 성질을 가진다고 볼 수는 없다. 그렇다면 임차권등기명령에 따른 임차권등기에는 민법 제168조제2호에서 정하는 소멸시효 중단사유인 압류 또는 가압류, 가처분에 준하는 효력이 있다고 볼 수 없다.

3. 부동산에 대한 강제집행

1) 집행방법 및 강제집행 규정

■ **제78조**(집행방법)

① 부동산에 대한 강제집행은 채권자의 신청에 따라 법원이 한다.

② 강제집행은 다음 각호의 방법으로 한다.

1. 강제경매
2. 강제관리

③ 채권자는 자기의 선택에 의하여 제2항 각호 가운데 어느 한 가지 방법으로 집행하게 하거나 두 가지 방법을 함께 사용하여 집행하게 할 수 있다.

④ 강제관리는 가압류를 집행할 때에도 할 수 있다.

■ **제79조**(집행법원)

① 부동산에 대한 강제집행은 그 부동산이 있는 곳의 지방법원이 관할한다.

② 부동산이 여러 지방법원의 관할구역에 있는 때에는 각 지방법원에 관할권이 있다. 이 경우 법원이 필요하다고 인정한 때에는 사건을 다른 관할 지방법원으로 이송할 수 있다.

■ **제80조**(강제경매신청서)

강제경매신청서에는 다음 각호의 사항을 적어야 한다.

1. 채권자 · 채무자와 법원의 표시
2. 부동산의 표시
3. 경매의 이유가 된 일정한 채권과 집행할 수 있는 일정한 집행권원

■ **제81조**(첨부서류)

① 강제경매신청서에는 집행력 있는 정본 외에 다음 각호 가운데 어느 하나에 해당하는 서류를 붙여야 한다. 〈개정 2011. 4. 12.〉

1. 채무자의 소유로 등기된 부동산에 대하여는 등기사항증명서
2. 채무자의 소유로 등기되지 아니한 부동산에 대하여는 즉시 채무자명의로 등기할 수 있다는 것을 증명할 서류. 다만, 그 부동산이 등기되지 아니한 건물인 경우에는 그 건물이 채무자의 소유임을 증명할 서류, 그 건물의 지번 · 구조 · 면적을 증명할 서류 및 그 건물에 관한 건축허가 또는 건축신고를 증명할 서류

② 채권자는 공적 장부를 주관하는 공공기관에 제1항제2호 단서의 사항들을 증명하여 줄 것을 청구할 수 있다.

③ 제1항제2호 단서의 경우에 건물의 지번 · 구조 · 면적을 증명하지 못한 때에는, 채권자는 경매신청과 동시에 그 조사를 집행법원에 신청할 수 있다.

④ 제3항의 경우에 법원은 집행관에게 그 조사를 하게 하여야 한다.

⑤ 강제관리를 하기 위하여 이미 부동산을 압류한 경우에 그 집행기록에 제1항 각호 가운데 어느 하나에 해당하는 서류가 붙어 있으면 다시 그 서류를 붙이지 아니할 수 있다.

■ **제82조**(집행관의 권한)

① 집행관은 제81조제4항의 조사를 위하여 건물에 출입할 수 있고, 채무자 또는 건물을 점유하는 제3자에게 질문하거나 문서를 제시하도록 요구할 수 있다.

② 집행관은 제1항의 규정에 따라 건물에 출입하기 위하여 필요한 때에는 잠긴 문을 여는 등 적절한 처분을 할 수 있다.

■ **제83조**(경매개시결정 등)

① 경매절차를 개시하는 결정에는 동시에 그 부동산의 압류를 명하여야 한다.

② 압류는 부동산에 대한 채무자의 관리 · 이용에 영향을 미치지 아니한다.

③ 경매절차를 개시하는 결정을 한 뒤에는 법원은 직권으로 또는 이해관계인의 신청에 따라 부동산에 대한 침해행위를 방지하기 위하여 필요한 조치를 할 수 있다.
④ 압류는 채무자에게 그 결정이 송달된 때 또는 제94조의 규정에 따른 등기가 된 때에 효력이 생긴다.
⑤ 강제경매신청을 기각하거나 각하하는 재판에 대하여는 즉시항고를 할 수 있다.

■ **제84조**(배당요구의 종기결정 및 공고)
① 경매개시결정에 따른 압류의 효력이 생긴 때(그 경매개시결정전에 다른 경매개시결정이 있은 경우를 제외한다)에는 집행법원은 절차에 필요한 기간을 감안하여 배당요구를 할 수 있는 종기(終期)를 첫 매각기일 이전으로 정한다.
② 배당요구의 종기가 정하여진 때에는 법원은 경매개시결정을 한 취지 및 배당요구의 종기를 공고하고, 제91조제4항 단서의 전세권자 및 법원에 알려진 제88조제1항의 채권자에게 이를 고지하여야 한다.
③ 제1항의 배당요구의 종기결정 및 제2항의 공고는 경매개시결정에 따른 압류의 효력이 생긴 때부터 1주 이내에 하여야 한다.
④ 법원사무관등은 제148조제3호 및 제4호의 채권자 및 조세, 그 밖의 공과금을 주관하는 공공기관에 대하여 채권의 유무, 그 원인 및 액수(원금 · 이자 · 비용, 그 밖의 부대채권(附帶債權)을 포함한다)를 배당요구의 종기까지 법원에 신고하도록 최고하여야 한다.
⑤ 제148조제3호 및 제4호의 채권자가 제4항의 최고에 대한 신고를 하지 아니한 때에는 그 채권자의 채권액은 등기사항증명서 등 집행기록에 있는 서류와 증빙(證憑)에 따라 계산한다. 이 경우 다시 채권액을 추가하지 못한다. 〈개정 2011. 4. 12.〉
⑥ 법원은 특별히 필요하다고 인정하는 경우에는 배당요구의 종기를 연기할 수 있다.
⑦ 제6항의 경우에는 제2항 및 제4항의 규정을 준용한다. 다만, 이미 배당요구 또는 채권신고를 한 사람에 대하여는 같은 항의 고지 또는 최고를 하지 아니한다.

■ **제86조**(경매개시결정에 대한 이의신청)
① 이해관계인은 매각대금이 모두 지급될 때까지 법원에 경매개시결정에 대한 이의신청을 할 수 있다.
② 제1항의 신청을 받은 법원은 제16조제2항에 준하는 결정을 할 수 있다.
③ 제1항의 신청에 관한 재판에 대하여 이해관계인은 즉시항고를 할 수 있다.

■ **제87조**(압류의 경합)

① 강제경매절차 또는 담보권 실행을 위한 경매절차를 개시하는 결정을 한 부동산에 대하여 다른 강제경매의 신청이 있는 때에는 법원은 다시 경매개시결정을 하고, 먼저 경매개시결정을 한 집행절차에 따라 경매한다.

② 먼저 경매개시결정을 한 경매신청이 취하되거나 그 절차가 취소된 때에는 법원은 제91조제1항의 규정에 어긋나지 아니하는 한도 안에서 뒤의 경매개시결정에 따라 절차를 계속 진행하여야 한다.

③ 제2항의 경우에 뒤의 경매개시결정이 배당요구의 종기 이후의 신청에 의한 것인 때에는 집행법원은 새로이 배당요구를 할 수 있는 종기를 정하여야 한다. 이 경우 이미 제84조제2항 또는 제4항의 규정에 따라 배당요구 또는 채권신고를 한 사람에 대하여는 같은 항의 고지 또는 최고를 하지 아니한다.

④ 먼저 경매개시결정을 한 경매절차가 정지된 때에는 법원은 신청에 따라 결정으로 뒤의 경매개시결정(배당요구의 종기까지 행하여진 신청에 의한 것에 한한다)에 기초하여 절차를 계속하여 진행할 수 있다. 다만, 먼저 경매개시결정을 한 경매절차가 취소되는 경우 제105조제1항제3호의 기재사항이 바뀔 때에는 그러하지 아니하다.

⑤ 제4항의 신청에 대한 재판에 대하여는 즉시항고를 할 수 있다.

■ **제88조**(배당요구)

① 집행력 있는 정본을 가진 채권자, 경매개시결정이 등기된 뒤에 가압류를 한 채권자, 민법 · 상법, 그 밖의 법률에 의하여 우선변제청구권이 있는 채권자는 배당요구를 할 수 있다.

② 배당요구에 따라 매수인이 인수하여야 할 부담이 바뀌는 경우 배당요구를 한 채권자는 배당요구의 종기가 지난 뒤에 이를 철회하지 못한다.

■ **제89조**(이중경매신청 등의 통지)

법원은 제87조제1항 및 제88조제1항의 신청이 있는 때에는 그 사유를 이해관계인에게 통지하여야 한다.

■ **제90조**(경매절차의 이해관계인)

경매절차의 이해관계인은 다음 각호의 사람으로 한다.

1. 압류채권자와 집행력 있는 정본에 의하여 배당을 요구한 채권자
2. 채무자 및 소유자
3. 등기부에 기입된 부동산 위의 권리자
4. 부동산 위의 권리자로서 그 권리를 증명한 사람

■ **제91조**(인수주의와 잉여주의의 선택 등)

① 압류채권자의 채권에 우선하는 채권에 관한 부동산의 부담을 매수인에게 인수하게 하거나, 매각대금으로 그 부담을 변제하는 데 부족하지 아니하다는 것이 인정된 경우가 아니면 그 부동산을 매각하지 못한다.

② 매각부동산 위의 모든 저당권은 매각으로 소멸된다.

③ 지상권 · 지역권 · 전세권 및 등기된 임차권은 저당권 · 압류채권 · 가압류채권에 대항할 수 없는 경우에는 매각으로 소멸된다.

④ 제3항의 경우 외의 지상권 · 지역권 · 전세권 및 등기된 임차권은 매수인이 인수한다. 다만, 그중 전세권의 경우에는 전세권자가 제88조에 따라 배당요구를 하면 매각으로 소멸된다.

⑤ 매수인은 유치권자(留置權者)에게 그 유치권(留置權)으로 담보하는 채권을 변제할 책임이 있다.

■ **제92조**(제3자와 압류의 효력)

① 제3자는 권리를 취득할 때에 경매신청 또는 압류가 있다는 것을 알았을 경우에는 압류에 대항하지 못한다.

② 부동산이 압류채권을 위하여 의무를 진 경우에는 압류한 뒤 소유권을 취득한 제3자가 소유권을 취득할 때에 경매신청 또는 압류가 있다는 것을 알지 못하였더라도 경매절차를 계속하여 진행하여야 한다.

■ **제93조**(경매신청의 취하)

① 경매신청이 취하되면 압류의 효력은 소멸된다.

② 매수신고가 있은 뒤 경매신청을 취하하는 경우에는 최고가매수신고인 또는 매수인과 제114조의 차순위매수신고인의 동의를 받아야 그 효력이 생긴다.

③ 제49조제3호 또는 제6호의 서류를 제출하는 경우에는 제1항 및 제2항의 규정을, 제49조제4호의 서류를 제출하는 경우에는 제2항의 규정을 준용한다.

■ **제94조**(경매개시결정의 등기)

① 법원이 경매개시결정을 하면 법원사무관등은 즉시 그 사유를 등기부에 기입하도록 등기관(登記官)에게 촉탁하여야 한다.

② 등기관은 제1항의 촉탁에 따라 경매개시결정사유를 기입하여야 한다.

■ **제95조**(등기사항증명서의 송부)

등기관은 제94조에 따라 경매개시결정사유를 등기부에 기입한 뒤 그 등기사항증명서를 법원에 보내야 한다. 〈개정 2011. 4. 12.〉

[제목개정 2011. 4. 12.]

■ **제96조**(부동산의 멸실 등으로 말미암은 경매취소)

① 부동산이 없어지거나 매각 등으로 말미암아 권리를 이전할 수 없는 사정이 명백하게 된 때에는 법원은 강제경매의 절차를 취소하여야 한다.

② 제1항의 취소결정에 대하여는 즉시항고를 할 수 있다.

■ **제97조**(부동산의 평가와 최저매각가격의 결정)

① 법원은 감정인(鑑定人)에게 부동산을 평가하게 하고 그 평가액을 참작하여 최저매각가격을 정하여야 한다.

② 감정인은 제1항의 평가를 위하여 필요하면 제82조제1항에 규정된 조치를 할 수 있다.

③ 감정인은 제7조의 규정에 따라 집행관의 원조를 요구하는 때에는 법원의 허가를 얻어야 한다.

■ **제98조**(일괄매각결정)

① 법원은 여러 개의 부동산의 위치·형태·이용관계 등을 고려하여 이를 일괄매수하게 하는 것이 알맞다고 인정하는 경우에는 직권으로 또는 이해관계인의 신청에 따라 일괄매각하도록 결정할 수 있다.

② 법원은 부동산을 매각할 경우에 그 위치·형태·이용관계 등을 고려하여 다른 종류의 재산(금전채권을 제외한다)을 그 부동산과 함께 일괄매수하게 하는 것이 알맞다고 인정하는 때에는 직권으로 또는 이해관계인의 신청에 따라 일괄매각하도록 결정할 수 있다.

③ 제1항 및 제2항의 결정은 그 목적물에 대한 매각기일 이전까지 할 수 있다.

■ **제99조**(일괄매각사건의 병합)

① 법원은 각각 경매 신청된 여러 개의 재산 또는 다른 법원이나 집행관에 계속된 경매사건의 목적물에 대하여 제98조제1항 또는 제2항의 결정을 할 수 있다.

② 다른 법원이나 집행관에 계속된 경매사건의 목적물의 경우에 그 다른 법원 또는 집행관은 그 목적물에 대한 경매사건을 제1항의 결정을 한 법원에 이송한다.

③ 제1항 및 제2항의 경우에 법원은 그 경매 사건들을 병합한다.

■ **제100조**(일괄매각사건의 관할)

제98조 및 제99조의 경우에는 민사소송법 제31조에 불구하고 같은 법 제25조의 규정을 준용한다. 다만, 등기할 수 있는 선박에 관한 경매사건에 대하여서는 그러하지 아니하다.

■ **제101조**(일괄매각절차)

① 제98조 및 제99조의 일괄매각결정에 따른 매각절차는 이 관의 규정에 따라 행한다. 다만, 부동산 외의 재산의 압류는 그 재산의 종류에 따라 해당되는 규정에서 정하는 방법으로 행하고, 그 중에서 집행관의 압류에 따르는 재산의 압류는 집행법원이 집행관에게 이를 압류하도록 명하는 방법으로 행한다.

② 제1항의 매각절차에서 각 재산의 대금액을 특정할 필요가 있는 경우에는 각 재산에 대한 최저매각가격의 비율을 정하여야 하며, 각 재산의 대금액은 총대금액을 각 재산의 최저매각가격비율에 따라 나눈 금액으로 한다. 각 재산이 부담할 집행비용액을 특정할 필요가 있는 경우에도 또한 같다.

③ 여러 개의 재산을 일괄매각하는 경우에 그 가운데 일부의 매각대금으로 모든 채권자의 채권액과 강제집행비용을 변제하기에 충분하면 다른 재산의 매각을 허가하지 아니한다. 다만, 토지와 그 위의 건물을 일괄매각하는 경우나 재산을 분리하여 매각하면 그 경제적 효용이 현저하게 떨어지는 경우 또는 채무자의 동의가 있는 경우에는 그러하지 아니하다.

④ 제3항 본문의 경우에 채무자는 그 재산 가운데 매각할 것을 지정할 수 있다.

⑤ 일괄매각절차에 관하여 이 법에서 정한 사항을 제외하고는 대법원규칙으로 정한다.

■ **제102조**(남을 가망이 없을 경우의 경매취소)

① 법원은 최저매각가격으로 압류채권자의 채권에 우선하는 부동산의 모든 부담과 절차비용을 변제하면 남을 것이 없겠다고 인정한 때에는 압류채권자에게 이를 통지하여야 한다.

② 압류채권자가 제1항의 통지를 받은 날부터 1주 이내에 제1항의 부담과 비용을 변제하고 남을 만한 가격을 정하여 그 가격에 맞는 매수신고가 없을 때에는 자기가 그 가격으로 매수하겠다고 신청하면서 충분한 보증을 제공하지 아니하면, 법원은 경매절차를 취소하여야 한다.

③ 제2항의 취소 결정에 대하여는 즉시항고를 할 수 있다.

■ **제103조**(강제경매의 매각방법)

① 부동산의 매각은 집행법원이 정한 매각방법에 따른다.

② 부동산의 매각은 매각기일에 하는 호가경매(呼價競賣), 매각기일에 입찰 및 개찰하게 하는 기일입찰 또는 입찰기간 이내에 입찰하게 하여 매각기일에 개찰하는 기간입찰의 세 가지 방법으로 한다.

③ 부동산의 매각절차에 관하여 필요한 사항은 대법원규칙으로 정한다.

■ **제104조**(매각기일과 매각결정기일 등의 지정)

① 법원은 최저매각가격으로 제102조제1항의 부담과 비용을 변제하고도 남을 것이 있다고 인정하거나 압류채권자가 제102조제2항의 신청을 하고 충분한 보증을 제공한 때에는 직권으로 매각기일과 매각결정기일을 정하여 대법원규칙이 정하는 방법으로 공고한다.

② 법원은 매각기일과 매각결정기일을 이해관계인에게 통지하여야 한다.

③ 제2항의 통지는 집행기록에 표시된 이해관계인의 주소에 대법원규칙이 정하는 방법으로 발송할 수 있다.

④ 기간입찰의 방법으로 매각할 경우에는 입찰기간에 관하여도 제1항 내지 제3항의 규정을 적용한다.

■ **제105조**(매각물건명세서 등)

① 법원은 다음 각호의 사항을 적은 매각물건명세서를 작성하여야 한다.

1. 부동산의 표시

2. 부동산의 점유자와 점유의 권원, 점유할 수 있는 기간, 차임 또는 보증금에 관한 관계인의 진술
3. 등기된 부동산에 대한 권리 또는 가처분으로서 매각으로 효력을 잃지 아니하는 것
4. 매각에 따라 설정된 것으로 보게 되는 지상권의 개요

② 법원은 매각물건명세서 · 현황조사보고서 및 평가서의 사본을 법원에 비치하여 누구든지 볼 수 있도록 하여야 한다.

■ **제106조**(매각기일의 공고내용)

매각기일의 공고내용에는 다음 각호의 사항을 적어야 한다.

1. 부동산의 표시
2. 강제집행으로 매각한다는 취지와 그 매각방법
3. 부동산의 점유자, 점유의 권원, 점유하여 사용할 수 있는 기간, 차임 또는 보증금약정 및 그 액수
4. 매각기일의 일시 · 장소, 매각기일을 진행할 집행관의 성명 및 기간입찰의 방법으로 매각할 경우에는 입찰기간 · 장소
5. 최저매각가격
6. 매각결정기일의 일시 · 장소
7. 매각물건명세서 · 현황조사보고서 및 평가서의 사본을 매각기일 전에 법원에 비치하여 누구든지 볼 수 있도록 제공한다는 취지
8. 등기부에 기입할 필요가 없는 부동산에 대한 권리를 가진 사람은 채권을 신고하여야 한다는 취지
9. 이해관계인은 매각기일에 출석할 수 있다는 취지

■ **제107조**(매각장소)

매각기일은 법원 안에서 진행하여야 한다. 다만, 집행관은 법원의 허가를 얻어 다른 장소에서 매각기일을 진행할 수 있다.

■ **제108조**(매각장소의 질서유지)

집행관은 다음 각호 가운데 어느 하나에 해당한다고 인정되는 사람에 대하여 매각장소에 들어오지 못하도록 하거나 매각장소에서 내보내거나 매수의 신청을

하지 못하도록 할 수 있다.

1. 다른 사람의 매수신청을 방해한 사람
2. 부당하게 다른 사람과 담합하거나 그 밖에 매각의 적정한 실시를 방해한 사람
3. 제1호 또는 제2호의 행위를 교사(敎唆)한 사람
4. 민사집행절차에서의 매각에 관하여 형법 제136조 · 제137조 · 제140조 · 제140조의2 · 제142조 · 제315조 및 제323조 내지 제327조에 규정된 죄로 유죄판결을 받고 그 판결확정일부터 2년이 지나지 아니한 사람

■ **제109조**(매각결정기일)

① 매각결정기일은 매각기일부터 1주 이내로 정하여야 한다.

② 매각결정절차는 법원 안에서 진행하여야 한다.

■ **제110조**(합의에 의한 매각조건의 변경)

① 최저매각가격 외의 매각조건은 법원이 이해관계인의 합의에 따라 바꿀 수 있다.

② 이해관계인은 배당요구의 종기까지 제1항의 합의를 할 수 있다.

■ **제111조**(직권에 의한 매각조건의 변경)

① 거래의 실상을 반영하거나 경매절차를 효율적으로 진행하기 위하여 필요한 경우에 법원은 배당요구의 종기까지 매각조건을 바꾸거나 새로운 매각조건을 설정할 수 있다.

② 이해관계인은 제1항의 재판에 대하여 즉시항고를 할 수 있다.

③ 제1항의 경우에 법원은 집행관에게 부동산에 대하여 필요한 조사를 하게 할 수 있다.

■ **제112조**(매각기일의 진행)

집행관은 기일입찰 또는 호가경매의 방법에 의한 매각기일에는 매각물건명세서 · 현황조사보고서 및 평가서의 사본을 볼 수 있게 하고, 특별한 매각조건이 있는 때에는 이를 고지하며, 법원이 정한 매각방법에 따라 매수가격을 신고하도록 최고하여야 한다.

■ **제113조**(매수신청의 보증)

매수신청인은 대법원규칙이 정하는 바에 따라 집행법원이 정하는 금액과 방법에 맞는 보증을 집행관에게 제공하여야 한다.

■ **제114조**(차순위매수신고)

① 최고가매수신고인 외의 매수신고인은 매각기일을 마칠 때까지 집행관에게 최고가매수신고인이 대금지급기한까지 그 의무를 이행하지 아니하면 자기의 매수신고에 대하여 매각을 허가하여 달라는 취지의 신고(이하 "차순위매수신고"라 한다)를 할 수 있다.

② 차순위매수신고는 그 신고액이 최고가매수신고액에서 그 보증액을 뺀 금액을 넘는 때에만 할 수 있다.

■ **제115조**(매각기일의 종결)

① 집행관은 최고가매수신고인의 성명과 그 가격을 부르고 차순위매수신고를 최고한 뒤, 적법한 차순위매수신고가 있으면 차순위매수신고인을 정하여 그 성명과 가격을 부른 다음 매각기일을 종결한다고 고지하여야 한다.

② 차순위매수신고를 한 사람이 둘 이상인 때에는 신고한 매수가격이 높은 사람을 차순위매수신고인으로 정한다. 신고한 매수가격이 같은 때에는 추첨으로 차순위매수신고인을 정한다.

③ 최고가매수신고인과 차순위매수신고인을 제외한 다른 매수신고인은 제1항의 고지에 따라 매수의 책임을 벗게 되고, 즉시 매수신청의 보증을 돌려 줄 것을 신청할 수 있다.

④ 기일입찰 또는 호가경매의 방법에 의한 매각기일에서 매각기일을 마감할 때까지 허가할 매수가격의 신고가 없는 때에는 집행관은 즉시 매각기일의 마감을 취소하고 같은 방법으로 매수가격을 신고하도록 최고할 수 있다.

⑤ 제4항의 최고에 대하여 매수가격의 신고가 없어 매각기일을 마감하는 때에는 매각기일의 마감을 다시 취소하지 못한다.

■ **제116조**(매각기일조서)

① 매각기일조서에는 다음 각호의 사항을 적어야 한다.

1. 부동산의 표시

2. 압류채권자의 표시
3. 매각물건명세서 · 현황조사보고서 및 평가서의 사본을 볼 수 있게 한 일
4. 특별한 매각조건이 있는 때에는 이를 고지한 일
5. 매수가격의 신고를 최고한 일
6. 모든 매수신고가격과 그 신고인의 성명 · 주소 또는 허가할 매수가격의 신고가 없는 일
7. 매각기일을 마감할 때까지 허가할 매수가격의 신고가 없어 매각기일의 마감을 취소하고 다시 매수가격의 신고를 최고한 일
8. 최종적으로 매각기일의 종결을 고지한 일시
9. 매수하기 위하여 보증을 제공한 일 또는 보증을 제공하지 아니하므로 그 매수를 허가하지 아니한 일
10. 최고가매수신고인과 차순위매수신고인의 성명과 그 가격을 부른 일

② 최고가매수신고인 및 차순위매수신고인과 출석한 이해관계인은 조서에 서명, 날인하여야 한다. 그들이 서명, 날인할 수 없을 때에는 집행관이 그 사유를 적어야 한다.

③ 집행관이 매수신청의 보증을 돌려 준 때에는 영수증을 받아 조서에 붙여야 한다.

■ **제117조**(조서와 금전의 인도)

집행관은 매각기일조서와 매수신청의 보증으로 받아 돌려주지 아니한 것을 매각기일부터 3일 이내에 법원사무관등에게 인도하여야 한다.

■ **제118조**(최고가매수신고인 등의 송달영수인신고)

① 최고가매수신고인과 차순위매수신고인은 대한민국안에 주소 · 거소와 사무소가 없는 때에는 대한민국 안에 송달이나 통지를 받을 장소와 영수인을 정하여 법원에 신고하여야 한다.

② 최고가매수신고인이나 차순위매수신고인이 제1항의 신고를 하지 아니한 때에는 법원은 그에 대한 송달이나 통지를 하지 아니할 수 있다.

③ 제1항의 신고는 집행관에게 말로 할 수 있다. 이 경우 집행관은 조서에 이를 적어야 한다.

■ **제119조**(새 매각기일)

허가할 매수가격의 신고가 없이 매각기일이 최종적으로 마감된 때에는 제91조 제1항의 규정에 어긋나지 아니하는 한도에서 법원은 최저매각가격을 상당히 낮추고 새 매각기일을 정하여야 한다. 그 기일에 허가할 매수가격의 신고가 없는 때에도 또한 같다.

■ **제120조**(매각결정기일에서의 진술)

① 법원은 매각결정기일에 출석한 이해관계인에게 매각허가에 관한 의견을 진술하게 하여야 한다.

② 매각허가에 관한 이의는 매각허가가 있을 때까지 신청하여야 한다. 이미 신청한 이의에 대한 진술도 또한 같다.

■ **제121조**(매각허가에 대한 이의신청사유)

매각허가에 관한 이의는 다음 각호 가운데 어느 하나에 해당하는 이유가 있어야 신청할 수 있다.

1. 강제집행을 허가할 수 없거나 집행을 계속 진행할 수 없을 때
2. 최고가매수신고인이 부동산을 매수할 능력이나 자격이 없는 때
3. 부동산을 매수할 자격이 없는 사람이 최고가매수신고인을 내세워 매수신고를 한 때
4. 최고가매수신고인, 그 대리인 또는 최고가매수신고인을 내세워 매수신고를 한 사람이 제108조 각호 가운데 어느 하나에 해당되는 때
5. 최저매각가격의 결정, 일괄매각의 결정 또는 매각물건명세서의 작성에 중대한 흠이 있는 때
6. 천재지변, 그 밖에 자기가 책임을 질 수 없는 사유로 부동산이 현저하게 훼손된 사실 또는 부동산에 관한 중대한 권리관계가 변동된 사실이 경매절차의 진행 중에 밝혀진 때
7. 경매절차에 그 밖의 중대한 잘못이 있는 때

■ **제122조**(이의신청의 제한)

이의는 다른 이해관계인의 권리에 관한 이유로 신청하지 못한다.

■ **제123조**(매각의 불허)

① 법원은 이의신청이 정당하다고 인정한 때에는 매각을 허가하지 아니한다.

② 제121조에 규정한 사유가 있는 때에는 직권으로 매각을 허가하지 아니한다. 다만, 같은 조제2호 또는 제3호의 경우에는 능력 또는 자격의 흠이 제거되지 아니한 때에 한한다.

■ **제124조**(과잉매각 되는 경우의 매각불허가)

① 여러 개의 부동산을 매각하는 경우에 한 개의 부동산의 매각대금으로 모든 채권자의 채권액과 강제집행비용을 변제하기에 충분하면 다른 부동산의 매각을 허가하지 아니한다. 다만, 제101조제3항 단서에 따른 일괄매각의 경우에는 그러하지 아니하다.

② 제1항 본문의 경우에 채무자는 그 부동산 가운데 매각할 것을 지정할 수 있다.

■ **제125조**(매각을 허가하지 아니할 경우의 새 매각기일)

① 제121조와 제123조의 규정에 따라 매각을 허가하지 아니하고 다시 매각을 명하는 때에는 직권으로 새 매각기일을 정하여야 한다.

② 제121조제6호의 사유로 제1항의 새 매각기일을 열게 된 때에는 제97조 내지 제105조의 규정을 준용한다.

■ **제126조**(매각허가여부의 결정 선고)

① 매각을 허가하거나 허가하지 아니하는 결정은 선고하여야 한다.

② 매각결정기일조서에는 민사소송법 제152조 내지 제154조와 제156조 내지 제158조 및 제164조의 규정을 준용한다.

③ 제1항의 결정은 확정되어야 효력을 가진다.

■ **제127조**(매각허가결정의 취소신청)

① 제121조제6호에서 규정한 사실이 매각허가결정의 확정 뒤에 밝혀진 경우에는 매수인은 대금을 낼 때까지 매각허가결정의 취소신청을 할 수 있다.

② 제1항의 신청에 관한 결정에 대하여는 즉시항고를 할 수 있다.

■ **제128조**(매각허가결정)

① 매각허가결정에는 매각한 부동산, 매수인과 매각가격을 적고 특별한 매각조건으로 매각한 때에는 그 조건을 적어야 한다.

② 제1항의 결정은 선고하는 외에 대법원규칙이 정하는 바에 따라 공고하여야 한다.

■ **제129조**(이해관계인 등의 즉시항고)

① 이해관계인은 매각허가여부의 결정에 따라 손해를 볼 경우에만 그 결정에 대하여 즉시항고를 할 수 있다.

② 매각허가에 정당한 이유가 없거나 결정에 적은 것 외의 조건으로 허가하여야 한다고 주장하는 매수인 또는 매각허가를 주장하는 매수신고인도 즉시항고를 할 수 있다.

③ 제1항 및 제2항의 경우에 매각허가를 주장하는 매수신고인은 그 신청한 가격에 대하여 구속을 받는다.

■ **제141조**(경매개시결정등기의 말소)

경매신청이 매각허가 없이 마쳐진 때에는 법원사무관등은 제94조와 제139조제1항의 규정에 따른 기입을 말소하도록 등기관에게 촉탁하여야 한다.

■ **제142조**(대금의 지급)

① 매각허가결정이 확정되면 법원은 대금의 지급기한을 정하고, 이를 매수인과 차순위매수신고인에게 통지하여야 한다.

② 매수인은 제1항의 대금지급기한까지 매각대금을 지급하여야 한다.

③ 매수신청의 보증으로 금전이 제공된 경우에 그 금전은 매각대금에 넣는다.

④ 매수신청의 보증으로 금전 외의 것이 제공된 경우로서 매수인이 매각대금중 보증액을 뺀 나머지 금액만을 낸 때에는, 법원은 보증을 현금화하여 그 비용을 뺀 금액을 보증액에 해당하는 매각대금 및 이에 대한 지연이자에 충당하고, 모자라는 금액이 있으면 다시 대금지급기한을 정하여 매수인으로 하여금 내게 한다.

⑤ 제4항의 지연이자에 대하여는 제138조제3항의 규정을 준용한다.

⑥ 차순위매수신고인은 매수인이 대금을 모두 지급한 때 매수의 책임을 벗게 되고 즉시 매수신청의 보증을 돌려 줄 것을 요구할 수 있다.

■ **제143조**(특별한 지급방법)

① 매수인은 매각조건에 따라 부동산의 부담을 인수하는 외에 배당표(配當表)의 실시에 관하여 매각대금의 한도에서 관계채권자의 승낙이 있으면 대금의 지급에 갈음하여 채무를 인수할 수 있다.

② 채권자가 매수인인 경우에는 매각결정기일이 끝날 때까지 법원에 신고하고 배당받아야 할 금액을 제외한 대금을 배당기일에 낼 수 있다.

③ 제1항 및 제2항의 경우에 매수인이 인수한 채무나 배당받아야 할 금액에 대하여 이의가 제기된 때에는 매수인은 배당기일이 끝날 때까지 이에 해당하는 대금을 내야 한다.

■ **제144조**(매각대금 지급 뒤의 조치)

① 매각대금이 지급되면 법원사무관등은 매각허가결정의 등본을 붙여 다음 각 호의 등기를 촉탁하여야 한다.

1. 매수인 앞으로 소유권을 이전하는 등기
2. 매수인이 인수하지 아니한 부동산의 부담에 관한 기입을 말소하는 등기
3. 제94조 및 제139조제1항의 규정에 따른 경매개시결정등기를 말소하는 등기

② 매각대금을 지급할 때까지 매수인과 부동산을 담보로 제공받으려고 하는 사람이 대법원규칙으로 정하는 바에 따라 공동으로 신청한 경우, 제1항의 촉탁은 등기신청의 대리를 업으로 할 수 있는 사람으로서 신청인이 지정하는 사람에게 촉탁서를 교부하여 등기소에 제출하도록 하는 방법으로 하여야 한다. 이 경우 신청인이 지정하는 사람은 지체 없이 그 촉탁서를 등기소에 제출하여야 한다. 〈신설 2010. 7. 23.〉

③ 제1항의 등기에 드는 비용은 매수인이 부담한다. 〈개정 2010. 7. 23.〉

■ **제145조**(매각대금의 배당)

① 매각대금이 지급되면 법원은 배당절차를 밟아야 한다.

② 매각대금으로 배당에 참가한 모든 채권자를 만족하게 할 수 없는 때에는 법원은 민법 · 상법, 그 밖의 법률에 의한 우선순위에 따라 배당하여야 한다.

■ **제146조**(배당기일)

매수인이 매각대금을 지급하면 법원은 배당에 관한 진술 및 배당을 실시할 기일

을 정하고 이해관계인과 배당을 요구한 채권자에게 이를 통지하여야 한다. 다만, 채무자가 외국에 있거나 있는 곳이 분명하지 아니한 때에는 통지하지 아니한다.

■ **제147조**(배당할 금액 등)

① 배당할 금액은 다음 각호에 규정한 금액으로 한다.

1. 대금
2. 제138조제3항 및 제142조제4항의 경우에는 대금지급기한이 지난 뒤부터 대금의 지급 · 충당까지의 지연이자
3. 제130조제6항의 보증(제130조제8항에 따라 준용되는 경우를 포함한다)
4. 제130조제7항 본문의 보증 가운데 항고인이 돌려 줄 것을 요구하지 못하는 금액 또는 제130조제7항 단서의 규정에 따라 항고인이 낸 금액(각각 제130조제8항에 따라 준용되는 경우를 포함한다)
5. 제138조제4항의 규정에 의하여 매수인이 돌려줄 것을 요구할 수 없는 보증(보증이 금전 외의 방법으로 제공되어 있는 때에는 보증을 현금화하여 그 대금에서 비용을 뺀 금액)

② 제1항의 금액 가운데 채권자에게 배당하고 남은 금액이 있으면, 제1항제4호의 금액의 범위 안에서 제1항제4호의 보증 등을 제공한 사람에게 돌려준다.

③ 제1항의 금액 가운데 채권자에게 배당하고 남은 금액으로 제1항제4호의 보증 등을 돌려주기 부족한 경우로서 그 보증 등을 제공한 사람이 여럿인 때에는 제1항제4호의 보증 등의 비율에 따라 나누어 준다.

■ **제148조**(배당받을 채권자의 범위)

제147조제1항에 규정한 금액을 배당받을 채권자는 다음 각호에 규정된 사람으로 한다.

1. 배당요구의 종기까지 경매신청을 한 압류채권자
2. 배당요구의 종기까지 배당요구를 한 채권자
3. 첫 경매개시결정등기전에 등기된 가압류채권자
4. 저당권 · 전세권, 그 밖의 우선변제청구권으로서 첫 경매개시결정등기전에 등기되었고 매각으로 소멸하는 것을 가진 채권자

■ **제149조**(배당표의 확정)

① 법원은 채권자와 채무자에게 보여 주기 위하여 배당기일의 3일전에 배당표 원안(配當表原案)을 작성하여 법원에 비치하여야 한다.

② 법원은 출석한 이해관계인과 배당을 요구한 채권자를 심문하여 배당표를 확정하여야 한다.

■ **제150조**(배당표의 기재 등)

① 배당표에는 매각대금, 채권자의 채권의 원금, 이자, 비용, 배당의 순위와 배당의 비율을 적어야 한다.

② 출석한 이해관계인과 배당을 요구한 채권자가 합의한 때에는 이에 따라 배당표를 작성하여야 한다.

■ **제151조**(배당표에 대한 이의)

① 기일에 출석한 채무자는 채권자의 채권 또는 그 채권의 순위에 대하여 이의할 수 있다.

② 제1항의 규정에 불구하고 채무자는 제149조제1항에 따라 법원에 배당표원안이 비치된 이후 배당기일이 끝날 때까지 채권자의 채권 또는 그 채권의 순위에 대하여 서면으로 이의할 수 있다.

③ 기일에 출석한 채권자는 자기의 이해에 관계되는 범위 안에서는 다른 채권자를 상대로 그의 채권 또는 그 채권의 순위에 대하여 이의할 수 있다.

■ **제152조**(이의의 완결)

① 제151조의 이의에 관계된 채권자는 이에 대하여 진술하여야 한다.

② 관계인이 제151조의 이의를 정당하다고 인정하거나 다른 방법으로 합의한 때에는 이에 따라 배당표를 경정(更正)하여 배당을 실시하여야 한다.

③ 제151조의 이의가 완결되지 아니한 때에는 이의가 없는 부분에 한하여 배당을 실시하여야 한다.

■ **제153조**(불출석한 채권자)

① 기일에 출석하지 아니한 채권자는 배당표와 같이 배당을 실시하는 데에 동의한 것으로 본다.

② 기일에 출석하지 아니한 채권자가 다른 채권자가 제기한 이의에 관계된 때에는 그 채권자는 이의를 정당하다고 인정하지 아니한 것으로 본다.

■ **제154조**(배당이의의 소 등)

① 집행력 있는 집행권원의 정본을 가지지 아니한 채권자(가압류채권자를 제외한다)에 대하여 이의한 채무자와 다른 채권자에 대하여 이의한 채권자는 배당이의의 소를 제기하여야 한다.

② 집행력 있는 집행권원의 정본을 가진 채권자에 대하여 이의한 채무자는 청구이의의 소를 제기하여야 한다.

③ 이의한 채권자나 채무자가 배당기일부터 1주 이내에 집행법원에 대하여 제1항의 소를 제기한 사실을 증명하는 서류를 제출하지 아니한 때 또는 제2항의 소를 제기한 사실을 증명하는 서류와 그 소에 관한 집행정지재판의 정본을 제출하지 아니한 때에는 이의가 취하된 것으로 본다.

■ **제155**(이의한 사람 등의 우선권 주장)

이의한 채권자가 제154조제3항의 기간을 지키지 아니한 경우에도 배당표에 따른 배당을 받은 채권자에 대하여 소로 우선권 및 그 밖의 권리를 행사하는 데 영향을 미치지 아니한다.

■ **제156조**(배당이의의 소의 관할)

① 제154조제1항의 배당이의의 소는 배당을 실시한 집행법원이 속한 지방법원의 관할로 한다. 다만, 소송물이 단독판사의 관할에 속하지 아니할 경우에는 지방법원의 합의부가 이를 관할한다.

② 여러 개의 배당이의의 소가 제기된 경우에 한 개의 소를 합의부가 관할하는 때에는 그 밖의 소도 함께 관할한다.

③ 이의한 사람과 상대방이 이의에 관하여 단독판사의 재판을 받을 것을 합의한 경우에는 제1항 단서와 제2항의 규정을 적용하지 아니한다.

■ **제157조**(배당이의의 소의 판결)

배당이의의 소에 대한 판결에서는 배당액에 대한 다툼이 있는 부분에 관하여 배당을 받을 채권자와 그 액수를 정하여야 한다. 이를 정하는 것이 적당하지 아니하다고 인정한 때에는 판결에서 배당표를 다시 만들고 다른 배당절차를 밟도록 명하여야 한다.

■ **제158조**(배당이의의 소의 취하간주)

이의한 사람이 배당이의의 소의 첫 변론기일에 출석하지 아니한 때에는 소를 취하한 것으로 본다.

■ **제159조**(배당실시절차 · 배당조서)

① 법원은 배당표에 따라 제2항 및 제3항에 규정된 절차에 의하여 배당을 실시하여야 한다.

② 채권 전부의 배당을 받을 채권자에게는 배당액지급증을 교부하는 동시에 그가 가진 집행력 있는 정본 또는 채권증서를 받아 채무자에게 교부하여야 한다.

③ 채권 일부의 배당을 받을 채권자에게는 집행력 있는 정본 또는 채권증서를 제출하게 한 뒤 배당액을 적어서 돌려주고 배당액지급증을 교부하는 동시에 영수증을 받아 채무자에게 교부하여야 한다.

④ 제1항 내지 제3항의 배당실시절차는 조서에 명확히 적어야 한다.

■ **제160조**(배당금액의 공탁)

① 배당을 받아야 할 채권자의 채권에 대하여 다음 각호 가운데 어느 하나의 사유가 있으면 그에 대한 배당액을 공탁하여야 한다.

1. 채권에 정지조건 또는 불확정기한이 붙어 있는 때
2. 가압류채권자의 채권인 때
3. 제49조제2호 및 제266조제1항제5호에 규정된 문서가 제출되어 있는 때
4. 저당권설정의 가등기가 마쳐져 있는 때
5. 제154조제1항에 의한 배당이의의 소가 제기된 때
6. 민법 제340조제2항 및 같은 법 제370조에 따른 배당금액의 공탁청구가 있는 때

② 채권자가 배당기일에 출석하지 아니한 때에는 그에 대한 배당액을 공탁하여야 한다.

■ **제161조**(공탁금에 대한 배당의 실시)

① 법원이 제160조제1항의 규정에 따라 채권자에 대한 배당액을 공탁한 뒤 공탁의 사유가 소멸한 때에는 법원은 공탁금을 지급하거나 공탁금에 대한 배당을 실시하여야 한다.

② 제1항에 따라 배당을 실시함에 있어서 다음 각호 가운데 어느 하나에 해당하는 때에는 법원은 배당에 대하여 이의하지 아니한 채권자를 위하여서도 배당표를 바꾸어야 한다.

1. 제160조제1항제1호 내지 제4호의 사유에 따른 공탁에 관련된 채권자에 대하여 배당을 실시할 수 없게 된 때
2. 제160조제1항제5호의 공탁에 관련된 채권자가 채무자로부터 제기당한 배당이의의 소에서 진 때
3. 제160조제1항제6호의 공탁에 관련된 채권자가 저당물의 매각대가로부터 배당을 받은 때

③ 제160조제2항의 채권자가 법원에 대하여 공탁금의 수령을 포기하는 의사를 표시한 때에는 그 채권자의 채권이 존재하지 아니하는 것으로 보고 배당표를 바꾸어야 한다.

④ 제2항 및 제3항의 배당표변경에 따른 추가 배당기일에 제151조의 규정에 따라 이의할 때에는 종전의 배당기일에서 주장할 수 없었던 사유만을 주장할 수 있다.

■ **제162조**(공동경매)

여러 압류채권자를 위하여 동시에 실시하는 부동산의 경매절차에는 제80조 내지 제161조의 규정을 준용한다.

2) 부동산 강제 경매 관련 사례 및 판례

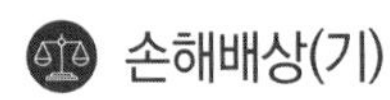

손해배상(기)

[대법원 2019. 5. 10., 선고, 2017다239311, 판결]

판시사항

[1] 제3자가 채무자의 책임재산을 감소시키는 행위를 함으로써 채권자로 하여금 채권의 실행과 만족을 불가능 내지 곤란하게 한 것이 채권자에 대한 불법행위를 구성하기 위한 요건
[2] 채무자의 재산을 은닉하는 방법으로 제3자에 의한 채권침해가 이루어질 당시 채무자가 다액의 채무를 가지고 있어 채권침해가 없었더라도 채권자가 채무자로부터 일정액 이상으로 채권을 회수할 가능성이 없었던 경우, 일정액을 초과하는 손해와 제3자의 채권침해로 인한 불법행위 사이에 상당인과관계가 인정되는지 여부(소극) 및 이때 채권회수의 가능성을 판단하는 방법

판결요지

[1] 제3자가 채무자에 대한 채권자의 존재 및 그 채권의 침해사실을 알면서 채무자와 적극 공모하거나 채권행사를 방해할 의도로 사회상규에 반하는 부정한 수단을 사용하는 등으로 채무자의 책임재산을 감소시키는 행위를 함으로써 채권자로 하여금 채권의 실행과 만족을 불가능 내지 곤란하게 한 경우 채권자에 대한 불법행위를 구성할 수 있다.
[2] 채무자의 재산을 은닉하는 방법으로 제3자에 의한 채권침해가 이루어질 당시 채무자가 가지고 있던 다액의 채무로 인하여 제3자의 채권침해가 없었더라도 채권자가 채무자로부터 일정액 이상으로 채권을 회수할 가능성이 없었다고 인정될 경우에는 위 일정액을 초과하는 손해와 제3자의 채권침해로 인한 불법행위 사이에는 상당인과관계를 인정할 수 없다. 이때의 채권회수 가능성은 불법행위 시를 기준으로 채무자의 책임재산과 채무자가 부담하는 채무의 액수를 비교하는 방법으로 판단할 수 있고, 불법행위 당시에 이미 이행기가 도래한 채무는 채권자가 종국적으로 권리를 행사하지 아니할 것으로 볼 만한 특별한 사정이 없는 한 비교대상이 되는 채무자 부담의 채무에 포함되며, 더 나아가 비교대상 채무에 해당하기 위하여 불법행위 당시 채무자의 재산에 대한 압류나 가압류가 되어 있을 것을 요하는 것은 아니다.

부동산강제경매

[대법원 2019. 2. 28., 자, 2018마800, 결정]

판시사항

민법상 재단법인의 정관에 기본재산은 주무관청의 허가·승인을 받은 경우에 담보설정 등을 할 수 있다는 취지로 정해져 있고, 이에 따라 주무관청의 허가·승인을 받아 기본재산에 관하여 근저당권을 설정한 경우, 근저당권을 실행하여 기본재산을 매각할 때 주무관청의 허가를 다시 받아야 하는지 여부(소극)

판결요지

민법상 재단법인의 정관에 기본재산은 담보설정 등을 할 수 없으나 주무관청의 허가·승인을 받은 경우에는 이를 할 수 있다는 취지로 정해져 있고, 정관 규정에 따라 주무관청의 허가·승인을 받아 민법상 재단법인의 기본재산에 관하여 근저당권을 설정한 경우, 그와 같이 설정된 근저당권을 실행하여 기본재산을 매각할 때에는 주무관청의 허가를 다시 받을 필요는 없다.

보증금반환청구의소

[대법원 2019. 5. 16., 선고, 2017다226629, 판결]

판시사항

[1] 소액사건에 관하여 상고이유로 할 수 있는 '대법원의 판례에 상반되는 판단을 한 때'라는 요건을 갖추지 않았지만 대법원이 실체법 해석·적용의 잘못에 관하여 판단할 수 있는 경우
[2] 주택임대차보호법 제3조의3에서 정한 임차권등기명령에 따른 임차권등기에 민법 제168조제2호에서 정하는 소멸시효 중단사유인 압류 또는 가압류, 가처분에 준하는 효력이 있는지 여부(소극)

판결요지

[1] 소액사건에서 구체적 사건에 적용할 법령의 해석에 관한 대법원 판례가 아직 없는 상황에서 같은 법령의 해석이 쟁점으로 되어 있는 다수의 소액사건들이 하급심에 계속되어 있을 뿐 아니라 재판부에 따라 엇갈리는 판단을 하는 사례가 나타나고 있는 경우에는, 소액사건이라는 이유로 대법원이 법령의 해석에 관하여 판단하지 않고 사건을 종결한다면 국민생활의 법적 안전성을 해칠 것이 우려된다. 따라서 이와 같은 특별한 사정이 있는 경우에는 소액사건에 관하여 상고이유로 할 수 있는 '대법원의 판례에 상반되는 판단을 한 때'의 요건을 갖추지 않았더라도 법령해석의 통일이라는 대법원의 본질적 기능을 수행하는 차원에서 실체법 해석·적용의 잘못에 관하여 직권으로 판단할 수 있다고 보아야 한다.

[2] 주택임대차보호법 제3조의3에서 정한 임차권등기명령에 따른 임차권등기는 특정 목적물에 대한 구체적 집행행위나 보전처분의 실행을 내용으로 하는 압류 또는 가압류, 가처분과 달리 어디까지나 주택임차인이 주택임대차보호법에 따른 대항력이나 우선변제권을 취득하거나 이미 취득한 대항력이나 우선변제권을 유지하도록 해 주는 담보적 기능을 주목적으로 한다. 비록 주택임대차보호법이 임차권등기명령의 신청에 대한 재판절차와 임차권등기명령의 집행 등에 관하여 민사집행법상 가압류에 관한 절차규정을 일부 준용하고 있지만, 이는 일방 당사자의 신청에 따라 법원이 심리·결정한 다음 등기를 촉탁하는 일련의 절차가 서로 비슷한 데서 비롯된 것일 뿐 이를 이유로 임차권등기명령에 따른 임차권등기가 본래의 담보적 기능을 넘어서 채무자의 일반재산에 대한 강제집행을 보전하기 위한 처분의 성질을 가진다고 볼 수는 없다. 그렇다면 임차권등기명령에 따른 임차권등기에는 민법 제168조제2호에서 정하는 소멸시효 중단사유인 압류 또는 가압류, 가처분에 준하는 효력이 있다고 볼 수 없다.

보증금반환청구의소

[대법원 2019. 5. 16., 선고, 2017다226629, 판결]

판시사항

[1] 사해행위취소의 소에서 수익자가 원상회복으로서 가액배상을 할 경우, 수익자가 채권자취소권을 행사하는 채권자에 대해 가지는 별개의 다른 채권을 집행하기 위하여 그에 대한 집행권원을 가지고 채권자의 수익자에 대한 가액배상채권을 압류하고 전부명령을 받는 것이 허용되는지 여부(적극)

[2] 상계가 금지되는 채권이라도 압류금지채권에 해당하지 않는 한 강제집행에 의한 전부명령의 대상이 될 수 있는지 여부(적극)

판결요지

[1] 사해행위취소의 소에서 수익자가 원상회복으로써 채권자취소권을 행사하는 채권자에게 가액배상을 할 경우, 수익자 자신이 사해행위취소소송의 채무자에 대한 채권자라는 이유로 채무자에 대하여 가지는 자기의 채권과 상계하거나 채무자에게 가액배상금 명목의 돈을 지급하였다는 점을 들어 채권자취소권을 행사하는 채권자에 대해 이를 가액배상에서 공제할 것을 주장할 수 없다. 그러나 수익자가 채권자취소권을 행사하는 채권자에 대해 가지는 별개의 다른 채권을 집행하기 위하여 그에 대한 집행권원을 가지고 채권자의 수익자에 대한 가액배상채권을 압류하고 전부명령을 받는 것은 허용된다. 이는 수익자의 채무자에 대한 채권을 기초로 한 상계나 임의적인 공제와는 내용과 성질이 다르다. 또한 채권자가 채무자의 제3채무자에 대한 채권을 압류하는 경우 제3채무자가 채권자 자신인 경우에도 이를 압류하는 것이 금지되지 않으므로 단지 채권자와 제3채무자가 같다고 하여 채권압류 및 전부명령이 위법하다고 볼 수 없다.
[2] 상계가 금지되는 채권이라고 하더라도 압류금지채권에 해당하지 않는 한 강제집행에 의한 전부명령의 대상이 될 수 있다.

3) 부동산 강제 집행 관련 절차 정리

(1) 강제 집행의 의의

강제집행이란 채권자의 신청에 따라 집행권원에 표시된 사법상의 이행청구권을 국가권력에 의해 강제적으로 실현하는 법적 절차입니다.

집행대상인 재산의 종류에 따라 부동산 집행, 유체동산집행, 채권집행 등으로 나누어집니다.

부동산 집행은 다시 부동산의 매각을 목적으로 하는지 아니면 그 수익을 목적으로 하는지에 따라서 강제경매와 강제관리로 구분됩니다.

강제경매와 강제관리 중 채권자는 동시에 두 가지를 집행신청 할 수 있으며 또한 강제관리에 의한 집행신청을 했다가 이후 부동산을 고가로 매각할 수 있는 가능성이 점쳐졌을 때 강제경매를 신청 할 수도 있습니다.

강제경매는 부동산에 대한 강제집행 방법의 하나로 법원에서 채무자의 부동산을 압류하거나 매각하여 그 대금으로 채권자의 금전채권의 만족에 충당시키는 절차를 말합니다.

채권자가 약속된 날까지 채권을 변제받지 못하면 법원에 소송을 제기해 판결을 얻은 후 집행문 부여 등의 절차를 거쳐 법원에 경매신청을 하면 법원은 채권자의 경매신청에 따라 경매개시 결정을 내리고 동시에 부동산을 압류한 다음 경매절차에 따라 부동산을 강제 매각합니다.

(2) 부동산에 대한 강제경매 절차

① 강제경매의 신청

임차인은 채권자, 채무자와 법원의 표시, 부동산의 표시, 경매의 이유가 된 일정한 채권과 집행할 수 있는 일정한 집행권원 등의 사항을 적은 강제경매신청서를 부동산 소재지의 지방법원에 제출하면 됩니다.

② 강제경매개시의 결정

법원은 강제경매신청서의 기재사항과 첨부 서류에 따라 강제집행의 요건, 집행개시 요건 등에 관한 심사결과 그 신청이 적법하다고 인정되면 강제경매개시결정을 하면서 그 부동산의 압류를 명하게 됩니다. 압류의 효력은 채무자에게 그 결정이 송달된 때 또는 경매개시결정의 기입등기가 된 때 중 먼저 된 때에 그 효력이 발생합니다.

③ 배당요구의 종기 결정 및 공고

경매개시결정에 따른 압류의 효력이 생겼다면 집행법원은 절차에 필요한 기간을 감안해 배당요구를 할 수 있는 종기를 첫 매각기일 이전으로 정하고, 압류의 효력이 생긴 때부터 1주 이내에 공고합니다. 종기일까지 배당용구를 하지 않으면 선순위 채권자라 할지라도 경매절차에서 배당을 받을 수 없게 될 뿐만 아니라 자기보다 후순위 채권자로서 배당 받은 자를 상대로 부당이득반환청구를 하는 것도 허용되지 않습니다.

④ 매각의 준비

경매개시결정이 있으면 집행법원은 경매목적물의 환가를 위한 준비를 하는데, 경매개시결정일로부터 3일 내에 등기부에 기입된 부동산의 권리자 등에 대해 채권의 원금, 이자, 비용 그 밖의 부대채권에 관한 계산서를 배당요구 종기일까지 제출할 것을 법원이 통지합니다.

또한 법원은 경매개시결정을 한 뒤 집행관에게 부동산의 현상, 점유관계, 차임 또는 임차보증금의 액수 그 밖의 현황에 관해 조사할 것을 명하는데, 감정인에게 경매부동산을 평가하게 하고 그 평가액을 참작해 최저매각가격을 정하게 됩니다.

⑤ 매각기일 및 매각결정기일 등 지정·공고·통지

집행 법원은 경매절차를 취소할 사유가 없는 경우 매각명령을 하고, 직권으로 매각기일을 지정해 공고합니다. 매각결정기일은 매각기일로부터 1주일 이내로 정해 공고됩니다. 이처럼 매각기일, 매각결정기일, 입찰기간 및 매각기일을 지정되면 이를 이해관계인에게 통지하는데, 통지는 집행기록에 표시된 이해관계인의 주소에 등기우편으로 발송합니다.

⑥ 매각의 실시

부동산 매각은 호가경매(매각기일), 기일입찰(매각기일에 입찰 및 개찰), 기간입찰(입찰기간 내 입찰하게 해 매각기일에 개찰) 등 세 가지 방법으로 진행합니다.

⑦ 매각결정 절차

입찰기일의 종료 후 매각결정기일을 열어 매각의 허가에 관해 이해관계인의 진술을 듣고 직권으로 법이 정한 이의사유가 있는지 여부를 조사한 법원이 허가 또는 불허가 결정을 선고합니다. 매각허가나 불허가의 결정에 의해 손해를 받았다면 즉시 항고할 수 있습니다.

⑧ 대금의 납부

낙찰자는 대금지급기일에 낙찰대금을 납부해야 합니다.

⑨ 배당절차

매각대금이 지급되면 배당절차가 진행됩니다. 매각대금으로 배당에 참가한 참가자를 모두 만족시킬 수 없을 때 법률에 의한 우선순위에 따라 배당합니다. 배당받을 채권자는 배당요구의 종기까지 경매신청을 한 압류채권자나 배당요구를 한 채권자, 첫 경매개시결정 등기 전에 등기된 가압류채권자, 저당권이나 전세권, 그 밖의 우선변제청구권으로서 첫 경매개시결정 등기 전에 등기됐고, 매각으로 소멸하는 것을 가진 채권자 등입니다.

⑩ 소유권이전등기와 인도명령

매수인이 매각대금을 모두 냈다면 매각의 목적인 권리를 취득하게 됩니다. 이 경우 법원은 매수인 명의의 소유권이전등기, 매수인이 인수하지 않은 부동산 상의 부담의 말소등기를 등기관에게 촉탁하게 됩니다. 매각대금 전액을 납부한 매수인이 채무자에 대해 직접 자기에게 매각부동산을 인도할 것을 구할 수 있지만, 채무자가 임의로 인도하지 않은 때에는 대금 완납 후 6개월 이내에 집행법원에 대해 집행관으로 하여금 매각부동산을 강제로 매수인에게 인도하게 하는 내용의 인도명령을 신청해 그 명령에 의해 부동산을 인도받을 수 있습니다.

기출 문제

01 부동산에 대한 강제경매 절차에 관한 설명 중 옳지 못한 것은?

① 강제경매의 신청은 채권자, 채무자와 법원의 표시, 부동산의 표시, 경매의 이유가 된 일정한 채권과 집행할 수 있는 일정한 집행권원 등의 사항을 적은 강제경매신청서를 부동산 소재지의 지방법원에 제출하면 된다.

(O)

② 강제경매개시의 결정에서 법원은 강제경매신청서의 기재사항과 첨부 서류에 따라 강제집행의 요건, 집행개시 요건 등에 관한 심사결과 그 신청이 적법하다고 인정되면 강제경매개시결정을 하면서 그 부동산의 압류를 명하게 된다.

(O)

③ 압류의 효력은 채무자에게 그 결정이 송달된 때 또는 경매개시결정의 기입등기가 된 때 중 나중에 된 때에 그 효력이 발생한다.

해설: 먼저 된 때 발생한다. (X)

④ 경매개시결정이 있으면 집행법원은 경매목적물의 환가를 위한 준비를 하는데, 경매개시결정일로부터 3일 내에 등기부에 기입된 부동산의 권리자 등에 대해 채권의 원금, 이자, 비용 그 밖의 부대채권에 관한 계산서를 배당요구 종기일까지 제출할 것을 법원이 통지한다.

(O)

⑤ 낙찰자는 대금시급기일에 낙찰대금을 납부해야 한다.

(O)

CHAPTER

상가건물 임대차 보호법

Dental Management Officer

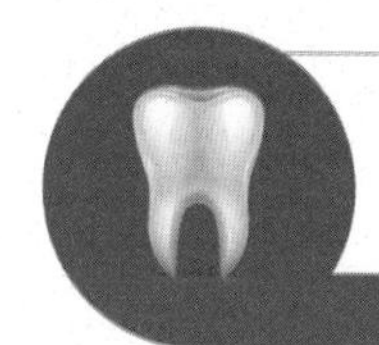

상가건물 임대차보호법

Dental Management Officer

05

1. 법의 목적 및 대항력

1) 법의 목적 및 적용범위 규정

■ **제1조**(목적)

이 법은 상가건물 임대차에 관하여 「민법」에 대한 특례를 규정하여 국민 경제생활의 안정을 보장함을 목적으로 한다.

■ **제2조**(적용범위)

① 이 법은 상가건물(제3조제1항에 따른 사업자등록의 대상이 되는 건물을 말한다)의 임대차(임대차 목적물의 주된 부분을 영업용으로 사용하는 경우를 포함한다)에 대하여 적용한다. 다만, 제14조의2에 따른 상가건물임대차위원회의 심의를 거쳐 대통령령으로 정하는 보증금액을 초과하는 임대차에 대하여는 그러하지 아니하다. 〈개정 2020. 7. 31.〉

② 제1항 단서에 따른 보증금액을 정할 때에는 해당 지역의 경제 여건 및 임대차 목적물의 규모 등을 고려하여 지역별로 구분하여 규정하되, 보증금 외에 차임이 있는 경우에는 그 차임액에 「은행법」에 따른 은행의 대출금리 등을 고려하여 대통령령으로 정하는 비율을 곱하여 환산한 금액을 포함하여야 한다. 〈개정 2010. 5. 17.〉

③ 제1항 단서에도 불구하고 제3조, 제10조제1항, 제2항, 제3항 본문, 제10조의2부터 제10조의8까지의 규정 및 제19조는 제1항 단서에 따른 보증금액을 초과하는 임대차에 대하여도 적용한다. 〈신설 2013. 8. 13., 2015. 5. 13.〉

[전문개정 2009. 1. 30.]

2) 대항력 및 확정일자 절차

■ **제3조**(대항력 등)

① 임대차는 그 등기가 없는 경우에도 임차인이 건물의 인도와 「부가가치세법」

제8조, 「소득세법」 제168조 또는 「법인세법」 제111조에 따른 사업자등록을 신청하면 그 다음 날부터 제3자에 대하여 효력이 생긴다. 〈개정 2013. 6. 7.〉

② 임차건물의 양수인(그 밖에 임대할 권리를 승계한 자를 포함한다)은 임대인의 지위를 승계한 것으로 본다.

③ 이 법에 따라 임대차의 목적이 된 건물이 매매 또는 경매의 목적물이 된 경우에는 「민법」 제575조제1항 · 제3항 및 제578조를 준용한다.

④ 제3항의 경우에는 「민법」 제536조를 준용한다.

■ **제4조**(확정일자 부여 및 임대차정보의 제공 등)

① 제5조제2항의 확정일자는 상가건물의 소재지 관할 세무서장이 부여한다.

② 관할 세무서장은 해당 상가건물의 소재지, 확정일자 부여일, 차임 및 보증금 등을 기재한 확정일자부를 작성하여야 한다. 이 경우 전산정보처리조직을 이용할 수 있다.

③ 상가건물의 임대차에 이해관계가 있는 자는 관할 세무서장에게 해당 상가건물의 확정일자 부여일, 차임 및 보증금 등 정보의 제공을 요청할 수 있다. 이 경우 요청을 받은 관할 세무서장은 정당한 사유 없이 이를 거부할 수 없다.

④ 임대차계약을 체결하려는 자는 임대인의 동의를 받아 관할 세무서장에게 제3항에 따른 정보제공을 요청할 수 있다.

⑤ 확정일자부에 기재하여야 할 사항, 상가건물의 임대차에 이해관계가 있는 자의 범위, 관할 세무서장에게 요청할 수 있는 정보의 범위 및 그 밖에 확정일자 부여사무와 정보제공 등에 필요한 사항은 대통령령으로 정한다.

2. 보증금 관련 조문 및 판례 정리

1) 보증금 회수 관련 규정

■ **제5조**(보증금의 회수)

① 임차인이 임차건물에 대하여 보증금반환청구소송의 확정판결, 그 밖에 이에 준하는 집행권원에 의하여 경매를 신청하는 경우에는 「민사집행법」 제41조에도 불구하고 반대의무의 이행이나 이행의 제공을 집행개시의 요건으로 하지 아니한다.

② 제3조제1항의 대항요건을 갖추고 관할 세무서장으로부터 임대차계약서상의 확정일자를 받은 임차인은 「민사집행법」에 따른 경매 또는 「국세징수법」에 따른 공매 시 임차건물(임대인 소유의 대지를 포함한다)의 환가대금에서 후순위 권리자나 그 밖의 채권자보다 우선하여 보증금을 변제받을 권리가 있다.

③ 임차인은 임차건물을 양수인에게 인도하지 아니하면 제2항에 따른 보증금을 받을 수 없다.

④ 제2항 또는 제7항에 따른 우선변제의 순위와 보증금에 대하여 이의가 있는 이해관계인은 경매법원 또는 체납처분청에 이의를 신청할 수 있다. 〈개정 2013. 8. 13.〉

⑤ 제4항에 따라 경매법원에 이의를 신청하는 경우에는 「민사집행법」 제152조부터 제161조까지의 규정을 준용한다.

⑥ 제4항에 따라 이의신청을 받은 체납처분청은 이해관계인이 이의신청일부터 7일 이내에 임차인 또는 제7항에 따라 우선변제권을 승계한 금융기관 등을 상대로 소(訴)를 제기한 것을 증명한 때에는 그 소송이 종결될 때까지 이의가 신청된 범위에서 임차인 또는 제7항에 따라 우선변제권을 승계한 금융기관 등에 대한 보증금의 변제를 유보(留保)하고 남은 금액을 배분하여야 한다. 이 경우 유보된 보증금은 소송 결과에 따라 배분한다. 〈개정 2013. 8. 13.〉

⑦ 다음 각호의 금융기관 등이 제2항, 제6조제5항 또는 제7조제1항에 따른 우선변제권을 취득한 임차인의 보증금반환채권을 계약으로 양수한 경우에는 양수한 금액의 범위에서 우선변제권을 승계한다. 〈신설 2013. 8. 13., 2016. 5. 29.〉

1. 「은행법」에 따른 은행
2. 「중소기업은행법」에 따른 중소기업은행
3. 「한국산업은행법」에 따른 한국산업은행
4. 「농업협동조합법」에 따른 농협은행
5. 「수산업협동조합법」에 따른 수협은행
6. 「우체국예금 · 보험에 관한 법률」에 따른 체신관서
7. 「보험업법」 제4조제1항제2호라목의 보증보험을 보험종목으로 허가받은 보험회사
8. 그 밖에 제1호부터 제7호까지에 준하는 것으로서 대통령령으로 정하는 기관

⑧ 제7항에 따라 우선변제권을 승계한 금융기관 등(이하 "금융기관등"이라 한다)

은 다음 각 호의 어느 하나에 해당하는 경우에는 우선변제권을 행사할 수 없다. 〈신설 2013. 8. 13.〉

1. 임차인이 제3조제1항의 대항요건을 상실한 경우
2. 제6조제5항에 따른 임차권등기가 말소된 경우
3. 「민법」 제621조에 따른 임대차등기가 말소된 경우

⑨ 금융기관등은 우선변제권을 행사하기 위하여 임차인을 대리하거나 대위하여 임대차를 해지할 수 없다. 〈신설 2013. 8. 13.〉

[전문개정 2009. 1. 30.]

2) 보증금 관련한 사례 및 판례

[대구고법 2018. 8. 24., 선고, 2017나21191, 21207, 판결 : 상고]

판시사항

임차인 甲이 임대인 乙과 대구광역시 소재 상가건물에 관하여 보증금액(월 차임 환산액을 포함한 금액)을 구 상가건물 임대차보호법 시행령 제2조 제1항 제3호의 보증금액을 초과하는 금액으로 하고 임대차기간을 3년으로 하는 임대차계약을 체결하였다가 임대차기간 만료 후 다시 동일한 보증금액에 임대차기간을 2년으로 하는 내용의 임대차계약을 체결하여 위 건물에서 약국을 운영하였고, 그 후 위 임대차기간이 2015. 5. 13. 신설된 권리금 회수기회 보호에 관한 구 상가건물 임대차보호법 제10조의4가 시행되기 전에 종료되었는데, 甲이 乙을 상대로 乙이 권리금의 반환 또는 새로운 임차인을 통한 권리금 회수에 협조하지 않아 권리금을 회수하지 못하는 손해를 입었다며 같은 조 제3항에 따른 손해배상을 구한 사안에서, 위 임대차는 구 상가건물 임대차보호법 제10조의4의 시행일 현재 존속 중인 임대차에 해당하지 않으므로, 구 상가건물 임대차보호법 제10조의4는 위 임대차에 적용되지 않는다고 한 사례

판결요지

임차인 甲이 임대인 乙과 대구광역시 소재 상가건물에 관하여 보증금액(월 차임 환산액을 포함한 금액)을 구 상가건물 임대차보호법 시행령(2015. 11. 13. 대통령령 제26637호로 개정되기 전의 것, 이하 '구 상가임대차법 시행령'이라 한다) 제2조제1항제3호의 보증금액을 초과하는 금액으로 하고 임대차기간을 3년으로 하는 임대차계약을 체결하였다가 임대차기간 만료 후 다시 동일한 보증금액에 임대차기간을 2년으로 하는 내용의 임대차계약을 체결하여 위 건물에서 약국을 운영하였고, 그 후 위 임대차기간이 2015. 5. 13. 신설된 권리금 회수기회 보호에 관한 구 상가건물 임대차보호법

(2018. 10. 16. 법률 제15791호로 개정되기 전의 것, 이하 '구 상가임대차법'이라 한다) 제10조의4가 시행되기 전에 종료되었는데, 甲이 乙을 상대로 乙이 권리금의 반환 또는 새로운 임차인을 통한 권리금 회수에 협조하지 않아 권리금을 회수하지 못하는 손해를 입었다며 같은 조 제3항에 따른 손해배상을 구한 사안이다.
구 상가임대차법 부칙(2015. 5. 13.) 제3조에 따르면 구 상가임대차법 제10조의4는 그 규정의 시행일 현재 존속 중인 임대차부터 적용되는데, 甲과 乙이 약정한 임대차기간이 위 시행일 전에 이미 종료된 점, 위 임대차의 보증금액은 구 상가임대차법 제2조제1항, 구 상가임대차법 시행령 제2조제1항제3호에 따른 보증금액을 초과하는데 임대차가 종료한 경우에도 임차인이 보증금을 돌려받을 때까지는 임대차관계가 존속한다고 정한 구 상가임대차법 제9조제2항은 구 상가임대차법 시행령 제2조제1항제3호에 따른 보증금액을 초과하는 임대차에는 적용되지 않는 것이어서 구 상가임대차법 제10조의4의 시행일 현재 甲이 임대차보증금을 반환받지 않았더라도 임대차관계가 존속하는 것으로 볼 수 없는 점을 종합하면, 위 임대차는 구 상가임대차법 제10조의4의 시행일 현재 존속 중인 임대차에 해당하지 않으므로, 구 상가임대차법 제10조의4는 위 임대차에 적용되지 않는다고 한 사례이다.

임대차보증금

[대법원 2018. 12. 27., 선고, 2015다73098, 판결]

판시사항

[1] 당사자가 표시한 문언에 의하여 객관적인 의미가 명확하게 드러나지 않는 경우, 법률행위의 해석 방법 및 특히 당사자 일방이 주장하는 계약 내용이 상대방에게 중대한 책임을 부과하게 되는 경우에는 더욱 엄격하게 해석하여야 하는지 여부(적극) / 이러한 이치는 거동에 의한 묵시적 법률행위에서도 마찬가지인지 여부(적극)
[2] 민법상 소비대차의 법적 성질(=낙성계약) 및 당사자 일방이 상대방에게 현실로 금전 기타 대체물의 소유권을 이전하였으나 상대방이 같은 종류, 품질 및 수량으로 반환할 것을 약정하지 않은 경우, 이들 사이의 법률행위를 소비대차라 할 수 있는지 여부(소극)
[3] 甲과 乙은 중학교 선후배 사이로 약 6년간 경제생활 공동체를 이루어 함께 살면서 의류 매장을 운영하였는데, 그들 사이에 계좌이체 등을 통해 이루어진 금전거래가 공동생활관계 해소 시에 정산 후 잔존 금원을 대여금으로 하기로 예정한 것인지 문제 된 사안에서, 위 금전거래를 공동생활관계 해소 시에 정산 후 잔존 금원을 대여금으로 하기로 예정한 것이라고 보기 어려운데도, 이와 달리 본 원심판단에 법리오해 등의 잘못이 있다고 한 사례

[1] 법률행위의 해석은 당사자가 표시행위에 부여한 객관적인 의미를 명백하게 확정하는 것으로서 당사자가 표시한 문언에 의하여 객관적인 의미가 명확하게 드러나지 않는 경우에는 문언의 내용과 법률행위가 이루어진 동기 및 경위, 당사자가 법률행위에 의하여 달성하려고 하는 목적과 진정한 의사, 거래의 관행 등을 종합적으로 고찰하여 사회정의와 형평의 이념에 맞도록 논리와 경험의 법칙, 그리고 사회일반의 상식과 거래의 통념에 따라 합리적으로 해석하여야 한다. 특히 당사자 일방이 주장하는 계약의 내용이 상대방에게 중대한 책임을 부과하게 되는 경우에는 더욱 엄격하게 해석하여야 한다. 이러한 이치는 거동에 의한 묵시적 법률행위에 있어서도 다르지 않다.
[2] 민법상 소비대차는 당사자 일방이 금전 기타 대체물의 소유권을 상대방에게 이전할 것을 약정하고 상대방은 그와 같은 종류, 품질 및 수량으로 반환할 것을 약정함으로써 효력이 생기는 이른바 낙성계약이므로, 차주가 현실로 금전 등을 수수하거나 현실의 수수가 있은 것과 같은 경제적 이익을 취득하여야만 소비대차가 성립하는 것은 아니다. 반대로 당사자 일방이 상대방에게 현실로 금전 기타 대체물의 소유권을 이전하였다고 하더라도 상대방이 같은 종류, 품질 및 수량으로 반환할 것을 약정한 경우가 아니라면 이들 사이의 법률행위를 소비대차라 할 수 없다.
[3] 甲과 乙은 중학교 선후배 사이로 약 6년간 경제생활 공동체를 이루어 함께 살면서 의류 매장을 운영하였는데, 그들 사이에 계좌이체 등을 통해 이루어진 금전거래가 공동생활관계 해소 시에 정산 후 잔존 금원을 대여금으로 하기로 예정한 것인지 문제 된 사안에서, 甲과 乙 사이에 이루어진 송금의 기간 및 횟수, 액수의 다과, 이자의 존재 여부, 반환행위의 존재 여부, 경제생활 공동체에서의 금전거래의 특성 등에 비추어, 위 금전거래를 공동생활관계 해소 시에 정산 후 잔존 금원을 대여금으로 하기로 예정한 것이라고 보기 어려운데도, 이와 달리 본 원심판단에 법률행위의 해석에 관한 법리오해 등의 잘못이 있다고 한 사례

3. 임차권 등기명령제도

1) 임차권 등기 명령 신청

■ **제6조**(임차권등기명령)

① 임대차가 종료된 후 보증금이 반환되지 아니한 경우 임차인은 임차건물의 소재지를 관할하는 지방법원, 지방법원지원 또는 시 · 군법원에 임차권등기명령을 신청할 수 있다. 〈개정 2013. 8. 13.〉

② 임차권등기명령을 신청할 때에는 다음 각 호의 사항을 기재하여야 하며, 신청 이유 및 임차권등기의 원인이 된 사실을 소명하여야 한다.

1. 신청 취지 및 이유

2. 임대차의 목적인 건물(임대차의 목적이 건물의 일부분인 경우에는 그 부분의 도면을 첨부한다)
3. 임차권등기의 원인이 된 사실(임차인이 제3조제1항에 따른 대항력을 취득하였거나 제5조제2항에 따른 우선변제권을 취득한 경우에는 그 사실)
4. 그 밖에 대법원규칙으로 정하는 사항

③ 임차권등기명령의 신청에 대한 재판, 임차권등기명령의 결정에 대한 임대인의 이의신청 및 그에 대한 재판, 임차권등기명령의 취소신청 및 그에 대한 재판 또는 임차권등기명령의 집행 등에 관하여는 「민사집행법」 제280조제1항, 제281조, 제283조, 제285조, 제286조, 제288조제1항 · 제2항 본문, 제289조, 제290조제2항 중 제288조제1항에 대한 부분, 제291조, 제293조를 준용한다. 이 경우 “가압류”는 “임차권등기”로, “채권자”는 “임차인"으로, “채무자”는 “임대인”으로 본다.

④ 임차권등기명령신청을 기각하는 결정에 대하여 임차인은 항고할 수 있다.

⑤ 임차권등기명령의 집행에 따른 임차권등기를 마치면 임차인은 제3조제1항에 따른 대항력과 제5조제2항에 따른 우선변제권을 취득한다. 다만, 임차인이 임차권등기 이전에 이미 대항력 또는 우선변제권을 취득한 경우에는 그 대항력 또는 우선변제권이 그대로 유지되며, 임차권등기 이후에는 제3조제1항의 대항요건을 상실하더라도 이미 취득한 대항력 또는 우선변제권을 상실하지 아니한다.

⑥ 임차권등기명령의 집행에 따른 임차권등기를 마친 건물(임대차의 목적이 건물의 일부분인 경우에는 그 부분으로 한정한다)을 그 이후에 임차한 임차인은 제14조에 따른 우선변제를 받을 권리가 없다.

⑦ 임차권등기의 촉탁, 등기관의 임차권등기 기입 등 임차권등기명령의 시행에 관하여 필요한 사항은 대법원규칙으로 정한다.

⑧ 임차인은 제1항에 따른 임차권등기명령의 신청 및 그에 따른 임차권등기와 관련하여 든 비용을 임대인에게 청구할 수 있다.

⑨ 금융기관등은 임차인을 대위하여 제1항의 임차권등기명령을 신청할 수 있다. 이 경우 제3항 · 제4항 및 제8항의 "임차인"은 "금융기관등"으로 본다. 〈신설 2013. 8. 13.〉

[전문개정 2009. 1. 30.]

2) 임차권 등기 효력

■ **제7조**(「민법」에 따른 임대차등기의 효력 등)

① 「민법」 제621조에 따른 건물임대차등기의 효력에 관하여는 제6조제5항 및 제6항을 준용한다.

② 임차인이 대항력 또는 우선변제권을 갖추고 「민법」 제621조제1항에 따라 임대인의 협력을 얻어 임대차등기를 신청하는 경우에는 신청서에 「부동산등기법」 제74조제1호부터 제6호까지의 사항 외에 다음 각 호의 사항을 기재하여야 하며, 이를 증명할 수 있는 서면(임대차의 목적이 건물의 일부분인 경우에는 그 부분의 도면을 포함한다)을 첨부하여야 한다. 〈개정 2011. 4. 12., 2020. 2. 4.〉

1. 사업자등록을 신청한 날
2. 임차건물을 점유한 날
3. 임대차계약서상의 확정일자를 받은 날

[전문개정 2009. 1. 30.]

■ **제8조**(경매에 의한 임차권의 소멸)

임차권은 임차건물에 대하여 「민사집행법」에 따른 경매가 실시된 경우에는 그 임차건물이 매각되면 소멸한다. 다만, 보증금이 전액 변제되지 아니한 대항력이 있는 임차권은 그러하지 아니하다.

[전문개정 2009. 1. 30.]

3) 임대차등기명령 제도의 구체적 활용

김 씨는 이 씨 소유 건물 2층에 보증금 6,000만 원 월 80만 원으로 임차하여 식당을 운영하는 바 임차인 김 씨와 임대인 이 씨의 임대차 계약은 한 달 뒤 만료될 예정인 사례이다.

김 씨는 코로나로 인하여 상권이 활발하다는 지역으로 옮길 계획이라 이미 임대인 이 씨에세 자후 재계약 의사가 없음을 고지하고 다른 곳으로 이동할 것이라고 통보하였다.

그러나 김 씨는 최근 임대인 이 씨의 경제 사정이 좋지 않아서 보증금을 반환받을 수 있을지 걱정인 경우 해결방안 중 하나가 임차권 등기명령제도이다.

만약 임대차 계약이 종료된 뒤 임대인 이 씨의 경제적 사정으로 임차보증금을 돌려받지 못한 채 사업장을 옮겨야 한다면 김 씨는 임차권등기명령을 신청하여서 임차보증금을 확보해야 한다.

임차권등기 명령은 위의 김 씨처럼 임대차 기간이 종료되었으나 임차보증금을 반환받지 못한 채 사업장을 이전하거나 폐업신고를 하게 되는 경우, 해당 건물 소재지 관할법원에 임차권등기를 신청하는 제도이다.

임차권등기 명령이 신청되어 접수되면 대항력과 우선변제권을 유지한 채 자유롭게 사업장을 옮길 수 있다.

본격적으로 임차권등기 명령을 신청하기 전에 임대인에게 임차보증금 반환을 요구하는 내용증명을 발송하는 게 좋다.

(내용증명은 법적 효력이 없다. 다만 추후 법적 문제가 발생하여 소를 제기할 때 위와 같은 사실 증명을 위한 증거로 사용 가능하다.)

임차권등기 명령이 들어가게 되면 해당 건물 등기부등본에 기록이 남게 된다.

다만 임차권등기 명령을 신청하는 부분에 있어서는 신중한 판단이 필요하다.

만약 임대인이 심리적 압박을 받아서 임차권등기 명령이 접수되고 바로 보증금을 반환해준다면 다행이지만, 임차권등기가 설정되어서 상가에 다른 임차인이 들어오지 않는다면 김 씨가 보증금을 받을 수 있는 기회가 사라질 수도 있기 때문이다.

4. 임대차 기간 및 계약의 갱신

1) 관련 법조문

■ **제9조**(임대차기간 등)

① 기간을 정하지 아니하거나 기간을 1년 미만으로 정한 임대차는 그 기간을 1년으로 본다. 다만, 임차인은 1년 미만으로 정한 기간이 유효함을 주장할 수 있다.

② 임대차가 종료한 경우에도 임차인이 보증금을 돌려받을 때까지는 임대차 관계는 존속하는 것으로 본다.

[전문개정 2009. 1. 30.]

■ **제10조**(계약갱신 요구 등)

① 임대인은 임차인이 임대차기간이 만료되기 6개월 전부터 1개월 전까지 사이에 계약갱신을 요구할 경우 정당한 사유 없이 거절하지 못한다. 다만, 다음

각 호의 어느 하나의 경우에는 그러하지 아니하다. 〈개정 2013. 8. 13.〉

1. 임차인이 3기의 차임액에 해당하는 금액에 이르도록 차임을 연체한 사실이 있는 경우
2. 임차인이 거짓이나 그 밖의 부정한 방법으로 임차한 경우
3. 서로 합의하여 임대인이 임차인에게 상당한 보상을 제공한 경우
4. 임차인이 임대인의 동의 없이 목적 건물의 전부 또는 일부를 전대(轉貸)한 경우
5. 임차인이 임차한 건물의 전부 또는 일부를 고의나 중대한 과실로 파손한 경우
6. 임차한 건물의 전부 또는 일부가 멸실되어 임대차의 목적을 달성하지 못할 경우
7. 임대인이 다음 각 목의 어느 하나에 해당하는 사유로 목적 건물의 전부 또는 대부분을 철거하거나 재건축하기 위하여 목적 건물의 점유를 회복할 필요가 있는 경우

가. 임대차계약 체결 당시 공사시기 및 소요기간 등을 포함한 철거 또는 재건축 계획을 임차인에게 구체적으로 고지하고 그 계획에 따르는 경우

나. 건물이 노후 · 훼손 또는 일부 멸실되는 등 안전사고의 우려가 있는 경우

다. 다른 법령에 따라 철거 또는 재건축이 이루어지는 경우

8. 그 밖에 임차인이 임차인으로서의 의무를 현저히 위반하거나 임대차를 계속하기 어려운 중대한 사유가 있는 경우

② 임차인의 계약갱신요구권은 최초의 임대차기간을 포함한 전체 임대차기간이 10년을 초과하지 아니하는 범위에서만 행사할 수 있다. 〈개정 2018. 10. 16.〉

③ 갱신되는 임대차는 전 임대차와 동일한 조건으로 다시 계약된 것으로 본다. 다만, 차임과 보증금은 제11조에 따른 범위에서 증감할 수 있다.

④ 임대인이 제1항의 기간 이내에 임차인에게 갱신 거절의 통지 또는 조건 변경의 통지를 하지 아니한 경우에는 그 기간이 만료된 때에 전 임대차와 동일한 조건으로 다시 임대차한 것으로 본다. 이 경우에 임대차의 존속기간은 1년으로 본다. 〈개정 2009. 5. 8.〉

⑤ 제4항의 경우 임차인은 언제든지 임대인에게 계약해지의 통고를 할 수 있고, 임대인이 통고를 받은 날부터 3개월이 지나면 효력이 발생한다.

[전문개정 2009. 1. 30.]

■ **제10조의2**(계약갱신의 특례)
제2조제1항 단서에 따른 보증금액을 초과하는 임대차의 계약갱신의 경우에는 당사자는 상가건물에 관한 조세, 공과금, 주변 상가건물의 차임 및 보증금, 그 밖의 부담이나 경제사정의 변동 등을 고려하여 차임과 보증금의 증감을 청구할 수 있다.
[본조신설 2013. 8. 13.]

2) 임대차 계약 기간 관련 사례 및 판례

[울산지법 2013. 11. 8., 선고, 2013가단52393,56616, 판결 : 항소]

판시사항

임대인 甲과 임차인 乙 주식회사가 임대차기간을 2년으로 하되 '영업권 보장 5년', '임대기간 종료 후 임차인이 원할 시 재계약을 보장'하기로 하는 상가 임대차계약을 체결하였고, 이후 계약기간이 만료되자 종전 임대차계약의 동일성을 유지하면서 임대차기간을 36개월로 하는 새로운 임대차계약을 체결한 사안에서, 甲과 乙 회사 사이에 종전 임대차계약과 새로운 임대차계약 체결 당시 5년을 한도로 한 계약갱신 외에 추가로 갱신된 계약기간 만료 후에도 乙 회사가 원할 경우 계약을 갱신해주기로 하는 합의가 있었다고 보기 어렵다고 한 사례

판결요지

임대인 甲과 임차인 乙 주식회사가 임대차기간을 2년으로 하되 '영업권 보장 5년', '임대기간 종료 후 임차인이 원할 시 재계약을 보장'하기로 하는 상가 임대차계약을 체결하였고, 이후 계약기간이 만료되자 종전 임대차계약의 동일성을 유지하면서 임대차기간을 36개월로 하는 새로운 임대차계약을 체결한 사안에서, 영업기간 보장기간이 곧바로 임대차기간을 의미하는 것은 아닌 점, 甲과 乙 회사는 종전 임대차계약 체결 당시 임대차기간을 정하면서 영업기간 보장 및 계약갱신에 관한 사항을 일괄 규정함으로써 영업기간 보장을 계약갱신과 밀접하게 결부시킨 점, 그에 따라 甲과 乙 회사는 종전 임대차계약 기간 만료일에 즈음하여 새로운 임대차계약을 체결하면서 임대차기간을 종전 임대차계약 당시 乙 회사의 영업기간으로 보장하여 주기로 한 5년간의 기간이 만료되는 때까지로 정한 점 등에 비추어 보면, 甲과 乙 회사 사이에 종전 임대차계약과 새로운 임대차계약 체결 당시 5년의 영업기간을 한도로 한 계약갱신 외에 추가로 갱신된 계약기간 만료 후에도 乙 회사가 원할 경우 계약을 갱신해주기로 하는 합의가 있었다고 보기 어렵다고 한 사례

■ **제10조의3**(권리금의 정의 등)

① 권리금이란 임대차 목적물인 상가건물에서 영업을 하는 자 또는 영업을 하려는 자가 영업시설 · 비품, 거래처, 신용, 영업상의 노하우, 상가건물의 위치에 따른 영업상의 이점 등 유형 · 무형의 재산적 가치의 양도 또는 이용대가로서 임대인, 임차인에게 보증금과 차임 이외에 지급하는 금전 등의 대가를 말한다.

② 권리금 계약이란 신규임차인이 되려는 자가 임차인에게 권리금을 지급하기로 하는 계약을 말한다.

[본조신설 2015. 5. 13.]

5. 권리금의 법적분쟁

1) 권리금 관련 법규정

■ **제10조의4**(권리금 회수기회 보호 등)

① 임대인은 임대차기간이 끝나기 6개월 전부터 임대차 종료 시까지 다음 각 호의 어느 하나에 해당하는 행위를 함으로써 권리금 계약에 따라 임차인이 주선한 신규임차인이 되려는 자로부터 권리금을 지급받는 것을 방해하여서는 아니 된다. 다만, 제10조제1항 각 호의 어느 하나에 해당하는 사유가 있는 경우에는 그러하지 아니하다. 〈개정 2018. 10. 16.〉

1. 임차인이 주선한 신규임차인이 되려는 자에게 권리금을 요구하거나 임차인이 주선한 신규임차인이 되려는 자로부터 권리금을 수수하는 행위
2. 임차인이 주선한 신규임차인이 되려는 자로 하여금 임차인에게 권리금을 지급하지 못하게 하는 행위
3. 임차인이 주선한 신규임차인이 되려는 자에게 상가건물에 관한 조세, 공과금, 주변 상가건물의 차임 및 보증금, 그 밖의 부담에 따른 금액에 비추어 현저히 고액의 차임과 보증금을 요구하는 행위
4. 그 밖에 정당한 사유 없이 임대인이 임차인이 주선한 신규임차인이 되려는 자와 임대차계약의 체결을 거절하는 행위

② 다음 각 호의 어느 하나에 해당하는 경우에는 제1항제4호의 정당한 사유가 있는 것으로 본다.

1. 임차인이 주선한 신규임차인이 되려는 자가 보증금 또는 차임을 지급할

자력이 없는 경우
2. 임차인이 주선한 신규임차인이 되려는 자가 임차인으로서의 의무를 위반할 우려가 있거나 그 밖에 임대차를 유지하기 어려운 상당한 사유가 있는 경우
3. 임대차 목적물인 상가건물을 1년 6개월 이상 영리목적으로 사용하지 아니한 경우
4. 임대인이 선택한 신규임차인이 임차인과 권리금 계약을 체결하고 그 권리금을 지급한 경우

③ 임대인이 제1항을 위반하여 임차인에게 손해를 발생하게 한 때에는 그 손해를 배상할 책임이 있다. 이 경우 그 손해배상액은 신규임차인이 임차인에게 지급하기로 한 권리금과 임대차 종료 당시의 권리금 중 낮은 금액을 넘지 못한다.

④ 제3항에 따라 임대인에게 손해배상을 청구할 권리는 임대차가 종료한 날부터 3년 이내에 행사하지 아니하면 시효의 완성으로 소멸한다.

⑤ 임차인은 임대인에게 임차인이 주선한 신규임차인이 되려는 자의 보증금 및 차임을 지급할 자력 또는 그 밖에 임차인으로서의 의무를 이행할 의사 및 능력에 관하여 자신이 알고 있는 정보를 제공하여야 한다.

[본조신설 2015. 5. 13.]

(2) 권리금 사례 및 판례

손해배상(기)

[대법원 2019. 7. 10., 선고, 2018다239608, 판결]

판시사항

[1] 구 상가건물 임대차보호법 제10조의4에서 정한 권리금 회수 방해로 인한 손해배상책임이 성립하기 위하여 반드시 임차인과 신규임차인이 되려는 자 사이에 권리금 계약이 미리 체결되어 있어야 하는지 여부(소극)
[2] 상가 임대인인 甲이 기존 임차인 乙과 임대차계약을 합의해지할 무렵 丙 학교와 새로이 임대차계약을 체결하면서 상가에 설치된 모든 시설을 인수하는 조건으로 丙 학교로부터 시설비 명목의 돈을

수령하였는데, 乙이 기존 임대차계약과 별개로 임대인과 체결한 시설투자비 상환약정에 따라 매월 임대인에게 차임 이외의 금원을 별도로 지급하여 왔었고 이는 권리금에 해당한다고 주장하면서 甲을 상대로 권리금 회수 방해를 이유로 한 손해배상을 구한 사안에서, 제반 사정에 비추어 乙과 丙 학교는 애초부터 권리금 계약 체결 자체를 예정하고 있지 아니하였으므로, 甲이 乙의 권리금 회수를 방해하였다거나 乙에게 어떠한 손해가 발생하였다고 볼 여지가 없다고 한 사례

판결요지

[1] 구 상가건물 임대차보호법(2018. 10. 16. 법률 제15791호로 개정되기 전의 것, 이하 개정 전후와 관계없이 '상가임대차법'이라고 한다) 제10조의3, 제10조의4의 문언과 내용, 입법 취지 등을 종합하면, 임차인이 구체적인 인적사항을 제시하면서 신규임차인이 되려는 자를 임대인에게 주선하였는데 임대인이 제10조의4 제1항에서 정한 기간에 이러한 신규임차인이 되려는 자에게 권리금을 요구하는 등 제1항 각호의 어느 하나에 해당하는 행위를 함으로써, 임차인이 신규임차인으로부터 권리금을 회수하는 것을 방해한 때에는 임대인은 임차인이 입은 손해를 배상할 책임이 있고, 이때 권리금 회수 방해를 인정하기 위하여 반드시 임차인과 신규임차인이 되려는 자 사이에 권리금 계약이 미리 체결되어 있어야 하는 것은 아니다. 상세한 이유는 다음과 같다.
① 상가임대차법 제10조의4 제1항 본문에서 정한 '권리금 계약에 따라'라는 문언이, 임차인이 신규임차인이 되려는 자와 권리금 계약을 체결한 상태임을 전제로 하는지는 위 제1항 본문 자체만으로는 명확하지 않다. 그런데 상가임대차법 제10조의4 제1항 각호는 임대인이 신규임차인이 되려는 자에게 권리금을 요구하거나 그로부터 권리금을 수수하는 행위 등을 금지하면서 임차인이 신규임차인이 되려는 자와 반드시 권리금 계약을 체결했어야 함을 전제로 하고 있지 않다. 또한 상가임대차법 제10조의4 제3항은 권리금 계약이 체결되지 않은 경우에도 임대인의 권리금 회수 방해로 인한 손해배상액을 '임대차 종료 당시의 권리금'으로 정할 수 있도록 하고 있다.
② 상가임대차법 제10조의4는 임차인이 임대차 종료 시 스스로 신규임차인이 되려는 자를 찾아 임대인에게 임대차계약을 체결하도록 주선하고 신규임차인으로부터 그동안 투자한 비용이나 영업활동으로 형성된 지명도나 신용 등 경제적 이익을 권리금 형태로 지급받아 회수할 수 있도록 보장하면서 임대인이 부당하게 이를 침해하지 못하도록 한 것이다. 이는 임대인이 임차인과 신규임차인 사이에 체결된 권리금 계약에 따른 이행을 방해하는 것에 한정하지 않고, 임차인이 신규임차인이 되려는 자와 권리금 계약 체결에 이르지 못하도록 하는 등 임차인이 권리금을 지급받을 수 있는 기회를 방해하는 다양한 행위를 금지함으로써 임차인을 보호하는 것이다.
③ 현실적으로 권리금은 임대차계약의 차임, 임차보증금, 기간 등 조건과 맞물려 정해지는 경우가 많다. 신규임차인이 되려는 자가 임대인과의 임대차계약 조건에 따라서 임차인에게 지급하려고 하는 권리금 액수가 달라질 수 있고, 이러한 이유로 권리금 계약과 임대차계약이 동시에 이루어지는 경우도 있다.
임대인이 임대차기간이 종료될 무렵 현저히 높은 금액으로 임차보증금이나 차임을 요구하거나 더 이상 상가건물을 임대하지 않겠다고 하는 등 새로운 임대차계약 체결 자체를 거절하는 태도를 보이는

경우 임차인이 신규임차인이 되려는 자를 찾아 권리금 계약을 체결하는 것은 사실상 불가능하다. 이러한 임대인의 행위는 상가임대차법 제10조의4 제1항 제3호, 제4호에서 정한 방해행위에 해당한다고 볼 수 있고, 임차인과 신규임차인이 되려는 자 사이에 권리금 계약이 체결되지 않았더라도 임대인은 임차인의 권리금 회수 방해를 이유로 손해배상책임을 진다고 보아야 한다.
[2] 상가 임대인인 甲이 기존 임차인 乙과 임대차계약을 합의해지할 무렵 丙 학교와 새로이 임대차계약을 체결하면서 상가에 설치된 모든 시설을 인수하는 조건으로 丙 학교로부터 시설비 명목의 돈을 수령하였는데, 乙이 기존 임대차계약과 별개로 임대인과 체결한 시설투자비 상환약정에 따라 매월 임대인에게 차임 이외의 금원을 별도로 지급하여 왔었고 이는 권리금에 해당한다고 주장하면서 甲을 상대로 권리금 회수 방해를 이유로 한 손해배상을 구한 사안에서, 乙이 권리금 회수 방해로 인한 손해배상을 구하려면 乙과 신규임차인 사이에 권리금 계약이 체결되었을 것이 전제되어야 하는 것은 아니지만 乙은 신규임차인인 丙 학교와 권리금 계약을 체결하지 않았음은 물론, 자신이 권리금을 지급받기 위해서 丙 학교와 권리금 계약의 대상이나 임대인과의 시설투자비 상환약정과 관련하여 乙이 양도할 수 있는 시설물의 범위 등에 관하여 전혀 논의한 적이 없고, 甲이 丙 학교로부터 시설비를 받는 것에 관해서도 별다른 이의를 하지 아니하였으므로 乙과 丙 학교는 애초부터 권리금 계약 체결 자체를 예정하고 있지 아니하였다고 할 것이어서 甲이 乙의 권리금 회수를 방해하였다거나 乙에게 어떠한 손해가 발생하였다고 볼 여지가 없다고 한 사례

임대차보증금반환등·건물명도

[대구고법 2018. 8. 24., 선고, 2017나21191, 21207, 판결 : 상고]

판시사항

임차인 甲이 임대인 乙과 대구광역시 소재 상가건물에 관하여 보증금액(월 차임 환산액을 포함한 금액)을 구 상가건물 임대차보호법 시행령 제2조 제1항 제3호의 보증금액을 초과하는 금액으로 하고 임대차기간을 3년으로 하는 임대차계약을 체결하였다가 임대차기간 만료 후 다시 동일한 보증금액에 임대차기간을 2년으로 하는 내용의 임대차계약을 체결하여 위 건물에서 약국을 운영하였고, 그 후 위 임대차기간이 2015. 5. 13. 신설된 권리금 회수기회 보호에 관한 구 상가건물 임대차보호법 제10조의4가 시행되기 전에 종료되었는데, 甲이 乙을 상대로 乙이 권리금의 반환 또는 새로운 임차인을 통한 권리금 회수에 협조하지 않아 권리금을 회수하지 못하는 손해를 입었다며 같은 조 제3항에 따른 손해배상을 구한 사안에서, 위 임대차는 구 상가건물 임대차보호법 제10조의4의 시행일 현재 존속 중인 임대차에 해당하지 않으므로 구 상가건물 임대차보호법 제10조의4는 위 임대차에 적용되지 않는다고 한 사례

임차인 甲이 임대인 乙과 대구광역시 소재 상가건물에 관하여 보증금액(월 차임 환산액을 포함한 금액)을 구 상가건물 임대차보호법 시행령(2015. 11. 13. 대통령령 제26637호로 개정되기 전의 것, 이하 '구 상가임대차법 시행령'이라 한다) 제2조제1항제3호의 보증금액을 초과하는 금액으로 하고 임대차기간을 3년으로 하는 임대차계약을 체결하였다가 임대차기간 만료 후 다시 동일한 보증금액에 임대차기간을 2년으로 하는 내용의 임대차계약을 체결하여 위 건물에서 약국을 운영하였고, 그 후 위 임대차기간이 2015. 5. 13. 신설된 권리금 회수기회 보호에 관한 구 상가건물 임대차보호법(2018. 10. 16. 법률 제15791호로 개정되기 전의 것, 이하 '구 상가임대차법'이라 한다) 제10조의4가 시행되기 전에 종료되었는데, 甲이 乙을 상대로 乙이 권리금의 반환 또는 새로운 임차인을 통한 권리금 회수에 협조하지 않아 권리금을 회수하지 못하는 손해를 입었다며 같은 조 제3항에 따른 손해배상을 구한 사안이다.
구 상가임대차법 부칙(2015. 5. 13.) 제3조에 따르면 구 상가임대차법 제10조의4는 그 규정의 시행일 현재 존속 중인 임대차부터 적용되는데, 甲과 乙이 약정한 임대차기간이 위 시행일 전에 이미 종료된 점, 위 임대차의 보증금액은 구 상가임대차법 제2조제1항, 구 상가임대차법 시행령 제2조제1항제3호에 따른 보증금액을 초과하는데 임대차가 종료한 경우에도 임차인이 보증금을 돌려받을 때까지는 임대차관계가 존속한다고 정한 구 상가임대차법 제9조제2항은 구 상가임대차법 시행령 제2조제1항제3호에 따른 보증금액을 초과하는 임대차에는 적용되지 않는 것이어서 구 상가임대차법 제10조의4의 시행일 현재 甲이 임대차보증금을 반환받지 않았더라도 임대차관계가 존속하는 것으로 볼 수 없는 점을 종합하면, 위 임대차는 구 상가임대차법 제10조의4의 시행일 현재 존속 중인 임대차에 해당하지 않으므로 구 상가임대차법 제10조의4는 위 임대차에 적용되지 않는다고 한 사례이다.

건물명도·임대차보증금

[울산지법 2013. 11. 8., 선고, 2013가단52393,56616, 판결 : 항소]

판시사항

임대인 甲과 임차인 乙 주식회사가 임대차기간을 2년으로 하되 '영업권 보장 5년', '임대기간 종료 후 임차인이 원할 시 재계약을 보장'하기로 하는 상가 임대차계약을 체결하였고, 이후 계약기간이 만료되자 종전 임대차계약의 동일성을 유지하면서 임대차기간을 36개월로 하는 새로운 임대차계약을 체결한 사안에서, 甲과 乙 회사 사이에 종전 임대차계약과 새로운 임대차계약 체결 당시 5년을 한도로 한 계약갱신 외에 추가로 갱신된 계약기간 만료 후에도 乙 회사가 원할 경우 계약을 갱신해주기로 하는 합의가 있었다고 보기 어렵다고 한 사례

판결요지

임대인 甲과 임차인 乙 주식회사가 임대차기간을 2년으로 하되 '영업권 보장 5년', '임대기간 종료 후 임차인이 원할 시 재계약을 보장'하기로 하는 상가 임대차계약을 체결하였고, 이후 계약기간이 만료되자 종전 임대차계약의 동일성을 유지하면서 임대차기간을 36개월로 하는 새로운 임대차계약을 체결한 사안에서, 영업기간 보장기간이 곧바로 임대차기간을 의미하는 것은 아닌 점, 甲과 乙 회사는 종전 임대차계약 체결 당시 임대차기간을 정하면서 영업기간 보장 및 계약갱신에 관한 사항을 일괄 규정함으로써 영업기간 보장을 계약갱신과 밀접하게 결부시킨 점, 그에 따라 甲과 乙 회사는 종전 임대차계약 기간 만료일에 즈음하여 새로운 임대차계약을 체결하면서 임대차기간을 종전 임대차계약 당시 乙 회사의 영업기간으로 보장하여 주기로 한 5년간의 기간이 만료되는 때까지로 정한 점 등에 비추어 보면, 甲과 乙 회사 사이에 종전 임대차계약과 새로운 임대차계약 체결 당시 5년의 영업기간을 한도로 한 계약갱신 외에 추가로 갱신된 계약기간 만료 후에도 乙 회사가 원할 경우 계약을 갱신해주기로 하는 합의가 있었다고 보기 어렵다고 한 사례

배당이의

[대법원 2013. 12. 12., 선고, 2013다211919, 판결]

판시사항

임차인이 상가건물임대차보호법상의 대항력 또는 우선변제권 등을 취득한 후에 목적물의 소유권이 제3자에게 양도된 다음 새로운 소유자와 임차인이 종전 임대차계약의 효력을 소멸시키려는 의사로 별개의 임대차계약을 새로이 체결한 경우, 임차인이 종전 임대차계약을 기초로 발생하였던 대항력 또는 우선변제권 등을 새로운 소유자 등에게 주장할 수 있는지 여부(원칙적 소극)

판결요지

어떠한 목적물에 관하여 임차인이 상가건물임대차보호법상의 대항력 또는 우선변제권 등을 취득한 후에 그 목적물의 소유권이 제3자에게 양도되면 임차인은 그 새로운 소유자에 대하여 자신의 임차권으로 대항할 수 있고, 새로운 소유자는 종전 소유자의 임대인으로서의 지위를 승계한다.(상가건물임대차보호법 제3조 제1항, 제2항, 제5조 제2항 등 참조) 그러나 임차권의 대항 등을 받는 새로운 소유자라고 할지라도 임차인과의 계약에 기하여 그들 사이의 법률관계를 그들의 의사에 좇아 자유롭게 형성할 수 있는 것이다. 따라서 새로운 소유자와 임차인이 동일한 목적물에 관하여 종전 임대차계약의 효력을 소멸시키려는 의사로 그와는 별개의 임대차계약을 새로이 체결하여 그들 사이의 법률관계가 이 새로운 계약에 의하여 규율되는 것으로 정할 수 있다. 그리고 그 경우에는 종전의 임대차계약

은 그와 같은 합의의 결과로 그 효력을 상실하게 되므로, 다른 특별한 사정이 없는 한 이제 종전의 임대차계약을 기초로 발생하였던 대항력 또는 우선변제권 등도 종전 임대차계약과 함께 소멸하여 이를 새로운 소유자 등에게 주장할 수 없다고 할 것이다.

건물명도

[대법원 2010. 10. 28., 선고, 2010다51369, 판결]

판시사항

[1] 민법상 조합계약의 의의 및 '공동의 목적달성'이라는 정도만으로 조합의 성립요건을 갖추었다고 할 수 있는지 여부(소극)
[2] 수분양자들이 상가 임대차계약의 승계를 통해 공동임대인의 지위에 있게 되었다 하더라도 이를 들어 '공동의 목적달성'이라는 정도를 넘어서서 '임대사업을 공동경영하는 약정'을 체결함으로써 어떠한 형태의 조합이 성립된 것이라고 볼 수 없음에도, 위 수분양자들이 상가 전체를 일괄적으로 사용·수익하기 위하여 각 구분소유건물의 사용권을 출자하여 공동으로 상가 임대차사업을 영위하고, 그 사업성과로서 차임을 분배정산하기로 하는 동업계약을 체결하였다고 본 원심판결을 파기한 사례

건물명도

[대구지법 2008. 7. 22., 선고, 2008나8841, 판결 : 상고]

판시사항

건물이 노후하거나 안전에 문제가 있는 경우가 아니더라도 임대인이 건물을 철거하거나 재건축하기 위하여 임대차계약의 갱신을 거절할 수 있는지 여부(적극)

판결요지

상가건물임차인의 법적 지위를 보호하는 것도 중요하지만, 임대인의 동의가 없어도 임차인의 갱신요구만으로 임대차가 갱신되도록 하는 것은 사법의 대원칙인 계약자유의 원칙을 제한하는 것이므로 원칙적으로 법령에 명시적으로 규정된 경우에만 가능한 점,
상가건물임대차보호법 제10조 제1항 제7호는 '철거하거나 재건축하기 위해'라고만 규정할 뿐 철거나 재건축의 구체적 사유를 규정하고 있지 아니한 점,
같은 법 제10조 제1항은 본문에서 "임대인은 임차인이 임대차기간 만료 전 6월부터 1월까지 사이에 행하는 계약갱신 요구에 대하여 정당한 사유 없이 이를 거절하지 못한다"고 규정하면서 단서에서 "다만, 다음 각 호의 1의 경우에는 그러하지 아니하다"고 규정하고 있으므로 단서에 규정되지 않은 사유라고 하더라도 정당한 사유가 있다고 판단되는 경우에는 본문의 규정에 의하여 임대인이 임차인의 갱신요구를 거절할 수 있는 것으로 해석되는 점 등에 비추어 보면, 비록 건물이 노후하거나 안전에 문제가 있는 경우가 아니더라도 임대인은 건물을 철거하거나 재건축하기 위하여 임대차계약의 갱신을 거절할 수 있다고 해석함이 상당하다.

건물명도등

[대법원 1988. 12. 13., 선고, 87다카3097, 판결]

판시사항

가. 임차목적물인 점포의 일부가 주거용으로 사용되고 있는 경우 주택임대차보호법 소정의 주거용 건물이 아니라고 한 사례
나. 임차인의 점유부분이 주거용 건물이 아닌 경우에 그 점유사실을 알고 근저당권을 취득한 자의 지위

판결요지

가. 임차인이 점유하고 있는 점포 중 일부가 주거용으로 사용되고 있는 경우라도 주택임대차보호법 소정의 주거용건물이 아니라고 한 사례
나. 임차인의 점유부분이 주택임대차보호법 소정의 주거용 건물에 해당하지 아니하는 이상 위 건물을 임차인이 점유하고 있는 사실을 알고 근저당권을 취득하였다고 하여도 위 근저당권자가 당연히 임대인의 지위를 승계하는 것은 아니다.

기출 문제

01 상가 건물관련 사례이다 판례의 지문으로 옳지 않은 것은?

① 상가건물 임대차보호법이 적용되는 상가건물 임대차는 사업자등록 대상이 되는 건물로써 임대차 목적물인 건물을 영리를 목적으로 하는 영업용으로 사용하는 임대차를 가리킨다.

(O)

② 상가건물 임대차보호법이 적용되는 상가건물에 해당하는지는 공부상 표시가 아닌 건물의 현황 · 용도 등에 비추어 영업용으로 사용하느냐에 따라 실질적으로 판단하여야 하고, 단순히 상품의 보관 · 제조 · 가공 등 사실행위만이 이루어지는 공장 · 창고 등은 영업용으로 사용하는 경우라고 할 수 없으나, 그곳에서 그러한 사실행위와 더불어 영리를 목적으로 하는 활동이 함께 이루어진다면 상가건물 임대차보호법 적용대상인 상가건물 해당한다.

(O)

③ 상가건물의 임차인이 임대차보증금 반환채권에 대하여 상가건물 임대차보호법 제3조제1항 소정의 대항력 또는 같은 법 제5조제2항 소정의 우선변제권을 가지려면 임대차의 목적인 상가건물의 인도 및 부가가치세법 등에 의한 사업자등록을 구비하고, 관할세무서장으로부터 확정일자를 받아야 하며, 그 중 사업자등록은 대항력 또는 우선변제권의 취득요건일 뿐만 아니라 존속요건이기도 하므로, 배당요구의 종기까지 존속하고 있어야 한다.

(O)

④ 상가건물을 임차하고 사업자등록을 마친 사업자가 임차 건물의 전대차 등으로 당해 사업을 개시하지 않거나 사실상 폐업한 경우에는 그 사업자등록은 부가가치세법 및 상가건물 임대차보호법이 상가임대차의 공시방법으로 요구하는 적법한 사업자등록이라고 볼 수 없고, 이 경우 임차인이 상가건물 임대차보호법상의 대항력 및 우선변제권을 유지하기 위해서는 건물을 직접 점유하면서 사업을 운영하는 전차인이 그 명의로 사업자등록을 하여야 한다.

(O)

⑤ 권리금의 지급은 임대차계약의 내용을 이루는 것은 아니고, 권리금 자체는 그 점포의 영업시설 · 비품 등 유형물이나 거래처, 신용, 영업상의 노하우 혹은 점포 위치에 따른 영업 상의 이점 등 무형의 재산적 가치의 양도 또는 일정 기간 동안의 이용대가라고 본다.

(O)

⑥ 권리금이 그 수수 후 일정한 기간 이상으로 그 임대차를 존속시키기로 하는 임차권 보장의 약정 하에 임차인으로 부터 임대인에게 지급된 경우에는, 보장기간동안의 이용이 유효하게 이루어진 이상 임대인은 그 권리금의 반환의무를 지지 아니 한다.

(O)

CHAPTER

주택임대차보호법

Dental Management Officer

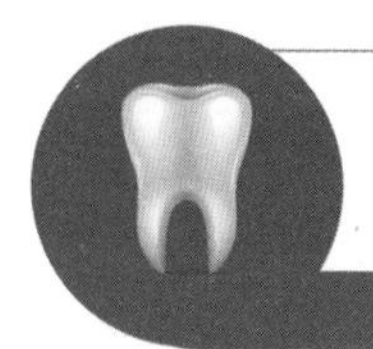

주택임대차보호법

Dental Management Officer

06

1. 법의 목적 및 대항력

1) 법의 목적

이 법은 주거용 건물의 임대차(賃貸借)에 관하여 「민법」에 대한 특례를 규정함으로써 국민 주거생활의 안정을 보장함을 목적으로 한다.

이 법은 주거용 건물(이하 "주택"이라 한다)의 전부 또는 일부의 임대차에 관하여 적용한다. 그 임차주택(賃借住宅)의 일부가 주거 외의 목적으로 사용되는 경우에도 또한 같다.

2) 대항력

임대차는 그 등기(登記)가 없는 경우에도 임차인(賃借人)이 주택의 인도(引渡)와 주민등록을 마친 때에는 그 다음 날부터 제삼자에 대하여 효력이 생긴다. 이 경우 전입신고를 한 때에 주민등록이 된 것으로 본다.

주택도시기금을 재원으로 하여 저소득층 무주택자에게 주거생활 안정을 목적으로 전세임대주택을 지원하는 법인이 주택을 임차한 후 지방자치단체의 장 또는 그 법인이 선정한 입주자가 그 주택을 인도받고 주민등록을 마쳤을 때에는 제1항을 준용한다. 이 경우 대항력이 인정되는 법인은 대통령령으로 정한다.

「중소기업기본법」 제2조에 따른 중소기업에 해당하는 법인이 소속 직원의 주거용으로 주택을 임차한 후 그 법인이 선정한 직원이 해당 주택을 인도받고 주민등록을 마쳤을 때에는 제1항을 준용한다. 임대차가 끝나기 전에 그 직원이 변경된 경우에는 그 법인이 선정한 새로운 직원이 주택을 인도받고 주민등록을 마친 다음 날부터 제삼자에 대하여 효력이 생긴다.

2. 보증금 관련 조문 및 법리

1) 보증금 관련 법조문

■ **제3조의2**(보증금의 회수)

① 임차인(제3조제2항 및 제3항의 법인을 포함한다. 이하 같다)이 임차주택에 대하여 보증금반환청구소송의 확정판결이나 그 밖에 이에 준하는 집행권원(執行權原)에 따라서 경매를 신청하는 경우에는 집행개시(執行開始)요건에 관한 「민사집행법」 제41조에도 불구하고 반대의무(反對義務)의 이행이나 이행의 제공을 집행개시의 요건으로 하지 아니한다. 〈개정 2013. 8. 13.〉

② 제3조제1항 · 제2항 또는 제3항의 대항요건(對抗要件)과 임대차계약증서(제3조제2항 및 제3항의 경우에는 법인과 임대인 사이의 임대차계약증서를 말한다)상의 확정일자(確定日字)를 갖춘 임차인은 「민사집행법」에 따른 경매 또는 「국세징수법」에 따른 공매(公賣)를 할 때에 임차주택(대지를 포함한다)의 환가대금(換價代金)에서 후순위권리자(後順位權利者)나 그 밖의 채권자보다 우선하여 보증금을 변제(辨濟)받을 권리가 있다. 〈개정 2013. 8. 13.〉

③ 임차인은 임차주택을 양수인에게 인도하지 아니하면 제2항에 따른 보증금을 받을 수 없다.

④ 제2항 또는 제7항에 따른 우선변제의 순위와 보증금에 대하여 이의가 있는 이해관계인은 경매법원이나 체납처분청에 이의를 신청할 수 있다. 〈개정 2013. 8. 13.〉

⑤ 제4항에 따라 경매법원에 이의를 신청하는 경우에는 「민사집행법」 제152조부터 제161조까지의 규정을 준용한다.

⑥ 제4항에 따라 이의신청을 받은 체납처분청은 이해관계인이 이의신청일부터 7일 이내에 임차인 또는 제7항에 따라 우선변제권을 승계한 금융기관 등을 상대로 소(訴)를 제기한 것을 증명하면 해당 소송이 끝날 때까지 이의가 신청된 범위에서 임차인 또는 제7항에 따라 우선변제권을 승계한 금융기관 등에 대한 보증금의 변제를 유보(留保)하고 남은 금액을 배분하여야 한다. 이 경우 유보된 보증금은 소송의 결과에 따라 배분한다. 〈개정 2013. 8. 13.〉

2) 보증금 관련한 사례 및 판례

임대차보증금

[대법원 2013. 12. 12., 선고, 2013다211919, 판결]

판시사항

외국인 또는 외국국적동포가 구 출입국관리법이나 구 재외동포의 출입국과 법적 지위에 관한 법률에 따라 외국인등록이나 체류지변경신고 또는 국내거소신고나 거소이전신고를 한 경우, 주택임대차보호법 제3조 제1항에서 주택임대차의 대항력 취득 요건으로 규정하고 있는 주민등록과 동일한 법적 효과가 인정되는지 여부(적극) 및 대항력을 갖춘 임차주택이 양도되어 양수인이 임대인의 지위를 승계한 경우, 양도인의 임대차보증금반환채무가 소멸하는지 여부(적극)

3. 임차권 등기명령제도

1) 임차권 등기 명령 신청

임대차가 끝난 후 보증금이 반환되지 아니한 경우 임차인은 임차주택의 소재지를 관할하는 지방법원 · 지방법원지원 또는 시 · 군 법원에 임차권등기명령을 신청할 수 있다.

임차권등기명령의 신청서에는 다음 각 호의 사항을 적어야 하며, 신청의 이유와 임차권등기의 원인이 된 사실을 소명(疎明)하여야 한다.

신청의 취지 및 이유, 임대차의 목적인 주택(임대차의 목적이 주택의 일부분인 경우에는 해당 부분의 도면을 첨부한다), 임차권등기의 원인이 된 사실(임차인이 제3조제1항 · 제2항 또는 제3항에 따른 대항력을 취득하였거나 제3조의2제2항에 따른 우선변제권을 취득한 경우에는 그 사실)

임차권등기명령의 신청을 기각(棄却)하는 결정에 대하여 임차인은 항고(抗告)할 수 있다.

2) 임차권 등기

임차인은 임차권등기명령의 집행에 따른 임차권등기를 마치면 제3조제1항 · 제

2항 또는 제3항에 따른 대항력과 제3조의2제2항에 따른 우선변제권을 취득한다. 다만, 임차인이 임차권등기 이전에 이미 대항력이나 우선변제권을 취득한 경우에는 그 대항력이나 우선변제권은 그대로 유지되며, 임차권등기 이후에는 제3조제1항 · 제2항 또는 제3항의 대항요건을 상실하더라도 이미 취득한 대항력이나 우선변제권을 상실하지 아니한다.

3) 실제 사례 및 법리

임차권등기명령은 임대차 종료 후 보증금을 반환받지 못한 임차인이 단독으로 법원에 임차권등기명령을 신청함으로써 행해지는 절차로서 임차권등기 후 자유롭게 주거를 이전할 수 있는 기회를 보장하기 위한 제도이다. 종래에는 임차인이 임대차가 종료된 후 보증금을 반환받지 못한 상태에서 다른 곳으로 이사하거나 주민등록을 전출하면 임차인이 종전에 가지고 있던 대항력과 우선변제권을 상실하게 되어 보증금을 반환받는 것이 사실상 어렵게 되는 문제점이 있었다.

이러한 문제점을 개선하기 위하여 1999년 3월 1일부터 시행되는 개정 주택임대차보호법에서 임차권등기명령제도를 도입하게 되었으며, 이 제도의 도입으로 이제는 임차인이 근무지 변경 등으로 다른 곳으로 이사할 필요가 있는 경우에 법원에 임차권등기명령신청을 하고 그에 따라 임차주택에 임차권등기가 경료되면, 그 이후부터는 주택의 점유와 주민등록의 요건을 갖추지 않더라도 이미 취득하고 있던 대항력과 우선변제권을 상실하지 않기 때문에 임차인이 안심하고 주거를 이전할 수 있게 되었다.

특히 임차주택이 경매에 부쳐지는 경우 낙찰되어 보증금을 배당받을 때까지 10개월 이상 걸리는 상황에서 그 사이 이사할 필요가 있는 임차인에게 임차권등기명령은 상당히 유효한 제도로서 활용되고 있다.

그렇다면 임차권등기명령에 기한 모든 임차권등기를 배당요구로 볼 수 있을까? 여기에 맞는 적절한 사례가 있어 그 사례를 통해 이 문제를 풀어가 보도록 하자. 지난 4월 17일에 동작구 신대방동 다가구주택이 감정가 4억 5천만 원에 1회 유찰된 3억 6천만 원에 경매에 부쳐졌음에도 불구하고 감정가를 넘는 4억 6천만 원에 'K'씨에게 낙찰된 적이 있었다. 이 물건에는 말소기준권리보다 앞서 전입한 선순위 대항력 있는 임차인이 다수 있었고, 그 임차인중 3가구는 임차권등기를 한 상태였다.

문제는 임차권등기를 한 3가구 중 2가구(甲, 乙)의 임차인이 별도의 배당요구신청을 하지 않은 것이 화근이 되었다. 낙찰자 'K'씨는 입찰 전에 한 경매컨설팅업체에 달리 배당요구를 하지 않은 그 2가구의 임차인이 보증금을 배당 받을 수 있는지 자문을 구한 바, 그 컨설팅업체로부터 임차권등기는 곧 배당요구와 같이 취급되므로 보증금 전액 배당이 가능하다는 답변을 들었다.

감정가 이상에서 현 시세가 받쳐주고 있으며, 향후 개발호재도 있어 'K'씨는 아무런 의심없이 입찰에 응하게 된 결과 감정가를 넘는 4억 6천만 원에 9명의 경쟁자를 제치고 낙찰을 받았다. 별 문제없이 매각이 결정되었고, 이후 대금납부기한 내에 대금까지 납부하였으나 배당기일에 이르러서야 사고가 발생한 것을 알았다.

낙찰대금으로부터 배당을 받을 줄만 알았던 임차권자 甲, 乙 중 甲은 보증금 전액을 배당받았으나 乙은 보증금 2477만원을 전혀 배당받지 못했고, 'K'씨는 선순위 대항력 있는 임차인의 지위에 있었던 乙의 보증금 전액을 물어줘야 하는 처지에 놓이게 된 것이다. 경매컨설팅업체 조차 몰랐던 함정은 어디에 있었을까?

문제는 바로 임차권등기가 된 시점의 차이에 있었다. 임차권자 甲의 임차권등기는 경매개시결정등기가 되기 전에 이루어졌던 반면 乙의 임차권등기는 경매개시결정등기가 된 후에 이루어졌다는 점이다. 즉 법원은 배당표를 작성하면서 경매개시결정등기 이후에 임차권등기가 경료된 乙을 당연 배당권자가 아니라 별도의 배당요구신청을 해야 배당받을 수 있는 채권자로 분류하고 배당에서 제외하였던 것이다. 별도의 배당요구 없이도 당연 배당이 되는 저당권자, 전세권자, 가압류채권자도 경매개시결정등기 후의 채권자라면 반드시 배당요구를 해야 배당을 받을 수 있는 것과 같은 논리이다.

경매개시결정 후의 저당권이나 전세권, 가압류 등이야 배당을 받든 받지 못하든 낙찰자가 신경쓸 바는 아니지만, 임차권등기명령에 기한 임차권등기의 경우는 위 사례처럼 사뭇 그 얘기가 달라지게 된다. 모든 임차권등기를 배당요구로 동일시했다가는 이처럼 낭패를 볼 수 있기에 주의를 요하는 사안이다.

4. 임대차 기간 및 계약의 갱신

1) 법조문

■ **제4조**(임대차기간 등)

① 기간을 정하지 아니하거나 2년 미만으로 정한 임대차는 그 기간을 2년으로 본다. 다만, 임차인은 2년 미만으로 정한 기간이 유효함을 주장할 수 있다.

② 임대차기간이 끝난 경우에도 임차인이 보증금을 반환받을 때까지는 임대차 관계가 존속되는 것으로 본다.

■ **제6조**(계약의 갱신)

① 임대인이 임대차기간이 끝나기 6개월 전부터 1개월 전까지의 기간에 임차인에게 갱신거절(更新拒絶)의 통지를 하지 아니하거나 계약조건을 변경하지 아니하면 갱신하지 아니한다는 뜻의 통지를 하지 아니한 경우에는 그 기간이 끝난 때에 전 임대차와 동일한 조건으로 다시 임대차한 것으로 본다. 임차인이 임대차기간이 끝나기 1개월 전까지 통지하지 아니한 경우에도 또한 같다.

② 제1항의 경우 임대차의 존속기간은 2년으로 본다. 〈개정 2009. 5. 8.〉

③ 2기(期)의 차임액(借賃額)에 달하도록 연체하거나 그 밖에 임차인으로서의 의무를 현저히 위반한 임차인에 대하여는 제1항을 적용하지 아니한다.

[전문개정 2008. 3. 21.]

■ **제6조**(계약의 갱신)

① 임대인이 임대차기간이 끝나기 6개월 전부터 2개월 전까지의 기간에 임차인에게 갱신거절(更新拒絶)의 통지를 하지 아니하거나 계약조건을 변경하지 아니하면 갱신하지 아니한다는 뜻의 통지를 하지 아니한 경우에는 그 기간이 끝난 때에 전 임대차와 동일한 조건으로 다시 임대차한 것으로 본다. 임차인이 임대차기간이 끝나기 2개월 전까지 통지하지 아니한 경우에도 또한 같다. 〈개정 2020. 6. 9.〉

② 제1항의 경우 임대차의 존속기간은 2년으로 본다. 〈개정 2009. 5. 8.〉

③ 2기(期)의 차임액(借賃額)에 달하도록 연체하거나 그 밖에 임차인으로서의 의무를 현저히 위반한 임차인에 대하여는 제1항을 적용하지 아니한다.

[전문개정 2008. 3. 21.]

[시행일 : 2020. 12. 10.] 제6조

■ **제6조의2**(묵시적 갱신의 경우 계약의 해지)

① 제6조제1항에 따라 계약이 갱신된 경우 같은 조 제2항에도 불구하고 임차인은 언제든지 임대인에게 계약해지(契約解止)를 통지할 수 있다. 〈개정 2009. 5. 8.〉

② 제1항에 따른 해지는 임대인이 그 통지를 받은 날부터 3개월이 지나면 그 효

력이 발생한다.

[전문개정 2008. 3. 21.]

■ **제6조의3**(계약갱신 요구 등)

① 제6조에도 불구하고 임대인은 임차인이 제6조제1항 전단의 기간 이내에 계약갱신을 요구할 경우 정당한 사유 없이 거절하지 못한다. 다만, 다음 각호의 어느 하나에 해당하는 경우에는 그러하지 아니하다.

1. 임차인이 2기의 차임액에 해당하는 금액에 이르도록 차임을 연체한 사실이 있는 경우
2. 임차인이 거짓이나 그 밖의 부정한 방법으로 임차한 경우
3. 서로 합의하여 임대인이 임차인에게 상당한 보상을 제공한 경우
4. 임차인이 임대인의 동의 없이 목적 주택의 전부 또는 일부를 전대(轉貸)한 경우
5. 임차인이 임차한 주택의 전부 또는 일부를 고의나 중대한 과실로 파손한 경우
6. 임차한 주택의 전부 또는 일부가 멸실되어 임대차의 목적을 달성하지 못할 경우
7. 임대인이 다음 각 목의 어느 하나에 해당하는 사유로 목적 주택의 전부 또는 대부분을 철거하거나 재건축하기 위하여 목적 주택의 점유를 회복할 필요가 있는 경우

가. 임대차계약 체결 당시 공사시기 및 소요기간 등을 포함한 철거 또는 재건축 계획을 임차인에게 구체적으로 고지하고 그 계획에 따르는 경우

나. 건물이 노후·훼손 또는 일부 멸실되는 등 안전사고의 우려가 있는 경우

다. 다른 법령에 따라 철거 또는 재건축이 이루어지는 경우

8. 임대인(임대인의 직계존속·직계비속을 포함한다)이 목적 주택에 실제 거주하려는 경우
9. 그 밖에 임차인이 임차인으로서의 의무를 현저히 위반하거나 임대차를 계속하기 어려운 중대한 사유가 있는 경우

② 임차인은 제1항에 따른 계약갱신요구권을 1회에 한하여 행사할 수 있다. 이 경우 갱신되는 임대차의 존속기간은 2년으로 본다.

③ 갱신되는 임대차는 전 임대차와 동일한 조건으로 다시 계약된 것으로 본다.

다만, 차임과 보증금은 제7조의 범위에서 증감할 수 있다.

④ 제1항에 따라 갱신되는 임대차의 해지에 관하여는 제6조의2를 준용한다.

⑤ 임대인이 제1항제8호의 사유로 갱신을 거절하였음에도 불구하고 갱신요구가 거절되지 아니하였더라면 갱신되었을 기간이 만료되기 전에 정당한 사유 없이 제3자에게 목적 주택을 임대한 경우 임대인은 갱신거절로 인하여 임차인이 입은 손해를 배상하여야 한다.

⑥ 제5항에 따른 손해배상액은 거절 당시 당사자 간에 손해배상액의 예정에 관한 합의가 이루어지지 않는 한 다음 각 호의 금액 중 큰 금액으로 한다.

1. 갱신거절 당시 월차임(차임 외에 보증금이 있는 경우에는 그 보증금을 제7조의2 각 호 중 낮은 비율에 따라 월 단위의 차임으로 전환한 금액을 포함한다. 이하 "환산월차임"이라 한다)의 3개월분에 해당하는 금액
2. 임대인이 제3자에게 임대하여 얻은 환산월차임과 갱신거절 당시 환산월차임 간 차액의 2년분에 해당하는 금액
3. 제1항제8호의 사유로 인한 갱신거절로 인하여 임차인이 입은 손해액

2) 임대차 계약 기간 관련 사례 및 판례

첫 번째 사례는 "임차주택에 대해 공사소음을 원인으로 한 계약해지" 사례

민법 제623조(임대인의 의무) 임대인은 목적물을 임차인에게 인도하고 계약존속 중 사용, 수익에 필요한 상태를 유지하게 할 의무를 부담하도록 규정하고 있고, 민법 제625조(임차인의 의사에 반하는 보증행위와 해제권)는 임대인이 임차인의 의사에 반하여 보존행위를 하는 경우 임차인이 이로 인하여 임차의 목적을 달성할 수 없을 때에는 계약을 해지할 수 있도록 규정하고 있다.

관련 주요판례로 임대차계약에 있어서 임대인은 임대차 목적물을 계약 존속 중 그 사용, 수익에 필요한 상태를 유지하게 할 의무를 부담하는 것으로 목적물에 파손 또는 장애가 생긴 경우 그것이 임차인이 별 비용을 들이지 아니하고도 손쉽게 고칠 수 있을 정도의 사소한 것이어서 임차인의 사용, 수익을 방해할 정도의 것이 아니라면 임대인은 수선의무를 부담하지 않지만 그것을 수선하지 아니하면 임차인이 계약에 의하여 정하여진 목적에 따라 사용, 수익할 수 없는 사태로 될 정도의 것이라면 임대인은 그 수선의무를 부담한다 할 것이고 이는 자신에게 구책사유가 있는 임대차 목적물의 훼손의 경우에는 물론 자신에게 귀책사유가 없는 훼손의 경우에도 마찬가지라 할 것이다.(대법원, 2010. 4. 29 선고2009다96984)

또한 임대인이 귀책사유로 하자 있는 목적물을 인도하여 목적물 인도의무를 불완전하게 이행하거나 수선의무를 지체한 경우 임차인은 임대인을 상대로 채무불이행에 기한 손해배상을 청구할 수 있고(민법 제390조), 임대차계약을 해지할 수도 있다. 그리고 목적물의 하자에 대한 수선이 불가능하고 그로 인하여 임대차의 목적을 달성할 수 없는 경우에는 임차인의 해지를 기다릴 것도 없이 임대차는 곧바로 종료되고 임차인이 목적물을 인도받아 어느 정도 계속하여 목적물을 사용, 수익한 경우가 아니라 목적물을 인도받은 직후라면 임대차계약의 효력을 소급적으로 소멸시키는 해제를 하는 것도 가능하다고 판단하였다.(서울중앙지방법원, 2014. 6. 20 선고 2014나13609)

두 번째 사례는 "임대차 갱신 계약의 해지" 사례

민법 제543조(해지, 해제권) 제1항은 계약 또는 법률의 규정에 의하여 당사자의 일방이나 쌍방의 해지 또는 해제의 권리가 있는 때에는 그 해지 또는 해제는 상대방에 대한 의사표시로 한다. 제2항 전항의 의사표시는 철회하지 못한다.

관련 판례로 계약의 합의해제 또는 해제계약은 해제권의 유무를 불문하고 계약당사자 쌍방이 합의에 의하여 기존 계약의 효력을 소멸시켜 당초부터 계약이 체결되지 않았던 것과 같은 상태로 복귀시킬 것으로 내용으로 하는 새로운 계약으로서 계약이 합의해제 되기 위하여서는 계약의 성립과 마찬가지로 계약의 청약과 승낙이라는 서로 대립되는 의사표시가 합치될 것을 요건으로 하는 바 이와 같은 합의가 성립하기 위해서는 쌍방 당사자의 표시행위에 나타난 의사의 내용이 객관적으로 일치하여 하고 계약의 합의해제는 명시적으로 뿐만 아니라 당사자 쌍방의 묵시적인 합의에 의하여도 될 수 있으나 묵시적인 합의해제를 한 것으로 인정되려면 계약이 체결되어 그 일부가 이행된 상태에서 당사자 쌍방이 장기간에 걸쳐 나머지 의무를 이행하지 아니함으로써 이를 방치한 것만으로는 부족하고 당사자 쌍방에게 계약을 실현할 의사가 없거나 계약을 포기할 의사가 있다고 볼 수 있을 정도에 이르러야 한다.(대법원 2011. 2. 10, 선고 2010다77385)

5. 주택 임차권의 승계

임차인이 상속인 없이 사망한 경우에는 그 주택에서 가정공동생활을 하던 사실상의 혼인 관계에 있는 자가 임차인의 권리와 의무를 승계한다.

임차인이 사망한 때에 사망 당시 상속인이 그 주택에서 가정공동생활을 하고 있지 아니한 경우에는 그 주택에서 가정공동생활을 하던 사실상의 혼인 관계에 있는 자와 2촌 이내의 친족이 공동으로 임차인의 권리와 의무를 승계한다.

6. 주택임대차 보호법의 강행규정성

■ **제10조**(강행규정)
이 법에 위반된 약정(約定)으로서 임차인에게 불리한 것은 그 효력이 없다.

■ **제10조의**2(초과 차임 등의 반환청구)
임차인이 제7조에 따른 증액비율을 초과하여 차임 또는 보증금을 지급하거나 제7조의2에 따른 월차임 산정률을 초과하여 차임을 지급한 경우에는 초과 지급된 차임 또는 보증금 상당금액의 반환을 청구할 수 있다. [본조신설 2013. 8. 13.]

■ **제11조**(일시사용을 위한 임대차)
이 법은 일시사용하기 위한 임대차임이 명백한 경우에 적용하지 아니한다.

7. 주택임대차 보호법 관련 종합 사례 및 판례 정리

배당이의

[대법원 2019. 4. 11., 선고, 2015다254507, 판결]

판시사항

[1] 외국인이나 외국국적동포가 출입국관리법이나 재외동포의 출입국과 법적 지위에 관한 법률에 따라 외국인등록과 체류지 변경신고 또는 국내거소신고와 거소이전신고를 한 경우, 주택임대차보호법 제3조 제1항에서 주택임대차의 대항요건으로 정하는 주민등록과 같은 법적 효과가 인정되는지 여부(적극)
[2] 재외국민이 구 재외동포의 출입국과 법적 지위에 관한 법률 제6조에 따라 국내거소신고를 한 경우, 주택임대차보호법 제3조 제1항에서 주택임대차의 대항요건으로 정하는 주민등록과 같은 법적 효과가 인정되는지 여부(적극) 및 이 경우 거소이전신고를 한 때에 전입신고가 된 것으로 보아야 하는지 여부(적극)

판결요지

[1] 출입국관리법이 2002. 12. 5. 법률 제6745호로 개정되면서 외국인의 편의를 위해 제88조의2를 신설하였다. 이에 따르면, 법령에 규정된 각종 절차와 거래관계 등에서 외국인등록증과 외국인등록 사실증명으로 주민등록증과 주민등록등본·초본을 갈음하고(제1항), 외국인등록과 체류지 변경신고로 주민등록과 전입신고를 갈음한다(제2항). 따라서 외국인이나 외국국적동포가 출입국관리법에 따라 마친 외국인등록과 체류지 변경신고는 주택임대차보호법(이하 '주택임대차법'이라 한다) 제3조 제1항에서 주택임대차의 대항요건으로 정하는 주민등록과 같은 법적 효과가 인정된다.

이처럼 출입국관리법이 외국인이나 외국국적동포가 외국인등록과 체류지 변경신고를 하면 주민등록법에 따른 주민등록과 전입신고를 한 것으로 간주하는 취지는, 외국인이나 외국국적동포가 주민등록법에 따른 주민등록을 할 수 없는 대신에 외국인등록과 체류지 변경신고를 하면 주민등록을 한 것과 동등한 법적 보호를 해 주고자 하는 데 있다. 이는 특히 주택임대차법에 따라 주택의 인도와 주민등록을 마친 임차인에게 인정되는 대항력 등의 효과를 부여하는 데서 직접적인 실효성을 발휘한다.

한편 재외동포의 출입국과 법적 지위에 관한 법률(이하 '재외동포법'이라 한다)에 따르면, 국내거소신고나 거소이전신고를 한 외국국적동포는 출입국관리법에 따른 외국인등록과 체류지 변경신고를 한 것으로 간주한다(제10조 제4항). 따라서 국내거소신고를 한 외국국적동포에 대해서는 출입국관리법 제88조의2 제2항이 적용되므로, 외국국적동포가 재외동포법에 따라 마친 국내거소신고와 거소이전신고에 대해서도 앞에서 본 외국인등록과 마찬가지로 주택임대차법 제3조 제1항에서 주택임대차의 대항요건으로 정하는 주민등록과 같은 법적 효과가 인정된다.

[2] 구 재외동포의 출입국과 법적 지위에 관한 법률(2014. 5. 20. 법률 제12593호로 개정되기 전의 것, 이하 '구 재외동포법'이라 한다) 시행 당시에는 같은 법 제6조에 따른 재외국민의 국내거소신고를 주택임대차보호법(이하 '주택임대차법'이라 한다) 제3조제1항에서 대항요건으로 정하는 주민등록과 같이 취급할 수 있도록 하는 명시적인 근거조항이 없었다. 또한 재외국민은 외국국적동포가 아니기 때문에 재외동포의 출입국과 법적 지위에 관한 법률 제10조 제4항의 적용대상도 아니다.

위와 같은 재외국민의 국내거소신고에 관한 규정을 출입국관리법 제88조의2 제2항과 비교해 보면, 재외국민의 국내거소신고와 거소이전신고로 주민등록과 전입신고를 갈음할 수 있는지에 관하여 법률의 공백이 있다고 보아야 한다.

구 재외동포법에 출입국관리법 제88조의2 제2항과 같이 재외국민의 국내거소신고와 거소이전신고가 주민등록과 전입신고를 갈음한다는 명문의 규정은 없지만, 출입국관리법 제88조의2 제2항을 유추적용하여 재외국민이 구 재외동포법 제6조에 따라 마친 국내거소신고와 거소이전신고도 외국국적동포의 그것과 마찬가지로 주민등록과 전입신고를 갈음한다고 보아야 한다. 따라서 재외국민의 국내거소신고는 주택임대차법 제3조 제1항에서 주택임대차의 대항요건으로 정하는 주민등록과 같은 법적 효과가 인정되어야 하고, 이 경우 거소이전신고를 한 때에 전입신고가 된 것으로 보아야 한다.

임대차보증금·손해배상(기)

[대법원 2019. 10. 31., 선고, 2017다204490, 204506, 판결]

판시사항

[1] 민사소송법 제202조가 선언하고 있는 자유심증주의의 의미 및 법관의 사실인정 방법과 한계
[2] 어떤 특정한 사항에 관하여 상반되는 여러 개의 감정 결과가 있는 경우, 감정 방법의 적법 여부를 심리·조사하지 않은 채 어느 하나의 감정 결과를 다른 감정 결과와 상이하다는 이유만으로 배척할 수 있는지 여부(소극) 및 동일한 감정사항에 대하여 2개 이상의 감정기관이 서로 모순되거나 불명료한 감정의견을 내놓고 있는 경우, 감정 결과를 증거로 채용하여 사실을 인정하기 위하여 법원이 취하여야 할 조치 / 이러한 법리는 전문적인 학식과 경험이 있는 자가 작성한 감정의견이 기재된 서면이 서증의 방법으로 제출된 경우에도 마찬가지로 적용되는지 여부(적극)
[3] 甲이 乙로부터 임차한 점포에 화재가 발생하였는데, 甲과 乙이 각자 상대방이 지배·관리하는 영역에서 화재가 발생하였다고 주장하며 서로에 대하여 손해배상 등을 구한 사안에서, 발화지점 등 특정한 사항에 관하여 상반되는 소방서, 경찰청 수사과 과학수사계, 국립과학수사연구원의 감식 결과에 모순되는 점이나 불명확한 점 등을 해소하기 위하여 필요한 조치를 강구하거나 석명권을 적절히 행사하는 등의 방법으로 심리를 다하지 아니한 채 화재가 임대인인 甲과 임차인인 乙이 지배·관리하는 영역 중 어느 영역에서도 발생하였다고 인정하기에 부족하다고 본 원심판단에 심리미진의 잘못이 있다고 한 사례

배당이의

[대법원 2014. 2. 27., 선고, 2012다93794, 판결]

판시사항

[1] 적법한 임대권한이 없는 사람과 임대차계약을 체결한 경우, 주택임대차보호법이 적용되는지 여부(소극)
[2] 甲이 임의경매절차에서 최고가매수신고인의 지위에 있던 乙과 주택임대차계약을 체결한 후 주택을 인도받아 전입신고를 마치고 임대차계약서에 확정일자를 받았는데, 다음날 乙이 매각대금을 완납하고 丙 주식회사에 근저당권설정등기를 마쳐준 사안에서, 甲이 주택임대차보호법 제3조의2 제2항에서 정한 우선변제권을 취득하였다고 본 원심판결에 법리오해 등의 위법이 있다고 한 사례

판결요지

[1] 주택임대차보호법이 적용되는 임대차가 임차인과 주택의 소유자인 임대인 사이에 임대차계약이 체결된 경우로 한정되는 것은 아니나, 적어도 그 주택에 관하여 적법하게 임대차계약을 체결할 수 있는 권한을 가진 임대인이 임대차계약을 체결할 것이 요구된다.

[2] 甲이 임의경매절차에서 최고가매수신고인의 지위에 있던 乙과 주택임대차계약을 체결한 후 주택을 인도받아 전입신고를 마치고 임대차계약서에 확정일자를 받았는데, 다음날 乙이 매각대금을 완납하고 丙 주식회사에 근저당권설정등기를 마쳐준 사안에서, 乙이 최고가매수신고인이라는 것 외에는 임대차계약 당시 적법한 임대권한이 있었음을 인정할 자료가 없는데도, 甲이 아직 매각대금을 납부하지도 아니한 최고가매수신고인에 불과한 乙로부터 주택을 인도받아 전입신고 및 확정일자를 갖추었다는 것만으로 주택임대차보호법 제3조의2 제2항에서 정한 우선변제권을 취득하였다고 본 원심판결에 법리오해 등의 위법이 있다고 한 사례.

배당이의(주택 소액임차인 보호 관련 사건)

[대법원 2013. 12. 12., 선고, 2013다62223, 판결]

판시사항

甲이 아파트를 소유하고 있음에도 공인중개사인 남편의 중개에 따라 근저당권 채권최고액의 합계가 시세를 초과하고 경매가 곧 개시될 것으로 예상되는 아파트를 소액임차인 요건에 맞도록 시세보다 현저히 낮은 임차보증금으로 임차한 다음 계약상 잔금지급기일과 목적물인도기일보다 앞당겨 보증금 잔액을 지급하고 전입신고 후 확정일자를 받은 사안에서, 甲은 주택임대차보호법의 보호대상인 소액임차인에 해당하지 않는다고 본 원심판단을 수긍한 사례

판결요지

甲이 아파트를 소유하고 있음에도 공인중개사인 남편의 중개에 따라 근저당권 채권최고액의 합계가 시세를 초과하고 경매가 곧 개시될 것으로 예상되는 아파트를 소액임차인 요건에 맞도록 시세보다 현저히 낮은 임차보증금으로 임차한 다음 당초 임대차계약상 잔금지급기일과 목적물인도기일보다 앞당겨 보증금 잔액을 지급하고 전입신고 후 확정일자를 받았는데, 그 직후 개시된 경매절차에서 배당을 받지 못하자 배당이의를 한 사안에서, 甲은 소액임차인을 보호하기 위하여 경매개시결정 전에만 대항요건을 갖추면 우선변제권을 인정하는 주택임대차보호법을 악용하여 부당한 이득을 취하고자 임대차계약을 체결한 것이므로 주택임대차보호법의 보호대상인 소액임차인에 해당하지 않는다고 본 원심판단을 수긍한 사례

사해행위 취소등

[대법원 2013. 4. 11., 선고, 2012다107198, 판결]

판시사항

[1] 사해행위취소의 주관적 요건인 '사해의사'의 의미 및 수익자의 선의에 관한 증명책임의 소재(=수익자)
[2] 주택임대차보호법이 정한 대항요건 및 확정일자를 갖춘 임차인 또는 소액임차인이 있는 부동산에 관하여 사해행위가 이루어진 후 수익자가 우선변제권 있는 임대차보증금 반환채무를 이행한 경우, 사해행위취소의 범위와 원상회복 방법
[3] 사해행위취소소송에서 가액배상의 방법으로 원상회복이 이루어져야 하더라도 채권자와 수익자 모두 원물반환을 원하는 경우에는 원물반환을 명할 수 있는지 여부(한정 적극) 및 이때 원물반환을 원하는 수익자의 의사를 판단하는 기준 시점(=사실심 변론종결 시)

건물명도·손해배상(기)

[대법원 2018. 2. 8., 선고, 2016다241805, 241812, 판결]

판시사항

구 임대주택법의 적용을 받는 임대주택의 임대사업자가 임대차계약서상 채무불이행을 이유로 임대차계약을 해제 또는 해지하기 위한 요건

판결요지

주된 채무의 불이행을 요구하는 계약해제 또는 해지의 요건, 구 임대주택법(2009. 3. 25. 법률 제9541호로 개정되기 전의 것, 이하 '구 임대주택법'이라 한다)의 입법 취지와 목적, 임대주택의 해제 또는 해지사유에 관한 관련 법령의 문언과 내용 및 취지에 비추어 볼 때, 임대사업자가 임대차계약서상의 채무불이행을 이유로 임대차계약을 해제 또는 해지하려면, 해당 채무가 임대차계약의 주된 채무에 해당하여야 함은 물론, 해당 채무를 위반한 임차인으로 하여금 임대주택을 사용·수익하도록 용인하는 것이 구 임대주택법의 입법 취지에 반하거나 임대사업자의 임대인으로서의 권리를 본질적으로 침해하는 등 구 임대주택법 시행령(2010. 3. 26. 대통령령 제22102호로 개정되기 전의 것) 제26조제1항 또는 표준임대차계약서 제10조제1항에서 정한 그 밖의 해제 또는 해지사유와 동등하게 평가될 정도로 중대한 사유이어야 하고, 이에 이르지 못한 경우에는 임대차계약을 해제 또는 해지할 수 없다.

【참조조문】

 건물인도등청구의소·임대차보증금

[대법원 2016. 10. 13., 선고, 2014다218030, 218047, 판결]

판시사항

[1] 외국인 또는 외국국적동포가 구 출입국관리법이나 구 재외동포의 출입국과 법적 지위에 관한 법률에 따라 외국인등록이나 체류지변경신고 또는 국내거소신고나 거소이전신고를 한 경우, 주택임대차보호법 제3조 제1항에서 주택임대차의 대항력 취득 요건으로 규정하고 있는 주민등록과 동일한 법적 효과가 인정되는지 여부(적극)
[2] 주택임대차보호법 제3조 제1항에 의한 대항력 취득의 요건인 주민등록에 임차인의 배우자나 자녀 등 가족의 주민등록이 포함되는지 여부(적극) 및 이러한 법리가 구 재외동포의 출입국과 법적 지위에 관한 법률에 의한 재외국민이 임차인인 경우에도 마찬가지로 적용되는지 여부(적극)

판결요지

[1] 외국인 또는 외국국적동포가 구 출입국관리법(2010. 5. 14. 법률 제10282호로 개정되기 전의 것)이나 구 재외동포의 출입국과 법적 지위에 관한 법률(2008. 3. 14. 법률 제8896호로 개정되기 전의 것)에 따라서 한 외국인등록이나 체류지변경신고 또는 국내거소신고나 거소이전신고에 대해서는, 주택임대차보호법 제3조 제1항에서 주택임대차의 대항력 취득 요건으로 규정하고 있는 주민등록과 동일한 법적 효과가 인정된다. 이는 외국인등록이나 국내거소신고 등이 주민등록과 비교하여 공시기능이 미약하다고 하여 달리 볼 수 없다.
[2] 주택임대차보호법 제3조 제1항에 의한 대항력 취득의 요건인 주민등록은 임차인 본인뿐 아니라 배우자나 자녀 등 가족의 주민등록도 포함되고, 이러한 법리는 구 재외동포의 출입국과 법적 지위에 관한 법률(2008. 3. 14. 법률 제8896호로 개정되기 전의 것)에 의한 재외국민이 임차인인 경우에도 마찬가지로 적용된다. 2015. 1. 22. 시행된 개정 주민등록법에 따라 재외국민도 주민등록을 할 수 있게 되기 전까지는 재외국민은 주민등록을 할 수도 없고 또한 외국인이 아니어서 구 출입국관리법(2010. 5. 14. 법률 제10282호로 개정되기 전의 것) 등에 의한 외국인등록 등도 할 수 없어 주택임대차보호법에 의한 대항력을 취득할 방도가 없었던 점을 감안하면, 재외국민이 임대차계약을 체결하고 동거가족인 외국인 또는 외국국적동포가 외국인등록이나 국내거소신고 등을 한 경우와 재외국민의 동거 가족인 외국인 또는 외국국적동포가 스스로 임대차계약을 체결하고 외국인등록이나 국내거소신고 등을 한 경우와 사이에 법적 보호의 차이를 둘 이유가 없기 때문이다.

8. 핵심 체크

- 주택임대차보호법이 적용되는 임대차는 반드시 임차인과 주택 소유자인 임대인 사이에 임대차계약이 체결된 경우에 한정되는 것은 아니고, 주택 소유자는 아니더라도 주택에 관하여 적법하게 임대차계약을 체결할 수 있는 권한(적법한 임대권한)을 가진 인대인과 임대차계약이 체결된 경우도 포함된다[대판 2012. 7. 26, 2012다45689].

- 주택임대차보호법이 주택임차인에게 등기된 물권에 버금가는 강력한 대항력을 부여하고 있는 취지에 비추어 볼 때, 달리 공시방법이 없는 주택임대차에서 주택의 인도 및 주민등록이라는 대항요건은 그 대항력 취득 시에만 구비하면 족한 것이 아니고 그 대항력을 유지하기 위해서도 계속 존속하고 있어야 한다[대판 2003. 7. 25, 2..3다25461].

- 임차인이 그 가족과 함께 그 주택에 대한 점유를 계속하고 있으면서 그 가족의 주민등록은 그대로 둔 채 임차인만 주민등록을 일시 다른 곳으로 옮긴 일이 있다 하더라도 전체적으로나 종국적으로 주민등록의 이탈이라고 볼 수 없는 이상 임대차의 제3자에 대한 대항력을 상실하지 아니한다[대판 1996. 1. 26, 95다30338].

- 주택임대차보호법 제3조 제1항에 정한 대항요건은 임차인이 당해 주택에 거주하면서 이를 직접 점유하는 경우뿐만 아니라 타인의 점유를 매개로 하여 이를 간접점유하는 경우에도 인정될 수 있다[대판 2007. 11. 29, 2005 다64255].

- 주택의 임차인이 제3자에 대한 대항력을 갖춘 후 임차주택의 소유권이 양도되어 그 양수인이 임대인의 지위를 승계하는 경우에는, 임대차보증금의 반환채무도 부동산의 소유권과 결합하여 일체로서 이전하는 것이므로 양도인의 임대인으로서의 지위나 보증금반환 채무는 소멸한다[대판 1996. 2. 27, 95다35616]. 이는 임차인이 임대차보증금반환채권에 질권을 설정하고 임대인이 그 질권 설정을 승낙한 후에 임대주택이 양도된 경우에도 마찬가지라고 보아야 한다. 따라서 이 경우에도 임대인은 구 주택임대차보호법 제3조 제3항(현

재 제3조 제4항)에 의해 임대차관계에서 탈퇴하고 임차인에 대한 임대차보증금 반환채무를 면하게 된다[대판 2018. 6. 19, 2018다201610].

- 소유권을 취득하였다가 계약해제로 인하여 소유권을 상실하게 된 임대인으로부터 그 계약이 해제되기 전에 주택을 임차 받아 주택의 인도와 주민등록을 마침으로써 주택임대차보호법 제3조제1항에 의한 대항요건을 갖춘 임차인은 민법 제548조제1항 단서의 규정에 따라 계약해제로 인하여 권리를 침해받지 않는 제3자에 해당하므로 임대인의 임대권원의 바탕이 되는 계약의 해제에도 불구하고 자신의 임차권을 새로운 소유자에게 대항할 수 있고, 이 경우 계약해제로 소유권을 회복한 제3자는 주택임대차보호법 제3조 제2항(현행 제3조 제4항)에 따라 임대인의 지위를 승계한다(따라서 계약해제로 소유권을 회복한 제3자가 위 임차인에 대하여 보증금반환채무를 부담한다)[대판 2003. 8. 22, 2003다12717].

- 임차인의 임대차보증금반환채권이 가압류된 상태에서 임대주택이 양도되면 양수인이 채권가압류의 제3채무자의 지위도 승계하고, 가압류권자 또한 임대주택의 양도인이 아니라 양수인에 대하여만 위 가압류의 효력을 주장할 수 있다고 보아야 한다[대판(전원합의체) 2013. 1. 17, 2011다49523].

- 건물 용도변경 사건: 주거용 건물의 전부 또는 일부의 임대차에 관하여 적용된다고 규정하고 있을 뿐 임차주택이 관할관청의 허가를 받은 건물인지, 등기를 마친 건물인지 아닌지를 구별하고 있지 아니하며, '건물내역'을 제한하고 있지도 않으므로 점포 및 사무실로 사용되던 건물에 근저당권이 설정된 후 그 건물이 주거용 건물로 용도 변경되어 이를 임차한 소액임차인도 특별한 사정이 없는 한 주택임대차보호법 제8조에 의하여 보증금 중 일정액을 근저당권자보다 우선하여 변제받을 권리가 있다.(대판2009다26879)

- 주택임대차보호법이 적용되는 임대차가 임차인과 주택의 소유자인 임대인 사이에 임대차계약이 체결된 경우로 한정되는 것은 아니나, 적어도 그 주택에 관하여 적법하게 임대차계약을 체결 할 수 있는 권한을 가진 임대인이 임대차계약을 체결할 것이 요구된다.(대판 2014.02.27.)

- 주민등록의 신고는 행정청에 도달하기만 하면 신고로서의 효력이 발생하는 것이 아니라 행정청이 수리한 경우에 비로소 신고의 효력이 발생한다.
  따라서 주민등록 신고서를 행정청에 제출하다가 행정청이 이를 수리하기 전에 신고서의 내용을 수정하여 위와 같이 수정된 전입신고서가 수리되었다면 수정된 사항에 따라서 주민등록 신고가 이루어 진 것으로 보는 것이 타당하다.(2009.01.30.선고)

- 임차인 자신의 주민등록은 하지 않았어도 배우자나 가족의 주민등록을 하면 이 요건을 갖춘 것이며 본인은 전출 해 갔어도 가족의 주민등록은 남아 있으면 대항력을 잃지 않는다. 주택의 인도와 주민등록은 대항력의 취득 시에만 필요한 것이 아니고 계속 존속해야 한다.(2003 대판)

- 주택의 임차인이 일시적이나마 다른 곳으로 주민등록을 이전하면 그 후 다시 원래의 주소지로 재 전입하더라도 재전입한 때부터 그와는 동일성이 없는 새로운 대향력이 재차 발생하는 것이다.(대판 1998.01.23.)

- 건축 중인 주택을 임차하여 주민등록을 마친 임차인의 주민등록이 그 후 사정 변경으로 등기부상 주택의 표시가 달라진 경우 그 주민등록은 제3자에 대한 관계에서 유효한 임대차의 공시방법이 될 수 없다.(대판 2003.05.16.)

- 간접점유(동의 얻은 전대차)주택임차인이 임차주택을 직접 점유하여 거주하지 않고 그곳에 주민등록을 하지 아니 한 경우라 하더라도, 임대인의 승낙을 받아 적법하게 임차주택을 전대하고 그 전차인이 주택을 인도 받아 자신의 주민등록을 마친 때에는, 임차인은 주택임대차보호법에 정한 대항요건을 적법하게 갖추었다.(2007.11.29.선고)

- 내항력을 갖춘 주택임차인이 임대인의 동의를 얻어 적법하게 임차권을 양도하거나 전대하여 그 양수인이나 전차인이 주민등록을 마치고 주택을 인도 받아 점유를 계속하고 있다면 임차인의 위 대항력은 그 양도나 전대 이후에도 존속된다.
  대항력을 갖춘 주택임차인이 임대인의 동의를 얻어 적법하게 임차권을 양도

하거나 전대한 경우, 양수인이나 전차인에게 점유가 승계되고 주민등록이 기간 내에 전입신고가 이루어졌다면 비록 위 임차권의 양도나 전대에 의하여 임차권의 공시방법인 점유와 주민등록이 변경되었다 하더라도 원래의 임차인이 갖는 임차권의 대항력은 소멸되지 아니하고 동일성을 유지 한 채로 존속한다.

- 이러한 경우 임차권 양도에 의하여 임차권은 동일성을 유지하면서 양수인에게 이전되고 원래의 임차인은 임대차관계에서 탈퇴하므로 임차권 양수인은 원래의 임차인이 주택임대차보호법이 가지는 우선변제권을 행사할 수 있고, 전차인은 원래의 임차인이 가지는 우선변제권을 대위 행사 할 수 있다.(2010.06.10.선고)

- 임차주택을 양도하는 경우 임대차보증금반환채무도 주택의 소유권과 결합하여 일체로서 이전하는 것이며 임차인에 대한 보증금 반환의무도 주택의 양수인에게 승계됨이 원칙이다.
  이에 따라 주택양도인의 임차보증금반환채무는 소멸하는 것이다.(대판 1989.10.24.)

- 선순위저당권이 다른 사유로 소멸한 경우 대항요건을 갖춘 임차권보다 선순위의 근저당권이 있는 경우 주택이 경매되어 낙찰로 인하여 선순위근저당권이 소멸하면 그 보다 후순위 임차권, 후순위 저당권도 함께 소멸하는 것이지만, 낙찰대금 완납 전에 선순위 근저당권이 다른 사유로 소멸하는 경우에는 선순위 근저당권이 없는 주택이 되므로 그 임차권의 대항력은 소멸하지 아니한다.(2002다70075)

- 주택에 관하여 최선순위로 전세권설정등기를 마치고, 임대차계약을 체결하여 주택임대차보호법상 대항요건을 갖추었다면 전세권자로서의 지위와 주택임대차보호법상 대항력을 갖춘 임차인으로서의 지위를 함께 가지게 된다. 이 경우에 최선순위 전세권자로 배당요구를 하여 전세권이 매각으로 소멸되었다 하더라도 임차인으로서 함께 배당요구를 한 것으로 볼 수 없으므로, 변제 받지 못한 나머지 보증금에 기하여 임차권으로서의 대항력을 행사 할 수 있고, 그 범위 내에서 임차주택의 매수인은 임대인의 지위를 승계한 것으로 보아야

한다.(2010마900결정)

● 주택의 매수인과 임대계약 후 전입신고를 하고 나서 매매계약이 해제된 경우 매매계약의 이행으로 매매목적물을 인도 받은 매수인은 그 물건을 사용수익할 수 있는 지위에서 그 물건을 타인에게 적법하게 임대할 수 있으며, 이러한 지위에 있는 매수인으로부터 매매계약이 해제되기 전에 매매목적물인 주택을 임차하여 주택의 인도와 주민등록을 마침으로써 대항요건을 갖춘 임차인은 민법 제548조 제1항 단서에 따라 계약해제로 인하여 권리를 침해받지 않는 제3자에 해당하므로 임대인의 임대권원의 바탕이 되는 계약의 해제에도 불구하고 자신의 임차권을 새로운 소유자에게 대항 할 수 있다.(2007다38908,38915판결)

기출 문제

01 다음 중 옳지 않은 지문은?

① 주택임대차보호법이 적용되는 임대차는 반드시 임차인과 주택 소유자인 임대인 사이에 임대차계약이 체결된 경우에 한정되는 것은 아니고, 주택 소유자는 아니더라도 주택에 관하여 적법하게 임대차계약을 체결할 수 있는 권한(적법한 임대권한)을 가진 인대인과 임대차계약이 체결된 경우도 포함 된다.

(O)

② 주택임대차보호법이 주택임차인에게 등기된 물권에 버금가는 강력한 대항력을 부여하고 있는 취지에 비추어 볼 때, 달리 공시방법이 없는 주택임대차에서 주택의 인도 및 주민등록이라는 대항요건은 그 대항력 취득 시에만 구비하면 족한 것이 아니고 그 대항력을 유지하기 위해서도 계속 존속하고 있을 필요는 없다.

(X)

③ 임차인이 그 가족과 함께 그 주택에 대한 점유를 계속하고 있으면서 그 가족의 주민등록은 그대로 둔 채 임차인만 주민등록을 일시 다른 곳으로 옮긴 일이 있다 하더라도 전체적으로나 종국적으로 주민등록의 이탈이라고 볼 수 없는 이상 임대차의 제3자에 대한 대항력을 상실한다.

(X)

④ 주택임대차보호법 제3조 제1항에 정한 대항요건은 임차인이 당해 주택에 거주하면서 이를 직접 점유하는 경우뿐만 아니라 타인의 점유를 매개로 하여 이를 간접점유하는 경우에도 인정될 수 있다.

(O)

기출 문제

⑤ 주택의 임차인이 제3자에 대한 대항력을 갖춘 후 임차주택의 소유권이 양도되어 그 양수인이 임대인의 지위를 승계하는 경우에는, 임대차보증금의 반환채무도 부동산의 소유권과 결합하여 일체로서 이전하는 것이므로 양도인의 임대인으로서의 지위나 보증금반환 채무는 소멸한다[대판 1996. 2. 27, 95다35616]. 이는 임차인이 임대차보증금반환채권에 질권을 설정하고 임대인이 그 질권 설정을 승낙한 후에 임대주택이 양도된 경우에도 마찬가지라고 보아야 한다. 따라서 이 경우에도 임대인은 구 주택임대차보호법 제3조 제3항(현재 제3조 제4항)에 의해 임대차관계에서 탈퇴하고 임차인에 대한 임대차보증금반환채무를 면하게 된다.

(O)

정답 0

복리후생은 기업 조직이 종업원과 종업원 가족의 생활수준을 높이기 위해 제공하는 임금 이외의 보상을 말한다. 복리후생은 기업에 따라 현물, 시설이용권 등 여러 가지 형태로 제공한다.

CHAPTER

채무자 회생 및 파산에 관한 법률

Dental Management Officer

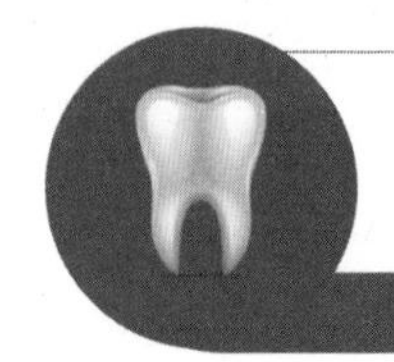

채무자 회생 및 파산에 관한 법률

Dental Management Officer

07

1.관리위원회의 구성 및 역할

1) 법의 목적

이 법은 재정적 어려움으로 인하여 파탄에 직면해 있는 채무자에 대하여 채권자 · 주주 · 지분권자 등 이해관계인의 법률관계를 조정하여 채무자 또는 그 사업의 효율적인 회생을 도모하거나, 회생이 어려운 채무자의 재산을 공정하게 환가 · 배당하는 것을 목적으로 한다.

2) 관리위원회의 설치 및 구성

이 법의 규정에 의한 절차를 적정 · 신속하게 진행하기 위하여 회생법원에 관리위원회를 둔다. 관리위원회는 위원장 1인을 포함한 3인 이상 15인 이내의 관리위원으로 구성한다.

3) 관리위원회의 업무 및 권한

(1) 관리인 · 보전관리인 · 조사위원 · 간이조사위원 · 파산관재인 · 회생위원 및 국제도산관리인의 선임에 대한 의견의 제시

(2) 관리인 · 보전관리인 · 조사위원 · 간이조사위원 · 파산관재인 및 회생위원의 업무수행의 적정성에 관한 감독 및 평가

(3) 회생계획안 · 변제계획안에 대한 심사

2. 채권자협의회의 구성과 기능

1) 관련 법 규정

■ **제20조 관리위원회 구성**

① 관리위원회(관리위원회가 설치되지 아니한 때에는 법원을 말한다. 이하 이 조에서

같다)는 회생절차개시신청 · 간이회생절차개시신청 또는 파산신청이 있은 후 채무자의 주요채권자를 구성원으로 하는 채권자협의회를 구성하여야 한다. 다만, 채무자가 개인 또는 「중소기업기본법」 제2조제1항의 규정에 의한 중소기업자(이하 "중소기업자"라 한다)인 때에는 채권자협의회를 구성하지 아니할 수 있다. 〈개정 2014. 12. 30.〉

② 채권자협의회는 10인 이내로 구성한다.

③ 관리위원회는 필요하다고 인정하는 때에는 소액채권자를 채권자협의회의 구성원으로 참여하게 할 수 있다.

④ 제1항의 경우 채무자의 주요채권자는 관리위원회에 채권자협의회 구성에 관한 의견을 제시할 수 있다. 〈신설 2016. 5. 29.〉

■ **제21조**(채권자협의회의 기능 등)

① 채권자협의회는 채권자간의 의견을 조정하여 다음 각호의 행위를 할 수 있다.

1. 회생절차 및 파산절차에 관한 의견의 제시
2. 관리인 · 파산관재인 및 보전관리인의 선임 또는 해임에 관한 의견의 제시
3. 법인인 채무자의 감사(「상법」 제415조의2의 규정에 의한 감사위원회의 위원을 포함한다. 이하 같다) 선임에 대한 의견의 제시
4. 회생계획인가 후 회사의 경영 상태에 관한 실사의 청구
5. 그 밖에 법원이 요구하는 회생절차 및 파산절차에 관한 사항
6. 그 밖에 대통령령이 정하는 행위

② 채권자협의회의 의사는 출석한 구성원 과반수의 찬성으로 결정한다.

③ 법원은 결정으로 채권자협의회의 활동에 필요한 비용을 채무자에게 부담시킬 수 있다.

④ 채권자협의회의 구성 및 운영에 관하여 필요한 사항은 대법원규칙으로 정한다.

⑤ 채권자협의회가 구성되어 있지 아니한 때에는 제50조제1항 · 제62조제2항 · 제132조제3항 · 제203조제4항 · 제259조 · 제287조제3항 및 제288조제2항 중 채권자협의회에 관한 사항은 적용하지 아니한다.

■ **제22조**(채권자협의회에 대한 자료제공)

① 법원은 회생절차 또는 파산절차의 신청에 관한 서류 · 결정서 · 감사보고서 그 밖에 대법원규칙이 정하는 주요자료의 사본을 채권자협의회에 제공하여야 한다.

② 관리인 또는 파산관재인은 법원에 대한 보고서류 중 법원이 지정하는 주요서류를 채권자협의회에 분기별로 제출하여야 한다.

③ 채권자협의회는 대법원규칙이 정하는 바에 따라 관리인 또는 파산관재인에게 필요한 자료의 제공을 청구할 수 있다.

④ 제3항의 규정에 의하여 자료제공을 요청받은 자는 대법원규칙이 정하는 바에 따라 자료를 제공하여야 한다.

⑤ 채권자협의회에 속하지 아니하는 채권자의 요청이 있는 때에는 채권자협의회는 제1항 내지 제3항의 규정에 의하여 제공받은 자료를 제공하여야 한다.

2) 채무자의 재산 조치

■ **제29조**(채무자의 재산 등에 관한 조회)

① 법원은 필요한 경우 관리인 · 파산관재인 그 밖의 이해관계인의 신청에 의하거나 직권으로 채무자의 재산 및 신용에 관한 전산망을 관리하는 공공기관 · 금융기관 · 단체 등에 채무자명의의 재산에 관하여 조회할 수 있다.

② 면책의 효력을 받을 이해관계인이 제1항의 규정에 의한 신청을 하는 때에는 조회할 공공기관 · 금융기관 또는 단체를 특정하여야 한다. 이 경우 법원은 조회에 드는 비용을 미리 납부하도록 명하여야 한다.

③ 제1항의 규정에 의한 조회에 관하여는 「민사집행법」 제74조(재산조회)제3항 · 제4항 및 제75조 (재산조회의 결과 등)제1항의 규정을 준용한다.

④ 제1항 내지 제3항의 규정에 따라 조회를 할 공공기관 · 금융기관 또는 단체 등의 범위 및 조회절차, 이해관계인이 납부하여야 할 비용, 조회결과의 관리에 관한 사항 등은 대법원규칙으로 정한다.

3. 회생절차

1) 회생절차개시의 신청 절차 규정

■ **제34조**(회생절차개시의 신청)

① 다음 각호의 어느 하나에 해당하는 경우 채무자는 법원에 회생절차개시의 신청을 할 수 있다.

1. 사업의 계속에 현저한 지장을 초래하지 아니하고는 변제기에 있는 채무를

변제할 수 없는 경우
2. 채무자에게 파산의 원인인 사실이 생길 염려가 있는 경우

② 제1항제2호의 경우에는 다음 각호의 구분에 따라 당해 각호의 각목에서 정하는 자도 회생절차개시를 신청할 수 있다.
1. 채무자가 주식회사 또는 유한회사인 때
가. 자본의 10분의 1이상에 해당하는 채권을 가진 채권자
나. 자본의 10분의 1이상에 해당하는 주식 또는 출자지분을 가진 주주 · 지분권자
2. 채무자가 주식회사 또는 유한회사가 아닌 때
가. 5천만 원 이상의 금액에 해당하는 채권을 가진 채권자
나. 합명회사 · 합자회사 그 밖의 법인 또는 이에 준하는 자에 대하여는 출자총액의 10분의 1이상의 출자지분을 가진 지분권자

③ 법원은 제2항의 규정에 의하여 채권자 · 주주 · 지분권자가 회생절차개시의 신청을 한 때에는 채무자에게 경영 및 재산상태에 관한 자료를 제출할 것을 명할 수 있다.

■ **제35조**(파산신청의무와 회생절차개시의 신청)

① 채무자의 청산인은 다른 법률에 의하여 채무자에 대한 파산을 신청하여야 하는 때에도 회생절차개시의 신청을 할 수 있다.

② 청산 중이거나 파산선고를 받은 회사인 채무자가 회생절차개시의 신청을 하는 때에는 「상법」 제229조(회사의 계속)제1항, 제285조(해산, 계속)제2항, 제519조(회사의 계속) 또는 제610조(회사의 계속)의 규정을 준용한다.

■ **제36조**(신청서)

회생절차개시의 신청은 다음 각호의 사항을 기재한 서면으로 하여야 한다.
1. 신청인 및 그 법정대리인의 성명 및 주소
2. 채무자가 개인인 경우에는 채무자의 성명 · 주민등록번호(주민등록번호가 없는 사람의 경우에는 외국인등록번호 또는 국내거소번호를 말한다. 이하 같다) 및 주소
3. 채무자가 개인이 아닌 경우에는 채무자의 상호, 주된 사무소 또는 영업소(외국에 주된 사무소 또는 영업소가 있는 때에는 대한민국에 있는 주된 사무소 또

는 영업소를 말한다)의 소재지, 채무자의 대표자(외국에 주된 사무소 또는 영업소가 있는 때에는 대한민국에서의 대표자를 말한다. 이하 같다)의 성명

4. 신청의 취지
5. 회생절차개시의 원인
6. 채무자의 사업목적과 업무의 상황
7. 채무자의 발행주식 또는 출자지분의 총수, 자본의 액과 자산, 부채 그 밖의 재산상태
8. 채무자의 재산에 관한 다른 절차 또는 처분으로서 신청인이 알고 있는 것
9. 회생계획에 관하여 신청인에게 의견이 있는 때에는 그 의견
10. 채권자가 회생절차개시를 신청하는 때에는 그가 가진 채권의 액과 원인
11. 주주 · 지분권자가 회생절차개시를 신청하는 때에는 그가 가진 주식 또는 출자지분의 수 또는 액

■ **제37조**(서류의 비치)

회생절차개시의 신청에 관한 서류는 이해관계인의 열람을 위하여 법원에 비치하여야 한다.

■ **제38조**(소명)

① 회생절차개시의 신청을 하는 자는 회생절차개시의 원인인 사실을 소명하여야 한다. 이 경우 채무자에 대하여 제628조제1호의 규정에 의한 외국도산절차가 진행되고 있는 때에는 그 채무자에게 파산의 원인인 사실이 있는 것으로 추정한다.

② 채권자 · 주주 · 지분권자가 회생절차개시의 신청을 하는 때에는 그가 가진 채권의 액 또는 주식이나 출자지분의 수 또는 액도 소명하여야 한다.

■ **제39조**(비용의 예납 등)

① 회생절차개시의 신청을 하는 때에는 신청인은 회생절차의 비용을 미리 납부하여야 한다.

② 제1항의 규정에 의한 비용은 사건의 대소 등을 고려하여 법원이 정한다. 이 경우 채무자 외의 자가 신청을 하는 때에는 회생절차개시 후의 비용에 관하여 채무자의 재산에서 지급할 수 있는 금액도 고려하여야 한다.

③ 채무자 외의 자가 회생절차개시를 신청하여 회생절차개시결정이 있는 때에는 신청인은 채무자의 재산으로부터 제1항의 규정에 의하여 납부한 비용을 상환 받을 수 있다.

④ 제3항의 규정에 의한 신청인의 비용상환청구권은 공익채권으로 한다.

■ **제39조의2**(회생절차의 진행에 관한 법원의 감독 등)

① 법원은 채권자 일반의 이익과 채무자의 회생 가능성을 해하지 아니하는 범위에서 회생절차를 신속 · 공정하고 효율적으로 진행하여야 한다.

② 법원은 필요하다고 인정하는 경우 이해관계인의 신청이나 직권으로 다음 각 호의 조치를 취할 수 있다. 〈개정 2016. 5. 29.〉

1. 회생절차의 진행에 관한 이해관계인과의 협의
2. 회생절차의 진행에 관한 일정표의 작성 · 운용
3. 채무자, 관리인 또는 보전관리인에게 다음 각 목의 사항에 관한 보고 또는 자료 제출의 요청
   가. 채무자의 업무 및 재산의 관리 상황
   나. 회생절차의 진행 상황
   다. 제179조제1항제5호 및 제12호에 따라 차입된 자금의 사용목적이 정하여진 경우 그 자금집행 사항
   라. 그 밖에 채무자의 회생에 필요한 사항
4. 관계인집회의 병합
5. 제98조의2에 따른 관계인설명회의 개최 명령
6. 그 밖에 채무자의 회생에 필요한 조치

■ **제40조**(감독행정청에의 통지 등)

① 주식회사인 채무자에 대하여 회생절차개시의 신청이 있는 때에는 법원은 다음 각호의 자에게 그 뜻을 통지하여야 한다. 〈개정 2008. 2. 29.〉

1. 채무자의 업무를 감독하는 행정청
2. 금융위원회
3. 채무자의 주된 사무소 또는 영업소(외국에 주된 사무소 또는 영업소가 있는 때에는 대한민국에 있는 주된 사무소 또는 영업소를 말한다)의 소재지를 관할하는 세무서장

② 법원은 필요하다고 인정하는 때에는 다음 각호의 어느 하나에 해당하는 자에 대하여 회생절차에 관한 의견의 진술을 요구할 수 있다. 〈개정 2008. 2. 29., 2010. 3. 31., 2016. 12. 27.〉

1. 채무자의 업무를 감독하는 행정청
2. 금융위원회
3. 「국세징수법」 또는 「지방세징수법」에 의하여 징수할 수 있는 청구권(국세징수의 예, 국세 또는 지방세 체납처분의 예에 의하여 징수할 수 있는 청구권으로서 그 징수우선순위가 일반 회생채권보다 우선하는 것을 포함한다)에 관하여 징수의 권한을 가진 자

③ 제2항 각호의 어느 하나에 해당하는 자는 법원에 대하여 회생절차에 관하여 의견을 진술할 수 있다.

■ **제41조**(심문)

① 회생절차개시의 신청이 있는 때에는 법원은 채무자 또는 그 대표자를 심문하여야 한다.

② 제1항의 규정에 불구하고 다음 각호의 사유가 있는 때에는 심문을 하지 아니할 수 있다.

1. 채무자 또는 그 대표자가 외국에 거주하여 채무자에 대한 심문이 절차를 현저히 지체시킬 우려가 있는 때
2. 채무자 또는 그 대표자의 소재를 알 수 없는 때

■ **제42조**(회생절차개시신청의 기각사유)

다음 각호의 어느 하나에 해당하는 경우 법원은 회생절차개시의 신청을 기각하여야 한다. 이 경우 관리위원회의 의견을 들어야 한다.

1. 회생절차의 비용을 미리 납부하지 아니한 경우
2. 회생절차개시신청이 성실하지 아니한 경우
3. 그 밖에 회생절차에 의함이 채권자 일반의 이익에 적합하지 아니한 경우

■ **제43조**(가압류 · 가처분 그 밖의 보전처분)

① 법원은 회생절차개시의 신청이 있는 때에는 이해관계인의 신청에 의하거나 직권으로 회생절차개시신청에 대한 결정이 있을 때까지 채무자의 업무 및 재

산에 관하여 가압류 · 가처분 그 밖에 필요한 보전처분을 명할 수 있다. 이 경우 법원은 관리위원회의 의견을 들어야 한다.

② 이해관계인이 제1항의 규정에 의한 보전처분을 신청한 때에는 법원은 신청일부터 7일 이내에 보전처분 여부를 결정하여야 한다.

③ 법원은 제1항의 규정에 의한 보전처분 외에 필요하다고 인정하는 때에는 관리위원회의 의견을 들어 보전관리인에 의한 관리를 명할 수 있다. 이 경우 법원은 1인 또는 여럿의 보전관리인을 선임하여야 한다.

④ 법원은 관리위원회의 의견을 들어 제1항의 규정에 의한 보전처분 또는 제3항의 규정에 의한 보전관리명령을 변경하거나 취소할 수 있다.

⑤ 제1항 · 제3항 및 제4항의 규정에 의한 재판 및 그 신청을 기각하는 재판은 결정으로 한다.

⑥ 제5항의 규정에 의한 결정에 대하여는 즉시항고를 할 수 있다.

⑦ 제6항의 즉시항고는 집행정지의 효력이 없다.

⑧ 법원은 제3항의 규정에 의한 보전관리명령을 하거나 이를 변경 또는 취소한 때에는 이를 공고하여야 한다.

■ **제44조**(다른 절차의 중지명령 등)

① 법원은 회생절차개시의 신청이 있는 경우 필요하다고 인정하는 때에는 이해관계인의 신청에 의하거나 직권으로 회생절차개시의 신청에 대한 결정이 있을 때까지 다음 각호의 어느 하나에 해당하는 절차의 중지를 명할 수 있다. 다만, 제2호의 규정에 의한 절차의 경우 그 절차의 신청인인 회생채권자 또는 회생담보권자에게 부당한 손해를 끼칠 염려가 있는 때에는 그러하지 아니하다. 〈개정 2010. 3. 31., 2016. 12. 27.〉

1. 채무자에 대한 파산절차
2. 회생채권 또는 회생담보권에 기한 강제집행, 가압류, 가처분 또는 담보권실행을 위한 경매절차(이하 "회생채권 또는 회생담보권에 기한 강제집행등"이라 한다)로서 채무자의 재산에 대하여 이미 행하여지고 있는 것
3. 채무자의 재산에 관한 소송절차
4. 채무자의 재산에 관하여 행정청에 계속되어 있는 절차
5. 「국세징수법」 또는 「지방세징수법」에 의한 체납처분, 국세징수의 예(국세 또는 지방세 체납처분의 예를 포함한다. 이하 같다)에 의한 체납처분 또는

조세채무담보를 위하여 제공된 물건의 처분. 이 경우 징수의 권한을 가진 자의 의견을 들어야 한다.

② 제1항제5호의 규정에 의한 처분의 중지기간 중에는 시효는 진행하지 아니한다.

③ 법원은 제1항의 규정에 의한 중지명령을 변경하거나 취소할 수 있다.

④ 법원은 채무자의 회생을 위하여 특히 필요하다고 인정하는 때에는 채무자(보전관리인이 선임되어 있는 때에는 보전관리인을 말한다)의 신청에 의하거나 직권으로 중지된 회생채권 또는 회생담보권에 기한 강제집행등의 취소를 명할 수 있다. 이 경우 법원은 담보를 제공하게 할 수 있다.

■ **제45조**(회생채권 또는 회생담보권에 기한 강제집행등의 포괄적 금지명령)

① 법원은 회생절차개시의 신청이 있는 경우 제44조제1항의 규정에 의한 중지명령에 의하여는 회생절차의 목적을 충분히 달성하지 못할 우려가 있다고 인정할 만한 특별한 사정이 있는 때에는 이해관계인의 신청에 의하거나 직권으로 회생절차개시의 신청에 대한 결정이 있을 때까지 모든 회생채권자 및 회생담보권자에 대하여 회생채권 또는 회생담보권에 기한 강제집행등의 금지를 명할 수 있다.

② 제1항의 규정에 의한 금지명령(이하 "포괄적 금지명령"이라 한다)을 할 수 있는 경우는 채무자의 주요한 재산에 관하여 다음 각호의 처분 또는 명령이 이미 행하여 졌거나 포괄적 금지명령과 동시에 다음 각호의 처분 또는 명령을 행하는 경우에 한한다.

1. 제43조제1항의 규정에 의한 보전처분
2. 제43조제3항의 규정에 의한 보전관리명령

③ 포괄적 금지명령이 있는 때에는 채무자의 재산에 대하여 이미 행하여진 회생채권 또는 회생담보권에 기한 강제집행등은 중지된다.

④ 법원은 포괄적 금지명령을 변경하거나 취소할 수 있다.

⑤ 법원은 채무자의 사업의 계속을 위하여 특히 필요하다고 인정하는 때에는 채무자(보전관리인이 선임되어 있는 때에는 보전관리인을 말한다)의 신청에 의하여 제3항의 규정에 의하여 중지된 회생채권 또는 회생담보권에 기한 강제집행등의 취소를 명할 수 있다. 이 경우 법원은 담보를 제공하게 할 수 있다.

⑥ 포괄적 금지명령, 제4항의 규정에 의한 결정 및 제5항의 규정에 의한 취소명령에 대하여는 즉시항고를 할 수 있다.

⑦ 제6항의 즉시항고는 집행정지의 효력이 없다.

⑧ 포괄적 금지명령이 있는 때에는 그 명령이 효력을 상실한 날의 다음 날부터 2월이 경과하는 날까지 회생채권 및 회생담보권에 대한 시효는 완성되지 아니한다.

■ **제46조**(포괄적 금지명령에 관한 공고 및 송달 등)

① 포괄적 금지명령이나 이를 변경 또는 취소하는 결정이 있는 때에는 법원은 이를 공고하고 그 결정서를 채무자(보전관리인이 선임되어 있는 때에는 보전관리인을 말한다) 및 신청인에게 송달하여야 하며, 그 결정의 주문을 기재한 서면을 법원이 알고 있는 회생채권자 · 회생담보권자 및 채무자(보전관리인이 선임되어 있는 때에 한한다)에게 송달하여야 한다.

② 포괄적 금지명령 및 이를 변경 또는 취소하는 결정은 채무자(보전관리인이 선임되어 있는 때에는 보전관리인을 말한다)에게 결정서가 송달된 때부터 효력을 발생한다.

③ 제45조제5항의 규정에 의한 취소명령과 같은 조 제6항의 즉시항고에 대한 재판(포괄적 금지명령을 변경 또는 취소하는 결정을 제외한다)이 있는 때에는 법원은 그 결정서를 당사자에게 송달하여야 한다. 이 경우 제10조 및 제11조의 규정은 적용하지 아니한다.

■ **제47조**(포괄적 금지명령의 적용 배제)

① 법원은 포괄적 금지명령이 있는 경우 회생채권 또는 회생담보권에 기한 강제집행등의 신청인인 회생채권자 또는 회생담보권자에게 부당한 손해를 끼칠 우려가 있다고 인정하는 때에는 그 회생채권자 또는 회생담보권자의 신청에 의하여 그 회생채권자 또는 회생담보권자에 대하여 결정으로 포괄적 금지명령의 적용을 배제할 수 있다. 이 경우 그 회생채권자 또는 회생담보권자는 채무자의 재산에 대하여 회생채권 또는 회생담보권에 기한 강제집행등을 할 수 있으며, 포괄적 금지명령이 있기 전에 그 회생채권자 또는 회생담보권자가 행한 회생채권 또는 회생담보권에 기한 강제집행등의 절차는 속행된다.

② 제1항의 규정에 의한 결정을 받은 자에 대하여 제45조제8항의 규정을 적용하는 때에는 제45조제8항 중 "그 명령이 효력을 상실한 날"은 "제47조제1항의 규정에 의한 결정이 있은 날"로 한다.

③ 제1항의 규정에 의한 신청에 관한 재판에 대하여는 즉시항고를 할 수 있다.

④ 제3항의 즉시항고는 집행정지의 효력이 없다.

⑤ 제1항의 규정에 의한 신청에 대한 재판과 제3항의 즉시항고에 대한 재판이 있는 때에는 법원은 그 결정서를 당사자에게 송달하여야 한다. 이 경우 제10조의 규정은 적용하지 아니한다.

2) 회생절차개시의 결정

■ **제49조**(회생절차개시의 결정)

① 채무자가 회생절차개시를 신청한 때에는 법원은 회생절차개시의 신청일부터 1월 이내에 회생절차개시 여부를 결정하여야 한다.

② 회생절차개시결정서에는 결정의 연 · 월 · 일 · 시를 기재하여야 한다.

③ 회생절차개시결정은 그 결정시부터 효력이 생긴다.

■ **제50조**(회생절차개시결정과 동시에 정하여야 할 사항)

① 법원은 회생절차개시결정과 동시에 관리위원회와 채권자협의회의 의견을 들어 1인 또는 여럿의 관리인을 선임하고 다음 각호의 사항을 정하여야 한다. 〈개정 2014. 12. 30., 2016. 5. 29.〉

1. 관리인이 제147조제1항에 규정된 목록을 작성하여 제출하여야 하는 기간(제223조제4항에 따른 목록이 제출된 경우는 제외한다) 이 경우 기간은 회생절차개시결정일부터 2주 이상 2월 이하이어야 한다.
2. 회생채권 · 회생담보권 · 주식 또는 출자지분의 신고기간(이하 이 편에서 "신고기간"이라 한다). 이 경우 신고기간은 제1호에 따라 정하여 진 제출기간의 말일(제223조제4항에 따른 목록이 제출된 경우에는 회생절차개시결정일)부터 1주 이상 1월 이하이어야 한다.
3. 목록에 기재되어 있거나 신고된 회생채권 · 회생담보권의 조사기간(이하 이 편에서 "조사기간"이라 한다). 이 경우 조사기간은 신고기간의 말일부터 1주 이상 1월 이하이어야 한다.
4. 회생계획안의 제출기간. 이 경우 제출기간은 조사기간의 말일(제223조제1항에 따른 회생계획안이 제출된 경우에는 회생절차개시결정일)부터 4개월 이하(채무자가 개인인 경우에는 조사기간의 말일부터 2개월 이하)여야 한다.

② 법원은 특별한 사정이 있는 때에는 제1항제1호부터 제3호까지의 규정에 따른 기일을 늦추거나 기간을 늘일 수 있다. 〈개정 2014. 12. 30.〉

③ 법원은 이해관계인의 신청에 의하거나 직권으로 제1항제4호에 따른 제출기간을 2개월 이내에서 늘일 수 있다. 다만, 채무자가 개인이거나 중소기업자인 경우에는 제출기간의 연장은 1개월을 넘지 못한다. 〈신설 2014. 12. 30.〉

■ **제51조**(회생절차개시의 공고와 송달)

① 법원은 회생절차개시의 결정을 한 때에는 지체 없이 다음 각호의 사항을 공고하여야 한다. 〈개정 2014. 12. 30.〉

1. 회생절차개시결정의 주문
2. 관리인의 성명 또는 명칭
3. 제50조의 규정에 의하여 정하여진 기간 및 기일
4. 회생절차가 개시된 채무자의 재산을 소지하고 있거나 그에게 채무를 부담하는 자는 회생절차가 개시된 채무자에게 그 재산을 교부하여서는 아니 된다는 뜻이나 그 채무자에게 그 채무를 변제하여서는 아니 된다는 뜻과 회생절차가 개시된 채무자의 재산을 소지하고 있거나 그에게 채무를 부담하고 있다는 사실을 일정한 기간 안에 관리인에게 신고하여야 한다는 뜻의 명령

② 법원은 다음 각호의 자에게 제1항 각호의 사항을 기재한 서면을 송달하여야 한다.

1. 관리인
2. 채무자
3. 알고 있는 회생채권자 · 회생담보권자 · 주주 · 지분권자
4. 회생절차가 개시된 채무자의 재산을 소지하고 있거나 그에게 채무를 부담하는 자

③ 제1항 및 제2항의 규정은 제1항제2호 내지 제4호의 사항에 변경이 생긴 경우에 관하여 준용한다. 다만, 조사기간의 변경은 공고하지 아니할 수 있다.

④ 고의 또는 과실로 제1항제4호의 규정에 의한 신고를 게을리 한 자는 이로 인하여 채무자의 재산에 생긴 손해를 배상하여야 한다.

■ **제52조**(회생절차개시의 통지)

주식회사인 채무자에 대하여 회생절차개시의 결정을 한 때에는 법원은 제51조제1항 각호의 사항을 채무자의 업무를 감독하는 행정청, 법무부장관과 금융위

원회에 통지하여야 한다. 제51조제1항제2호 및 제3호의 사항에 변경이 생긴 경우도 또한 같다. 〈개정 2008. 2. 29.〉

■ **제53조**(회생절차개시신청에 관한 재판에 대한 즉시항고)

① 회생절차개시의 신청에 관한 재판에 대하여는 즉시항고를 할 수 있다.

② 제43조 내지 제47조의 규정은 회생절차개시신청을 기각하는 결정에 대하여 제1항의 즉시항고가 있는 경우에 관하여 준용한다.

③ 제1항의 규정에 의한 즉시항고는 집행정지의 효력이 없다.

④ 항고법원은 즉시항고의 절차가 법률에 위반되거나 즉시항고가 이유 없다고 인정하는 때에는 결정으로 즉시항고를 각하 또는 기각하여야 한다.

⑤ 항고법원은 즉시항고가 이유 있다고 인정하는 때에는 원심법원의 결정을 취소하고 사건을 원심법원에 환송하여야 한다.

3) 회생절차개시결정의 취소

법원은 회생절차개시결정을 취소하는 결정이 확정된 때에는 즉시 그 주문을 공고하여야 한다. 관리인은 회생절차개시결정을 취소하는 결정이 확정된 때에는 공익채권을 변제하여야 하며, 이의 있는 공익채권의 경우에는 그 채권자를 위하여 공탁하여야 한다.

4. 채무자 재산의 조사 및 확보

1) 채무자의 재산상황의 조사 규정

■ **제89조**(채무자의 업무와 재산의 관리)

관리인은 취임 후 즉시 채무자의 업무와 재산의 관리에 착수하여야 한다.

■ **제90조**(재산가액의 평가)

관리인은 취임 후 지체 없이 채무자에게 속하는 모든 재산의 회생절차개시 당시의 가액을 평가하여야 한다. 이 경우 지체될 우려가 있는 때를 제외하고는 채무자가 참여하도록 하여야 한다.

■ **제91조**(재산목록과 대차대조표의 작성)

관리인은 취임 후 지체 없이 회생절차개시
당시 채무자의 재산목록 및 대차대조표를 작성하여 법원에 제출하여야 한다.

■ **제92조**(관리인의 조사보고)

① 관리인은 지체 없이 다음 각호의 사항을 조사하여 법원이 정한 기한까지 법원과 관리위원회에 보고하여야 한다. 다만, 제223조제4항에 따라 다음 각 호의 사항을 기재한 서면이 제출된 경우에는 그러하지 아니하다. 〈개정 2014. 12. 30., 2016. 5. 29.〉

1. 채무자가 회생절차의 개시에 이르게 된 사정
2. 채무자의 업무 및 재산에 관한 사항
3. 제114조제1항의 규정에 의한 보전처분 또는 제115조제1항의 규정에 의한 조사확정재판을 필요로 하는 사정의 유무
4. 그 밖에 채무자의 회생에 관하여 필요한 사항

② 제1항에 따라 법원이 정하는 기한은 회생절차개시결정일부터 4개월을 넘지 못한다. 다만, 법원은 특별한 사정이 있는 경우에는 그 기한을 늦출 수 있다. 〈신설 2014. 12. 30.〉

■ **제93조**(그 밖의 보고 등)

관리인은 제90조 내지 제92조의 규정에 의한 것 외에 법원이 정하는 바에 따라 채무자의 업무와 재산의 관리상태 그 밖에 법원이 명하는 사항을 법원에 보고하고, 회생계획인가의 시일 및 법원이 정하는 시기의 채무자의 재산목록 및 대차대조표를 작성하여 그 등본을 법원에 제출하여야 한다.

■ **제95조**(서류의 비치)

제87조 · 제91조 내지 제93조의 규정에 의하여 법원에 제출된 서류는 이해관계인이 열람할 수 있도록 법원에 비치하여야 한다.

■ **제96조**(영업의 휴지)

채무자의 영업을 계속하는 것이 부적당하다고 인정할 만한 특별한 사정이 있는 경우에는 관리인은 법원의 허가를 얻어 그 영업을 휴지시킬 수 있다.

■ **제113조**(채권자취소소송 등의 중단)

① 「민법」 제406조제1항이나 「신탁법」 제8조에 따라 회생채권자가 제기한 소송 또는 파산절차에 의한 부인의 소송이 회생절차개시 당시 계속되어 있는 때에는 소송절차는 중단된다. 〈개정 2013. 5. 28.〉

② 제59조제2항 내지 제5항의 규정은 제1항의 경우에 관하여 준용한다. 이 경우 제59조제3항 및 제4항 중 "채무자"는 이를 "회생채권자 또는 파산관재인"으로 본다. 〈개정 2013. 5. 28.〉

■ **제114조**(법인의 이사등의 재산에 대한 보전처분)

① 법원은 법인인 채무자에 대하여 회생절차개시결정이 있는 경우 필요하다고 인정하는 때에는 관리인의 신청에 의하거나 직권으로 채무자의 발기인 · 이사(「상법」 제401조의2제1항의 규정에 의하여 이사로 보는 자를 포함한다) · 감사 · 검사인 또는 청산인(이하 이 조 내지 제116조에서 "이사등"이라 한다)에 대한 출자이행청구권 또는 이사등의 책임에 기한 손해배상청구권을 보전하기 위하여 이사등의 재산에 대한 보전처분을 할 수 있다.

② 관리인은 제1항의 규정에 의한 청구권이 있음을 알게 된 때에는 법원에 제1항의 규정에 의한 보전처분을 신청하여야 한다.

③ 법원은 긴급한 필요가 있다고 인정하는 때에는 회생절차개시결정 전이라도 채무자(보전관리인이 선임되어 있는 때에는 보전관리인을 말한다)의 신청에 의하거나 직권으로 제1항의 규정에 의한 보전처분을 할 수 있다.

④ 법원은 관리위원회의 의견을 들어 제1항 또는 제3항의 규정에 의한 보전처분을 변경 또는 취소할 수 있다.

⑤ 제1항 또는 제3항의 규정에 의한 보전처분이나 제4항의 규정에 의한 결정에 대하여는 즉시항고를 할 수 있다.

⑥ 제5항의 즉시항고는 집행정지의 효력이 없다.

⑦ 제1항 또는 제3항의 규정에 의한 보전처분이나 제4항의 규정에 의한 결정과 이에 대한 즉시항고에 대한 재판이 있는 때에는 그 결정서를 당사자에게 송달하여야 한다.

■ **제115조**(손해배상청구권 등의 조사확정재판)

① 법원은 법인인 채무자에 대하여 회생절차개시결정이 있는 경우 필요하다고

인정하는 때에는 관리인의 신청에 의하거나 직권으로 이사등에 대한 출자이행청구권이나 이사등의 책임에 기한 손해배상청구권의 존부와 그 내용을 조사 확정하는 재판을 할 수 있다.

② 관리인은 제1항의 규정에 의한 청구권이 있음을 알게 된 때에는 법원에 제1항의 규정에 의한 재판을 신청하여야 한다.

③ 관리인은 제1항의 규정에 의한 신청을 하는 때에는 그 원인되는 사실을 소명하여야 한다.

④ 법원은 직권으로 조사확정절차를 개시하는 때에는 그 취지의 결정을 하여야 한다.

⑤ 제1항의 규정에 의한 신청이 있거나 제4항의 규정에 의한 조사확정절차개시결정이 있은 때에는 시효의 중단에 관하여는 재판상의 청구가 있은 것으로 본다.

⑥ 제1항의 규정에 의한 조사확정의 재판과 조사확정의 신청을 기각하는 재판은 이유를 붙인 결정으로 하여야 한다.

⑦ 법원은 제6항의 규정에 의한 결정을 하는 때에는 미리 이해관계인을 심문하여야 한다.

⑧ 조사확정절차(조사확정결정이 있은 후의 것을 제외한다)는 회생절차가 종료한 때에는 종료한다.

⑨ 조사확정결정이 있은 때에는 그 결정서를 당사자에게 송달하여야 한다.

■ **제116조**(이의의 소)

① 제115조제1항의 규정에 의한 조사확정의 재판에 불복이 있는 자는 결정을 송달받은 날부터 1월 이내에 이의의 소를 제기할 수 있다.

② 제1항의 규정에 의한 기간은 불변기간으로 한다.

③ 제1항의 소는 이를 제기하는 자가 이사등인 때에는 관리인을, 관리인인 때에는 이사등을 각각 피고로 하여야 한다.

④ 제1항의 소는 회생계속법원의 관할에 전속하며, 변론은 결정을 송달받은 날부터 1월을 경과한 후가 아니면 개시할 수 없다. 〈개정 2016. 12. 27.〉

⑤ 여러 개의 소가 동시에 계속되어 있는 때에는 법원은 변론을 병합하여야 한다.

⑥ 제1항의 규정에 의한 소에 대한 판결에서는 같은 항의 결정을 인가 · 변경 또는 취소한다. 다만, 부적법한 것으로 각하하는 때에는 그러하지 아니하다.

⑦ 조사확정의 결정을 인가하거나 변경한 판결은 강제집행에 관하여는 이행을 명한 확정판결과 동일한 효력이 있다.

■ **제117조**(조사확정재판의 효력)

제116조제1항의 규정에 의한 소가 같은 항의 기간 안에 제기되지 아니하거나 취하된 때 또는 각하된 때에는 조사확정의 재판은 이행을 명한 확정판결과 동일한 효력이 있다.

■ **제119조**(쌍방미이행 쌍무계약에 관한 선택)

① 쌍무계약에 관하여 채무자와 그 상대방이 모두 회생절차개시 당시에 아직 그 이행을 완료하지 아니한 때에는 관리인은 계약을 해제 또는 해지하거나 채무자의 채무를 이행하고 상대방의 채무이행을 청구 할 수 있다. 다만, 관리인은 회생계획안 심리를 위한 관계인집회가 끝난 후 또는 제240조의 규정에 의한 서면결의에 부치는 결정이 있은 후에는 계약을 해제 또는 해지할 수 없다.

② 제1항의 경우 상대방은 관리인에 대하여 계약의 해제나 해지 또는 그 이행의 여부를 확답할 것을 최고할 수 있다. 이 경우 관리인이 그 최고를 받은 후 30일 이내에 확답을 하지 아니하는 때에는 관리인은 제1항의 규정에 의한 해제권 또는 해지권을 포기한 것으로 본다.

③ 법원은 관리인 또는 상대방의 신청에 의하거나 직권으로 제2항의 규정에 의한 기간을 늘이거나 줄일 수 있다.

④ 제1항 내지 제3항의 규정은 단체협약에 관하여는 적용하지 아니한다.

⑤ 제1항에 따라 관리인이 국가를 상대방으로 하는 「방위사업법」 제3조에 따른 방위력개선사업 관련 계약을 해제 또는 해지하고자 하는 경우 방위사업청장과 협의하여야 한다. 〈신설 2014. 5. 20.〉

■ **제121조**(쌍방미이행 쌍무계약의 해제 또는 해지)

① 제119조의 규정에 의하여 계약이 해제 또는 해지된 때에는 상대방은 손해배상에 관하여 회생채권자로서 그 권리를 행사할 수 있다.

② 제1항의 규정에 의한 해제 또는 해지의 경우 채무자가 받은 반대급부가 채무자의 재산 중에 현존하는 때에는 상대방은 그 반환을 청구할 수 있으며, 현존하지 아니하는 때에는 상대방은 그 가액의 상환에 관하여 공익채권자로서 그

권리를 행사할 수 있다.

■ **제122조**(계속적 급부를 목적으로 하는 쌍무계약)

① 채무자에 대하여 계속적 공급의무를 부담하는 쌍무계약의 상대방은 회생절차개시신청 전의 공급으로 발생한 회생채권 또는 회생담보권을 변제하지 아니함을 이유로 회생절차개시신청 후 그 의무의 이행을 거부할 수 없다.

② 제1항의 규정은 단체협약에 관하여는 적용하지 아니한다.

■ **제124조**(임대차계약 등)

① 임대인인 채무자에 대하여 회생절차가 개시된 때에는 차임의 선급 또는 차임채권의 처분은 회생절차가 개시된 때의 당기(當期)와 차기(次期)에 관한 것을 제외하고는 회생절차의 관계에서는 그 효력을 주장할 수 없다.

② 제1항의 규정에 의하여 회생절차의 관계에서 그 효력을 주장하지 못함으로 인하여 손해를 받은 자는 회생채권자로서 손해배상청구권을 행사할 수 있다.

③ 제1항 및 제2항의 규정은 지상권에 관하여 준용한다.

④ 임대인인 채무자에 관하여 회생절차가 개시된 경우 임차인이 다음 각호의 어느 하나에 해당하는 때에는 제119조의 규정을 적용하지 아니한다.

1. 「주택임대차보호법」 제3조(대항력 등)제1항의 대항요건을 갖춘 때
2. 「상가건물 임대차보호법」 제3조(대항력 등)의 대항요건을 갖춘 때

■ **제126조**(채무자가 다른 자와 더불어 전부의 이행을 할 의무를 지는 경우)

① 여럿이 각각 전부의 이행을 하여야 하는 의무를 지는 경우 그 전원 또는 일부에 관하여 회생절차가 개시된 때에는 채권자는 회생절차개시 당시 가진 채권의 전액에 관하여 각 회생절차에서 회생채권자로서 그 권리를 행사할 수 있다.

② 제1항의 경우에 다른 전부의 이행을 할 의무를 지는 자가 회생절차 개시 후에 채권자에 대하여 변제 그 밖에 채무를 소멸시키는 행위(이하 이 조에서 "변제 등"이라고 한다)를 한 때라도 그 채권의 전액이 소멸한 경우를 제외하고는 그 채권자는 회생절차의 개시 시에 가지는 채권의 전액에 관하여 그 권리를 행사할 수 있다.

③ 제1항의 경우에 채무자에 대하여 장래에 행사할 가능성이 있는 구상권을 가진 자는 그 전액에 관하여 회생절차에 참가할 수 있다. 다만, 채권자가 회생

절차개시시에 가지는 채권 전액에 관하여 회생절차에 참가한 때에는 그러하지 아니하다.

④ 제1항의 규정에 의하여 채권자가 회생절차에 참가한 경우 채무자에 대하여 장래에 행사할 가능성이 있는 구상권을 가지는 자가 회생절차 개시 후에 채권자에 대한 변제 등으로 그 채권의 전액이 소멸한 경우에는 그 구상권의 범위 안에서 채권자가 가진 권리를 행사할 수 있다.

⑤ 제2항 내지 제4항의 규정은 채무자의 채무를 위하여 담보를 제공한 제3자가 채권자에게 변제 등을 하거나 채무에 대하여 장래에 행사할 가능성이 있는 구상권을 가지는 경우에 준용한다.

■ **제127조**(채무자가 보증채무를 지는 경우)

보증인인 채무자에 관하여 회생절차가 개시된 때에는 채권자는 회생절차개시 당시 가진 채권의 전액에 관하여 회생채권자로서 권리를 행사할 수 있다.

2) 회생절차 관련 사례 및 판례

개인회생 사건

[대법원 2017. 7. 25., 자, 2017마280, 결정]

판시사항

[1] 채무자 회생 및 파산에 관한 법률 제621조 제1항 제2호에서 개인회생절차 폐지사유로 정한 '채무자가 인가된 변제계획을 이행할 수 없음이 명백할 때'에 해당하는지 판단하는 기준 및 단순히 변제계획에 따른 이행 가능성이 확고하지 못하다거나 다소 유동적이라는 정도의 사정만으로 '이행할 수 없음이 명백한 때'에 해당한다고 할 수 있는지 여부(소극)
[2] 개인회생절차폐지결정에 대하여 즉시항고가 제기된 경우, 항고의 당부를 판단하는 기준 시점(=항고심 결정 시) 및 이 경우 변론을 열거나 당사자와 이해관계인, 참고인을 심문한 다음 항고의 당부를 판단할 수 있는지 여부(적극)

[서울중앙지법 2016. 12. 6., 자, 2016회합100140, 결정 : 확정]

판시사항

회생절차가 개시된 甲 주식회사가 한국전력공사에 대하여 회생절차개시 전 발생한 전기료 채무를 부담하고 있는데 한국전력공사가 회생절차개시 전 3개월분 전기요금 상당금액을 보증금으로 납부하지 않으면 甲 회사 사업장에 대하여 전기 공급을 중단하겠다고 통보하였고, 이에 甲 회사의 관리인이 법원에 전기요금 보증금 납부 허가신청을 한 사안에서, 한국전력공사가 甲 회사에 대하여 보증금 납부를 요구하고 이를 불이행 시 단전하겠다고 통보한 행위가 채무자 회생 및 파산에 관한 법률 제122조제1항에 반하는 것으로 위법하다고 한 사례

판결요지

회생절차가 개시된 甲 주식회사가 한국전력공사에 대하여 회생절차개시 전 발생한 전기료 채무를 부담하고 있는데 한국전력공사가 회생절차개시 전 3개월분 전기요금 상당금액을 보증금으로 납부하지 않으면 甲 회사 사업장에 대하여 전기 공급을 중단하겠다고 통보하였고, 이에 甲 회사의 관리인이 법원에 전기요금 보증금 납부 허가신청을 한 사안에서, 채무자 회생 및 파산에 관한 법률 제122조제1항에 의하면, 계속적 공급의무를 부담하는 채권자가 회생채권 미변제를 이유로 채무자에 대하여 공급을 중단하는 행위뿐만 아니라, 회생절차가 개시되었다는 사정만을 이유로 채무자에 대하여 담보제공 등 기타 의무의 이행을 계속적 공급의 조건으로 요구하는 행위도 특별한 사정이 없는 한 위 조항에 반하는 것으로 위법하므로, 회생절차개시 이후 발생한 전기료 연체 등의 사정이 없음에도 한국전력공사가 甲 회사에 대하여 보증금 납부를 요구하고 이를 불이행 시 단전하겠다고 통보한 행위가 위 조항에 반하는 것으로 위법하다고 한 사례

5. 회생계획안의 제출 및 인가

1) 법 규정

■ **제220조**(회생계획안의 제출)

① 관리인은 제50조제1항제4호 또는 같은 조 제3항에 따라 법원이 정한 기간 안에 회생계획안을 작성하여 법원에 제출하여야 한다.

② 관리인은 제1항의 기간 안에 회생계획안을 작성할 수 없는 때에는 그 기간 안에 그 사실을 법원에 보고하여야 한다.
[전문개정 2014. 12. 30.]

■ **제221조**(회생채권자 등의 회생계획안 제출)
다음 각 호의 어느 하나에 해당하는 자는 제220조제1항에 따른 기간 안에 회생계획안을 작성하여 법원에 제출할 수 있다.
1. 채무자
2. 목록에 기재되어 있거나 신고한 회생채권자 · 회생담보권자 · 주주 · 지분권자
[전문개정 2014. 12. 30.]

■ **제222조**(청산 또는 영업양도 등을 내용으로 하는 회생계획안)
① 법원은 채무자의 사업을 청산할 때의 가치가 채무자의 사업을 계속할 때의 가치보다 크다고 인정하는 때에는 다음 각호의 어느 하나에 해당하는 자의 신청에 의하여 청산(영업의 전부 또는 일부의 양도, 물적 분할을 포함한다)을 내용으로 하는 회생계획안의 작성을 허가할 수 있다. 다만, 채권자 일반의 이익을 해하는 때에는 그러하지 아니하다.
1. 관리인
2. 채무자
3. 목록에 기재되어 있거나 신고한 회생채권자 · 회생담보권자 · 주주 · 지분권자
② 제1항의 규정은 회생절차개시 후 채무자의 존속, 합병, 분할, 분할합병, 신회사의 설립 등에 의한 사업의 계속을 내용으로 하는 회생계획안의 작성이 곤란함이 명백하게 된 경우에 관하여 준용한다.
③ 법원은 회생계획안을 결의에 부칠 때까지는 언제든지 제1항 또는 제2항의 규정에 의한 허가를 취소할 수 있다.
④ 제236조제4항의 규정은 제1항 및 제2항에 의한 허가에 관하여 준용한다.

■ **제223조**(회생계획안의 사전제출)
① 채무자의 부채의 2분의 1이상에 해당하는 채권을 가진 채권자 또는 이러한

채권자의 동의를 얻은 채무자는 회생절차개시의 신청이 있은 때부터 회생절차개시 전까지 회생계획안을 작성하여 법원에 제출할 수 있다. 〈개정 2014. 12. 30., 2016. 5. 29.〉

② 법원은 제1항의 규정에 의하여 제출된 회생계획안(제228조 또는 제229조제2항의 규정에 의하여 회생계획안을 수정한 때에는 그 수정된 회생계획안을 말한다. 이하 이 조에서 "사전계획안"이라 한다)을 법원에 비치하여 이해관계인에게 열람하게 하여야 한다.

③ 사전계획안을 제출한 채권자 외의 채권자는 회생계획안의 결의를 위한 관계인집회의 기일 전날 또는 제240조제2항에 따라 법원이 정하는 기간 초일의 전날까지 그 사전계획안에 동의한다는 의사를 서면으로 법원에 표시할 수 있다. 〈개정 2016. 5. 29.〉

④ 사전계획안을 제출하는 자는 회생절차개시 전까지 회생채권자 · 회생담보권자 · 주주 · 지분권자의 목록(제147조제2항 각 호의 내용을 포함하여야 한다), 제92조제1항 각 호에 규정된 사항을 기재한 서면 및 그 밖에 대법원규칙으로 정하는 서면을 법원에 제출하여야 한다. 〈신설 2016. 5. 29.〉

⑤ 제4항의 회생채권자 · 회생담보권자 · 주주 · 지분권자의 목록이 제출된 때에는 이 목록을 제147조제1항의 목록으로 본다. 〈신설 2016. 5. 29.〉

⑥ 사전계획안이 제출된 때에는 관리인은 법원의 허가를 받아 회생계획안을 제출하지 아니하거나 제출한 회생계획안을 철회할 수 있다. 〈개정 2016. 5. 29.〉

⑦ 사전계획안을 제출하거나 그 사전계획안에 동의한다는 의사를 표시한 채권자는 결의를 위한 관계인집회에서 그 사전계획안을 가결하는 때에 동의한 것으로 본다. 다만, 사전계획안의 내용이 그 채권자에게 불리하게 수정되거나, 현저한 사정변경이 있거나 그 밖에 중대한 사유가 있는 때에는 결의를 위한 관계인집회의 기일 전날까지 법원의 허가를 받아 동의를 철회할 수 있다. 〈개정 2014. 12. 30., 2016. 5. 29.〉

⑧ 사전계획안을 제240조제1항에 따라 서면결의에 부친 경우 사전계획안을 제출하거나 같은 조 제2항의 회신기간 전에 그 사전계획안에 동의한다는 의사를 표시한 채권자는 위 회신기간 안에 동의한 것으로 본다. 다만, 사전계획안의 내용이 그 채권자에게 불리하게 수정되거나, 현저한 사정변경이 있거나 그 밖에 중대한 사유가 있는 때에는 위 회신기간 종료일까지 법원의 허가를 받아 동의를 철회할 수 있다. 〈신설 2016. 5. 29.〉

■ **제226조**(감독행정청 등의 의견)

① 법원은 필요하다고 인정하는 때에는 채무자의 업무를 감독하는 행정청, 법무부장관, 금융위원회 그 밖의 행정기관에 대하여 회생계획안에 대한 의견의 진술을 요구할 수 있다. 〈개정 2008. 2. 29.〉

② 행정청의 허가 · 인가 · 면허 그 밖의 처분을 요하는 사항을 정하는 회생계획안에 관하여는 법원은 그 사항에 관하여 그 행정청의 의견을 들어야 한다.

③ 채무자의 업무를 감독하는 행정청, 법무부장관 또는 금융위원회는 언제든지 법원에 대하여 회생계획안에 관하여 의견을 진술할 수 있다. 〈개정 2008. 2. 29.〉

■ **제229조**(회생계획안의 수정명령)

① 법원은 이해관계인의 신청에 의하거나 직권으로 회생계획안의 제출자에 대하여 회생계획안을 수정할 것을 명할 수 있다.

② 제1항의 규정에 의한 법원의 명령이 있는 때에는 회생계획안의 제출자는 법원이 정하는 기한 안에 회생계획안을 수정하여야 한다.

2) 회생계획안의 결의 절차

■ **제235조**(결의의 시기)

회생계획안은 조사기간의 종료 전에는 결의에 부치지 못한다.

■ **제236조**(결의의 방법과 회생채권자 등의 분류)

① 제232조제1항의 규정에 의하여 관계인집회에서 결의하거나 제240조의 규정에 의하여 서면결의에 의하는 때에는 회생채권자 · 회생담보권자 · 주주 · 지분권자는 제2항, 제3항 및 제5항의 규정에 의하여 분류된 조별로 결의하여야 한다.

② 회생채권자 · 회생담보권자 · 주주 · 지분권자는 회생계획안의 작성과 결의를 위하여 다음 각호의 조로 분류한다. 다만, 제140조제1항 및 제2항의 청구권을 가진 자는 그러하지 아니한다.

1. 회생담보권자
2. 일반의 우선권 있는 채권을 가진 회생채권자
3. 제2호에 규정된 회생채권자 외의 회생채권자

4. 잔여재산의 분배에 관하여 우선적 내용을 갖는 종류의 주식 또는 출자지분을 가진 주주 · 지분권자
5. 제4호에 규정된 주주 · 지분권자 외의 주주 · 지분권자

③ 법원은 제2항 각호의 자가 가진 권리의 성질과 이해관계를 고려하여 2개 이상의 호의 자를 하나의 조로 분류하거나 하나의 호에 해당하는 자를 2개 이상의 조로 분류할 수 있다. 다만, 회생담보권자 · 회생채권자 · 주주 · 지분권자는 각각 다른 조로 분류하여야 한다.

④ 다음 각호의 어느 하나에 해당하는 자는 제3항의 규정에 의한 분류에 관하여 의견을 진술할 수 있다.

1. 관리인
2. 채무자
3. 목록에 기재되어 있거나 신고한 회생채권자 · 회생담보권자 · 주주 · 지분권자

⑤ 법원은 회생계획안을 결의에 부칠 때까지는 언제든지 제2항 및 제3항의 규정에 의한 분류를 변경할 수 있다.

⑥ 제163조의 규정은 제3항 및 제5항의 규정에 의한 결정의 송달에 관하여 준용한다. 다만, 관계인집회의 기일에 선고가 있는 때에는 송달을 하지 아니할 수 있다.

■ **제240조**(서면에 의한 결의)

① 법원은 회생계획안이 제출된 때에 상당하다고 인정하는 때에는 회생계획안을 서면에 의한 결의(이하 이 편에서 "서면결의"라 한다)에 부치는 취지의 결정을 할 수 있다. 이 경우 법원은 그 뜻을 공고하여야 한다.

6. 파산 절차

1) 파산 신청 규정

■ **제294조**(파산신청권자)

① 채권자 또는 채무자는 파산신청을 할 수 있다.

② 채권자가 파산신청을 하는 때에는 그 채권의 존재 및 파산의 원인인 사실을 소명하여야 한다.

■ **제299조**(상속재산의 파산신청권자)

① 상속재산에 대하여 상속채권자, 유증을 받은 자, 상속인, 상속재산관리인 및 유언집행자는 파산신청을 할 수 있다.

② 상속재산관리인, 유언집행자 또는 한정승인이나 재산분리가 있은 경우의 상속인은 상속재산으로 상속채권자 및 유증을 받은 자에 대한 채무를 완제할 수 없는 것을 발견한 때에는 지체 없이 파산신청을 하여야 한다.

③ 상속인 · 상속재산관리인 또는 유언집행자가 파산신청을 하는 때에는 파산의 원인인 사실을 소명하여야 한다.

■ **제303조**(파산절차비용의 예납)

파산신청을 하는 때에는 법원이 상당하다고 인정하는 금액을 파산절차의 비용으로 미리 납부하여야 한다.

2) 파산선고 규정

■ **제305조**(보통파산원인)

① 채무자가 지급을 할 수 없는 때에는 법원은 신청에 의하여 결정으로 파산을 선고한다.

② 채무자가 지급을 정지한 때에는 지급을 할 수 없는 것으로 추정한다.

■ **제306조**(법인의 파산원인)

① 법인에 대하여는 그 부채의 총액이 자산의 총액을 초과하는 때에도 파산선고를 할 수 있다.

② 제1항의 규정은 합명회사 및 합자회사의 존립 중에는 적용하지 아니한다.

■ **제307조**(상속재산의 파산원인)

상속재산으로 상속채권자 및 유증을 받은 자에 대한 채무를 완제할 수 없는 때에는 법원은 신청에 의하여 결정으로 파산을 선고한다.

■ **제308조**(파산신청 또는 선고 후의 상속)

파산신청 또는 파산선고가 있은 후에 상속이 개시된 때에는 파산절차는 상속재산에 대하여 속행된다.

■ **제309조**(기각사유)

① 법원은 다음 각호의 어느 하나에 해당하는 때에는 파산신청을 기각할 수 있다.

1. 신청인이 절차의 비용을 미리 납부하지 아니한 때
2. 법원에 회생절차 또는 개인회생절차가 계속되어 있고 그 절차에 의함이 채권자 일반의 이익에 부합하는 때
3. 채무자에게 파산원인이 존재하지 아니한 때
4. 신청인이 소재불명인 때
5. 그 밖에 신청이 성실하지 아니한 때

② 법원은 채무자에게 파산원인이 존재하는 경우에도 파산신청이 파산절차의 남용에 해당한다고 인정되는 때에는 심문을 거쳐 파산신청을 기각할 수 있다.

■ **제310조**(파산선고)

파산결정서에는 파산선고의 연·월·일·시를 기재하여야 한다.

■ **제311조**(파산의 효력발생시기)

파산은 선고를 한 때부터 그 효력이 생긴다.

■ **제312조**(파산선고와 동시에 정하여야 하는 사항)

① 법원은 파산선고와 동시에 파산관재인을 선임하고 다음 각호의 사항을 정하여야 한다.

1. 채권신고의 기간. 이 경우 그 기간은 파산선고를 한 날부터 2주 이상 3월 이하이어야 한다.
2. 제1회 채권자집회의 기일. 이 경우 그 기일은 파산선고를 한 날부터 4월 이내이어야 한다.

3. 채권조사의 기일. 이 경우 그 기일과 제1호의 규정에 의한 채권신고기간의 말일과의 사이에는 1주 이상 1월 이하의 기간이 있어야 한다.

② 제1항제2호 및 제3호의 규정에 의한 기일은 병합할 수 있다.

■ **제319조**(파산선고를 받은 채무자의 구인)

① 법원은 필요하다고 인정하는 때에는 파산선고를 받은 채무자를 구인하도록 명할 수 있다.

② 제1항의 구인에는 「형사소송법」의 구인에 관한 규정을 준용한다.

③ 제1항의 규정에 의한 결정에 대하여는 즉시항고를 할 수 있다.

■ **제327조**(책임제한절차폐지의 경우의 조치)

① 파산선고를 받은 채무자를 위하여 개시된 책임제한절차의 폐지결정이 확정된 때에는 법원은 제한채권자를 위하여 다음 각호의 사항을 정하여야 한다.

1. 채권신고의 기간. 이 경우 그 기간은 책임제한절차폐지의 결정이 확정된 날부터 1주 이상 2월 이하로 하여야 한다.
2. 채권조사의 기일. 이 경우 그 기일과 제1호의 규정에 의하여 정하여진 신고기간의 말일과의 사이에 1주 이상 1월 이하의 기간을 두어야 한다.

② 법원은 제1항의 규정에 의한 기간 및 기일을 공고하여야 한다.

③ 법원은 알고 있는 채권자에 대하여는 다음 각호의 사항을 기재한 서면을 송달하여야 한다.

1. 제1항의 규정에 의한 기간 및 기일
2. 제313조제1항제1호 및 제2호의 사항

④ 다음 각호의 자에게는 제1항의 규정에 의한 기간 및 기일을 기재한 서면을 송달하여야 한다. 다만, 제1항제2호의 규정에 의하여 정하여진 기일과 제312조제1항제2호에 의하여 정하여진 기일이 같은 경우 신고한 파산채권자에 대하여는 그러하지 아니하다.

1. 파산관재인
2. 파산선고를 받은 채무자
3. 신고한 파산채권자

⑤ 제2항 · 제3항 및 제4항 본문의 규정은 제1항의 규정에 의한 기간 및 기일에 변경이 있는 경우에 관하여 준용한다.

3) 파산의 효력 규정

■ **제328조**(해산한 법인)

해산한 법인은 파산의 목적의 범위 안에서는 아직 존속하는 것으로 본다.

■ **제329조**(채무자의 파산선고 후의 법률행위)

① 파산선고를 받은 채무자가 파산선고 후 파산재단에 속하는 재산에 관하여 한 법률행위는 파산채권자에게 대항할 수 없다.

② 채무자가 파산선고일에 한 법률행위는 파산선고 후에 한 것으로 추정한다.

■ **제330조**(파산선고 후의 권리취득)

① 파산선고 후에 파산재단에 속하는 재산에 관하여 채무자의 법률행위에 의하지 아니하고 권리를 취득한 경우에도 그 취득은 파산채권자에게 대항할 수 없다.

② 제329조제2항의 규정은 제1항의 규정에 의한 취득에 관하여 준용한다.

■ **제337조**(파산관재인의 해제 또는 해지와 상대방의 권리)

① 제335조의 규정에 의한 계약의 해제 또는 해지가 있는 때에는 상대방은 손해배상에 관하여 파산채권자로서 권리를 행사할 수 있다.

② 제1항의 규정에 의한 계약의 해제 또는 해지의 경우 채무자가 받은 반대급부가 파산재단 중에 현존하는 때에는 상대방은 그 반환을 청구하고, 현존하지 아니하는 때에는 그 가액에 관하여 재단채권자로서 권리를 행사할 수 있다.

■ **제340조**(임대차계약)

① 임대인이 파산선고를 받은 때에는 차임의 선급 또는 차임채권의 처분은 파산선고시의 당기(當期) 및 차기(次期)에 관한 것을 제외하고는 파산채권자에게 대항할 수 없다.

② 제1항의 규정에 의하여 파산채권자에게 대항할 수 없음으로 인하여 손해를 받은 자는 그 손해배상에 관하여 파산채권자로서 권리를 행사할 수 있다.

③ 제1항 및 제2항의 규정은 지상권에 관하여 준용한다.

■ **제341조**(도급계약)

① 채무자가 도급계약에 의하여 일을 하여야 하는 의무가 있는 때에는 파산관재인은 필요한 재료를 제공하여 채무자로 하여금 그 일을 하게 할 수 있다. 이 경우 그 일이 채무자 자신이 함을 필요로 하지 아니하는 때에는 제3자로 하여금 이를 하게 할 수 있다.

② 제1항의 경우 채무자가 그 상대방으로부터 받을 보수는 파산재단에 속한다.

■ **제342조**(위임계약)

위임자가 파산선고를 받은 경우 수임자가 파산선고의 통지를 받지 아니하고 파산선고의 사실도 알지 못하고 위임사무를 처리한 때에는 이로 인하여 파산선고를 받은 자에게 생긴 채권에 관하여 수임자는 파산채권자로서 그 권리를 행사할 수 있다.

■ **제343조**(상호계산)

① 상호계산은 당사자의 일방이 파산선고를 받은 때에는 종료한다. 이 경우 각 당사자는 계산을 폐쇄하고 잔액의 지급을 청구할 수 있다.

② 제1항의 규정에 의한 청구권을 채무자가 가지는 때에는 파산재단에 속하고, 상대방이 가지는 때에는 파산채권이 된다.

■ **제344조**(공유자의 파산)

① 공유자 중에 파산선고를 받은 자가 있는 때에는 분할하지 아니한다는 약정이 있는 때에도 파산절차에 의하지 아니하고 그 분할을 할 수 있다.

② 제1항의 경우 파산선고를 받은 자가 아닌 다른 공유자는 상당한 대가를 지급하고 그 파산선고를 받은 자의 지분을 취득할 수 있다.

■ **제345조**(배우자 등의 재산관리)

「민법」 제829조(부부재산의 약정과 그 변경)제3항 및 제5항의 규정은 배우자의 재산을 관리하는 자가 파산선고를 받은 경우에, 같은 법 제924조(친권상실의 선고)의 규정은 친권을 행사하는 자가 파산선고를 받은 경우에 관하여 각각 준용한다.

■ **제346조**(파산과 한정승인 및 재산분리)

상속인이나 상속재산에 대한 파산선고는 한정승인 또는 재산분리에 영향을 미치지 아니한다. 다만, 파산취소 또는 파산폐지의 결정이 확정되거나 파산종결의 결정이 있을 때까지 그 절차를 중지한다.

■ **제348조**(강제집행 및 보전처분에 대한 효력)

① 파산채권에 기하여 파산재단에 속하는 재산에 대하여 행하여진 강제집행 · 가압류 또는 가처분은 파산재단에 대하여는 그 효력을 잃는다. 다만, 파산관재인은 파산재단을 위하여 강제집행절차를 속행할 수 있다.

② 제1항 단서의 규정에 의하여 파산관재인이 강제집행의 절차를 속행하는 때의 비용은 재단채권으로 하고, 강제집행에 대한 제3자의 이의의 소에서는 파산관재인을 피고로 한다.

■ **제349조**(체납처분에 대한 효력)

① 파산선고 전에 파산재단에 속하는 재산에 대하여 「국세징수법」 또는 「지방세징수법」에 의하여 징수할 수 있는 청구권(국세징수의 예에 의하여 징수할 수 있는 청구권으로서 그 징수우선순위가 일반 파산채권보다 우선하는 것을 포함한다)에 기한 체납처분을 한 때에는 파산선고는 그 처분의 속행을 방해하지 아니한다. 〈개정 2010. 3. 31., 2016. 12. 27.〉

② 파산선고 후에는 파산재단에 속하는 재산에 대하여 「국세징수법」 또는 「지방세징수법」에 의하여 징수할 수 있는 청구권(국세징수의 예에 의하여 징수할 수 있는 청구권을 포함한다)에 기한 체납처분을 할 수 없다. 〈개정 2010. 3. 31., 2016. 12. 27.〉

■ **제350조**(행정사건에 대한 효력)

① 파산재단에 속하는 재산에 관하여 파산선고 당시에 행정청에 계속되어 있는 사건이 있는 때에는 그 절차는 수계 또는 파산절차의 종료가 있을 때까지 중단된다.

② 제347조의 규정은 제1항의 경우에 관하여 준용한다.

(4) 파산관재인 규정

■ **제355조**(파산관재인의 선임)

① 파산관재인은 관리위원회의 의견을 들어 법원이 선임한다.

② 법인도 파산관재인이 될 수 있다. 이 경우 그 법인은 이사 중에서 파산관재인의 직무를 행할 자를 지명하고 법원에 신고하여야 한다.

■ **제356조**(파산관재인의 수)

파산관재인은 1인으로 한다. 다만, 법원이 필요하다고 인정하는 때에는 여럿의 파산관재인을 선임할 수 있다.

■ **제357조**(자격증명서)

① 법원은 파산관재인에게 그 선임을 증명하는 서면을 교부하여야 한다.

② 파산관재인은 그 직무를 행하는 경우 이해관계인의 청구가 있는 때에는 제1항의 규정에 의한 서면을 제시하여야 한다.

■ **제358조**(법원의 감독)

파산관재인은 법원의 감독을 받는다.

■ **제359조**(당사자적격)

파산재단에 관한 소송에서는 파산관재인이 당사자가 된다.

■ **제360조**(여럿의 파산관재인의 직무집행)

① 파산관재인이 여럿인 때에는 공동으로 그 직무를 행한다. 이 경우 법원의 허가를 받아 직무를 분장할 수 있다.

② 파산관재인이 여럿인 때에는 제3자의 의사표시는 그 1인에 대하여 하면 된다.

■ **제361조**(파산관재인의 의무 등)

① 파산관재인은 선량한 관리자의 주의로써 그 직무를 행하여야 한다.

② 파산관재인이 제1항의 규정에 의한 주의를 게을리 한 때에는 이해관계인에게 손해를 배상할 책임이 있다. 이 경우 주의를 게을리 한 파산관재인이 여럿 있는 때에는 연대하여 손해를 배상할 책임이 있다.

■ **제492조**(법원의 허가를 받아야 하는 행위)

파산관재인이 다음 각호에 해당하는 행위를 하고자 하는 경우에는 법원의 허가를 받아야 하며, 감사위원이 설치되어 있는 때에는 감사위원의 동의를 얻어야 한다. 다만, 제7호 내지 제15호에 해당하는 경우 중 그 가액이 1천만 원 미만으로서 법원이 정하는 금액 미만인 때에는 그러하지 아니하다.

1. 부동산에 관한 물권이나 등기하여야 하는 국내선박 및 외국선박의 임의매각
2. 광업권 · 어업권 · 특허권 · 실용신안권 · 의장권 · 상표권 · 서비스표권 및 저작권의 임의매각
3. 영업의 양도
4. 상품의 일괄매각
5. 자금의 차입 등 차재
6. 제386조제2항의 규정에 의한 상속포기의 승인, 제387조의 규정에 의한 포괄적 유증의 포기의 승인과 제388조제1항의 규정에 의한 특정유증의 포기
7. 동산의 임의매각
8. 채권 및 유가증권의 양도
9. 제335조제1항의 규정에 의한 이행의 청구
10. 소의 제기(가처분 및 가압류의 신청을 제외한다)
11. 화해
12. 권리의 포기
13. 재단채권 · 환취권 및 별제권의 승인
14. 별제권의 목적의 환수
15. 파산재단의 부담을 수반하는 계약의 체결
16. 그 밖에 법원이 지정하는 행위

5) 파산 관련한 실제 사례

서울 영등포구에서 컨설팅 회사를 운영하는 김진구 씨(가명 · 35)는 지난 11일 서울 강남구에 있는 한 자산운용사 대표 이상필 씨(가명 · 49)를 사기 혐의로 서울 남대문경찰서에 고소했다. 이 씨가 '고의 파산'으로 지급해야 할 용역비 2억 원을 갚지 않았다는 설명이다.

김 씨는 "이 씨가 회사 상황이 어렵다며 지난 4월 예정된 용역비 지급 기일을 6개월 연장해 달라고 해 요청을 받아줬다"며 "그런데 약 두 달 후인 지난 7월 예고도 없이 기습적으로 법인 파산을 신청하고 서울회생법원에서 파산 결정을 받아 비용을 받을 길이 사라졌다"고 토로했다.

코로나19 사태 장기화로 기업 경영 환경이 악화되면서 법인 · 개인 파산 신청 건수가 역대 최고치를 기록한 가운데 일부 기업인이 고의로 파산하고 빚을 갚지 않는 도덕적 해이로 갈등이 불거지는 사례가 속출하고 있다. 대금을 받고자 민간조사원(사설탐정)을 고용해 문제 기업인의 은닉 재산 찾기에 나선 피해자도 적지 않은 것으로 알려졌다. 17일 대법원에 따르면 올해 1~7월 전국 법원에 접수된 법인 파산 신청 건수는 625건으로, 법원이 관련 통계 작성을 시작했던 2013년 이후 가장 많았다. 지난해 같은 기간보다 10.4%, 2018년 같은 기간보다는 35.5%나 늘어났다. 올해 1~7월 접수된 개인 파산 신청 건수 또한 2만9007건으로 집계되며 2만7281건을 기록한 전년 동기 대비 6.3%, 2018년 같은 기간보다 15.2% 늘었다.

법인 파산은 기업이 빚으로 정상 운영이 어려운 경우 채권자 전체의 이익을 높이기 위해 채무 기업의 재산을 현금화(환가)해 채권자에게 배당하는 방식의 제도다. 법인 파산 절차를 밟는 기업 중에는 대표가 채무에 대해 연대보증을 서는 사례가 많아 통상 기업 파산을 진행할 때 대표자 개인에 대한 파산 절차도 함께 진행한다. 만약 법원이 대표자 개인의 파산 신청을 허가하면 신청자는 개인 채무에 대한 면책 효과를 얻는다.

문제는 이 같은 제도를 악용해 방만하게 회사를 경영하면서 개인 재산을 배우자 등 친 · 인척 명의로 바꾼 뒤 고의로 파산하는 사례가 발생한다는 점이다.

특히 원 · 하도급 구조가 복잡하게 얽힌 산업단지에서는 한 기업의 파산이 다른 기업으로 이어지는 연쇄 효과를 초래할 수 있어 피해가 산업계 전반으로 퍼질 수 있다는 지적이다. 경기도에 있는 산업단지에서 자동차 전장 부품을 개발 · 제조하는 업체 대표 박현상 씨(가명 · 52)는 "협력업체 파산으로 대금 지급이 이뤄지지 않아 우리 회사 또한 원도급 업체에서 고소를 당하게 생겼다"며 "(파산한 협력업체를 상대로) 현재 소송 중에 있지만 고의 파산 입증책임이 채권자에게 있어 골머리를 앓고 있다"고 토로했다.

일부 피해자는 파산한 기업인의 은닉 재산을 찾기 위해 사설탐정을 고용하기도 했다. 현행법상 사설탐정이 수사 · 재판 중인 사건에 관한 증거를 수집할 경우 변호사법 위반 소지가 있어 본격적인 민사소송을 하기 전 증거 수집을 강화하기 위해서라는 설명이다.

장재웅 웅장컨설팅 대표탐정은 "개인 파산을 신청한 자의 은닉 재산을 찾아 달라는 의뢰를 올해만 벌써 6건 맡았다"며 "대부분 거래 기업의 파산으로 대금을 제대로 받지 못한 법인에서 의뢰했다"고 설명했다.

업계에서는 코로나19 여파가 내년 상반기에 본격적으로 터질 수 있다고 경고했다. 법원에서 고의 부도 여부를 판단하는 절차가 수개월 이상 소요되는 데다 코로나19 확산을 방지하기 위해 지난 상반기 동안 재판이 다수 연기돼 지급명령 결정은 올해 말에서 내년 초에 주로 이뤄질 것이라는 해석이다.

매일경제 출처

6) 파산 관련한 사례 및 판례

[대법원 2020. 1. 16. 선고 2019도10818 판결]

파산선고에 따른 임금 및 퇴직금 체불 주체에 관한 판단

가. 구 근로기준법 제36조는 사용자(제2조 제1항 제2호에 따라 사업주 또는 사업 경영 담당자, 그 밖에 근로자에 관한 사항에 대하여 사업주를 위하여 행위자를 말한다)는 근로자가 사망 또는 퇴직한 경우에는 그 지급사유가 발생한 때부터 14일 이내에 임금, 보상금 기타 일체의 금품을 지급하도록 규정함으로써, 퇴직근로자 등의 생활안정을 도모하기 위하여 법률관계를 조기에 청산하도록 강제하는 한편, 사용자측에 대하여 그 청산에 소요되는 기간을 유예하여 주고 있으므로, 임금 및 퇴직금 등의 기일 내 지급 의무 위반죄는 지급사유 발생일로부터 14일이 경과하는 때에 성립한다. 따라서 사업주가 법인일 경우에는 위 14일이 경과할 당시에 퇴직금 등의 지급권한을 갖는 대표자가 그 체불로 인한 죄책을 지고, 14일이 경과하기 전에 그 지급권한을 상실하게 된 대표자는 특별한 사정이 없는 한 그 죄책을 지지 않는다(대법원 1995. 11. 10. 선고 94도1477 판결, 대법원 2002. 11. 26. 선고 2002도5044 판결 참조). 여기서 퇴직금 등의 지급권한 상실의 원인에는 해임, 사임 등 법인과의 고용계약 종료에 기한 것은 물론 법령에 의한 지급권한 상실 또한 포함된다(대법원 2010. 5. 27. 선고 2009도7722 판결 참조).

파산채권확정

[대법원 2005. 1. 13., 선고, 2003다63043, 판결]

판시사항

콘도미니엄 시설의 공유제 회원과 시설경영기업과 사이에 체결된 시설이용계약이 민법상의 위임계약에 해당하는지 여부(소극) 및 시설경영기업의 파산으로 위 계약이 당연히 종료되는 것인지 여부(소극)

판결요지

콘도미니엄 시설의 공유제 회원은 콘도미니엄 시설 중 객실의 공유지분에 대한 매매계약 이외에 콘도미니엄 시설 전체를 관리 운영하는 시설경영기업과 사이에 시설이용계약을 체결함으로써 공유지분을 가진 객실 이외에 콘도미니엄 시설 전체를 이용할 수 있게 되는 바, 공유제 회원과 콘도미니엄 시설 전체를 관리 운영하는 시설경영기업 사이의 시설이용계약은 회원이 계약에서 정한 바에 따라 콘도미니엄 시설 전체를 이용하는 것을 주된 목적으로 하는 것으로써, 공유제 회원이 시설경영기업과 사이에 시설이용계약을 체결하면서 시설경영기업에 대하여 자신이 공유지분을 가진 객실에 대한 관리를 위탁하고 그에 소요되는 관리비와 회원들 상호간에 콘도미니엄 시설의 이용을 조정하는 사무처리에 소요되는 비용을 지급하였다고 하더라도 이는 회원이 콘도미니엄 시설 전체를 이용하는 데에 전제가 되거나 그에 부수되는 것으로써 이로써 공유제 회원과 시설경영기업과 사이의 시설이용계약이 민법상의 위임계약에 해당된다고 할 수는 없고, 따라서 시설경영기업이 파산선고를 받는다고 하여 회원과 시설경영기업 사이의 시설이용계약이 당연히 종료된다고 할 수 없다.

파산채권확정

[대법원 2005. 1. 13., 선고, 2003다63043, 판결]

판시사항

[1] 개인파산·면책제도를 통하여 면책을 받은 채무자에 대한 차용금 사기죄의 심리방법
[2] 차용금 사기죄로 기소된 피고인이 파산신청을 하여 면책허가결정이 확정된 사안에서, 피고인이 파산신청 2년 전부터 불과 40여 일 전까지 여러 사람들로부터 돈을 빌려서 채무변제와 생활비 등으로 사용한 것은 사기죄를 구성한다고 한 사례

[1] 채무자회생 및 파산에 관한 법률상 개인파산·면책제도의 주된 목적 중의 하나는 파산선고 당시 자신의 재산을 모두 파산배당을 위하여 제공한, 정직하였으나 불운한 채무자의 파산선고 전의 채무의 면책을 통하여 그가 파산선고 전의 채무로 인한 압박을 받거나 의지가 꺾이지 않고 앞으로 경제적 회생을 위한 노력을 할 수 있는 여건을 제공하는 것이다.
그러나 한편, 채무자회생 및 파산에 관한 법률은 채권자 등 이해관계인의 법률관계를 조정하고 파산제도의 남용을 방지하기 위하여, 같은 법 제309조에서 법원은 파산신청이 성실하지 아니하거나 파산절차의 남용에 해당한다고 인정되는 때에는 파산신청을 기각할 수 있도록 하고, 같은 법 제564조 제1항의 각 호에 해당하는 경우에는 법원이 면책을 불허가할 수 있도록 하고, '채무자가 고의로 가한 불법행위로 인한 손해배상청구권' 등
같은 법 제566조의 각 호의 청구권은 면책대상에서 제외하며,
같은 법 제569조에 따라 채무자가 파산재단에 속하는 재산을 은닉 또는 손괴하는 등 사기파산죄로 유죄의 확정판결을 받거나 채무자가 부정한 방법으로 면책을 받은 경우 법원의 결정에 의하여 면책이 취소될 수 있도록 하고 있다. 따라서 개인파산·면책제도를 통하여 면책을 받은 채무자에 대한 차용금 사기죄의 인정 여부는 그 사기로 인한 손해배상채무가 면책대상에서 제외되어 경제적 회생을 도모하려는 채무자의 의지를 꺾는 결과가 될 수 있다는 점을 감안하여 보다 신중한 판단을 요한다.
[2] 차용금 사기죄로 기소된 피고인이 파산신청을 하여 면책허가결정이 확정된 사안에서, 피고인이 파산신청 2년 전부터 불과 40여 일 전까지 여러 사람들로부터 돈을 빌려서 채무변제와 생활비 등으로 사용한 것은 사기죄를 구성한다고 한 사례

기출 문제

01 다음 판례 지문 중 옳지 않은 것은?

① 차용금 사기죄로 기소된 피고인이 파산신청을 하여 면책허가결정이 확정된 사안에서, 피고인이 파산신청 2년 전부터 불과 40여 일 전까지 여러 사람들로부터 돈을 빌려서 채무변제와 생활비 등으로 사용한 것은 사기죄를 구성한다.

(O)

② 채무자회생 및 파산에 관한 법률 상 개인파산 · 면책제도의 주된 목적 중의 하나는 파산선고 당시 자신의 재산을 모두 파산배당을 위하여 제공한, 정직하였으나 불운한 채무자의 파산선고 전의 채무의 면책을 통하여 그가 파산선고 전의 채무로 인한 압박을 받거나 의지가 꺾이지 않고 앞으로 경제적 회생을 위한 노력을 할 수 있는 여건을 제공하는 것이다.

(O)

③ 법원은 파산신청이 성실하지 아니하거나 파산절차의 남용에 해당한다고 인정되는 때에는 파산신청을 기각할 수 있도록 하고, '채무자가 고의로 가한 불법행위로 인한 손해배상청구권' 등의 청구권은 면책대상에서 제외한다.

(O)

기출 문제

④ 채무자가 파산재단에 속하는 재산을 은닉 또는 손괴하는 등 사기파산죄로 유죄의 확정판결을 받거나 채무자가 부정한 방법으로 면책을 받은 경우라도 법원의 결정에 의하여 면책이 취소될 수 없다.

(O)

---

⑤ 개인파산 · 면책제도를 통하여 면책을 받은 채무자에 대한 차용금 사기죄의 인정 여부는 그 사기로 인한 손해배상채무가 면책대상에서 제외되어 경제적 회생을 도모하려는 채무자의 의지를 꺾는 결과가 될 수 있다는 점을 감안하여 보다 신중한 판단을 요한다.

(O)

법률용어 정리 및 참고사항

* 의료법

1. 국내법의 단계

1) 헌법인 최상위법
2) 법률은 국회에서 제정하며 헌법 다음의 지위를 가짐
3) 명령은 행정부에서 제정
- 대통령령(=시행령, 영(령)): 대통령이 제정한 명령
- 총리령(=시행규칙): 국무총리가 제정한 명령
- 부령(=시행규칙): 각 부 장관이 제정한 명령
  (국토교통부령, 보건복지부령 등 각 부에서 제정)

2. 결격 사유

일정한 자격을 얻는데 제한이 되는 사유

3. 항소 기각

민사 소송법상 항소 법원이 원심 판결이 정당하다고 인정하여 소송 절차를 종결시키는 의사 표시

4. 이관 관할구역이나 관할지가 다른곳으로 옮겨지다

5. 심의 어떤안 건이나 일을 자세히 조사하고 논의하여 결정함

6. 위탁

1) 어떤일이나 사물의 처리를 남에게 부탁하여 맡김
2) 행정관청이 업무를 다른기관에 맡김

7. 과잉 금지 원칙

국가의 공권력 행사가 정당하더라도 국민의 자유와 권리를 지나치게 제한해서는 안 된다는 원칙

8. 형평의 원칙

현재 사회적으로 논의되고 있는 문제들을 균형 있게 보도하기 위하여 가급적 상대되는 의견들을 함께 다루어야 한다는 원칙

9. 과실상계

과실상계(過失相計)란 대한민국 민법의 법리(법률의 원리)로 채무불이행이나 불법행위에 의해 손해를 배상해야 될 경우, 채권자 또는 피해자에게도 과실이 인정되는 경우에는, 배상책임의 유무 및 배상액을 산정할 때 피해자의 과실을 참작하는 것을 말한다(민법 제396조, 민법 제763조). 과실 상쇄라고도 한다.

* 근로기준법

10. 위약예정금지

사용자에게 근로계약 불이행에 대한 위약금(違約金) 또는 손해배상액을 예정하는 계약체결을 금지하는 것을 말한다(근로기준법 제20조). 근로계약기간 도중에 근로자가 전직(轉職) 또는 귀향 등을 하여 근로계약을 이행하지 않는 경우에 일정액의 위약금을 정하거나, 근로계약 불이행 내지는 근로자의 불법행위에 대해서 일정액의 손해배상을 지급하여야 한다는 것을 근로자 본인이나 신원보증인과 약속하는 관행이 있으나 이러한 제도는 자칫하면 근로의 강제가 되기 쉽고, 근로자의 자유의사를 부당하게 구속하여 근로자를 사용자에게 귀속시킬 가능성이 있기 때문에 「근로기준법」 제20조에서는 이러한 위약금제도와 손해배상액예정제도를 금지하고 있다.

11. 해고 예고

근로 기준법에서, 사용자가 근로자를 해고하고자 하는 경우에, 적어도 30일 전에 알려 주어야 하는 일. 이를 위반할 때는 30일분 이상의 평균 임금을 지불할 의무가 생긴다.

12. 이행강제금

행정상의부작위의무 또는비대체적 작위의무 이행을 강제하기 위하여 행정관청이 과하는 과료따위의벌. 일정한 기한까지 의무를 이행하지 않으면 과태료를 물린다는뜻을 미리 알려서 의무자에게 심리적 압박을 가한다

13. 우선 변제

어떤채권자 가채무자의 전재 산또는 특정재산에서 다른 채권자 보다 먼저 변제를 받는일

* 민법

14. 통정허위표시

『법률』 표의자가 진의가 아닌 의사 표시를 하는 것에 대하여 상대방과 상호 양해 또는 합의하여 하는 허위의 의사 표시. 허위 표시의 수단이 되는 것을 가장 행위라 하고, 대상이 되는 것을 은닉 행위라 한다.

15. 요식 행위

일정한 방식을 필요로 하는 법률 행위

16. 채권 행위

당사자 사이에 채권 및 채무의 관계를 발생시키는 법률 행위

17. 물권 행위

직접적으로 물권의 발생, 변경, 소멸 등의 변동을 낳게 하는 법률 행위

18. 무권대리

대리권이 없는 사람이 행한 대리 행위

* 민사집행법

19. 즉시 항고

재판으로 내린 결정에 대하여 불복이 있을 경우에 법률로 정한 일정한 기간 내에 제기해야 하는 항고

20. 이의 신청

법률상으로 인정되는 절차에 따라 이의를 주장함

21. 승계 집행문

강제 집행 시 채무 명의 또는 집행문에 표시된 집행 당사자에게 승계가 있거나 기타 채무 명의의 효력이 제삼자에게도 미치는 예외의 경우, 승계인의 성명을 표시하여 부여되는 집행문

22. 집행문 부여의 소

채권자가 채무 명의의 집행력이 있음을 증명서로 증명할 수 없을 때에 집행력이 현존하고 있다는 것을 주장하거나 입증하여 판결로 보장받기 위한 소송.

23. 재산 관계 명시 제도

채권자가 채무자의 재산 목록을 법원에 신고하게 하는 명령을 내리도록 법원에 신청하는 제도

* 상가·주택 임대차 보호법

24. 임차권 등기 명령

임대차 기간이 끝났음에도 임대인이 보증금을 돌려주지 않는 경우, 임차인이 법원에 신청하여 임차권을 단독으로 등기할 수 있도록 한 제도

25. 대항력

법에서, 이미 성립한 권리관계를 제삼자가 인정하지 않을 때 이를 물리칠 수 있는 법률상의 권리와 능력

26. 묵시적

직접적이고 명료한 말이나 행동이 없이 은근히 자신의 뜻을 나타내 보이는 것

* 회생 및 파산법

27. 채권자 취소 소송

채무자가 채무를 회피할 목적으로 한 법률 행위에 대하여 채권자가 채무자의 재산 감소 행위를 취소하거나 원래의 상태로 회복시키기 위하여 제기하는 소송